10
18

12, AVENUE D'ITALIE. PARIS XIIIe

Sur l'auteur

Carin Gerhardsen est née en Suède en 1962. Cette mathématicienne de formation, diplômée de l'université d'Uppsala, a mis sa carrière de consultante en informatique entre parenthèses pour se consacrer entièrement à l'écriture. Passionnée depuis l'enfance par les enquêtes policières, c'est tout naturellement qu'elle s'est lancée dans l'écriture de polars. *La Comptine des coupables* est la troisième enquête du commissaire Conny Sjöberg, suivie de *La Dernière carte* aux éditions Fleuve Éditions. Carin Gerhardsen vit actuellement à Stockholm.

CARIN GERHARDSEN

LA COMPTINE
DES COUPABLES

Traduit du suédois
par Charlotte Drake et Patrick Vandar

**10
18**

FLEUVE ÉDITIONS

Titre original :
Vyssan Lull

© Carin Gerhardsen, 2010.
© Fleuve Éditions, département d'Univers poche, 2013,
pour la traduction en langue française.
ISBN 978-2-264-06105-8

Comme ils me serrent, ces bandeaux cruels de la vie.
Sur les champs de la joie, je ne récolte que des épines,
et comme un château de cartes tombe chaque jour
l'espoir de plaisir terrestre, le rêve de bonheur.
Avec pour seule béquille ma patience,
j'avance à tâtons dans un désert sauvage et sombre.
Dans mes traces grésille la lourde chaîne
aux anneaux que seule la mort sait briser.
Vient me consoler une chanson venue du ciel,
un ange couronné de roses,
dans un élan doré descend vers la Terre,
me frôle de sa tige de lys,
libère ce prisonnier de ses chaînes cuivrées,
lève son aile et chante de sa voix cristalline.

Erik Johan STAGNELIUS

MARS 2008,
NUIT DE SAMEDI À DIMANCHE

L'espace d'un instant, on entend comme le croassement d'un oiseau, puis le silence. Le corps qu'il tient entre ses bras s'alourdit, et le miroir de la salle de bains lui renvoie l'image de cette tête qui s'abandonne en arrière contre sa poitrine. L'inclinaison est étrange, les yeux sont clos et la bouche grande ouverte. Comme quelqu'un qui dort dans le bus. Une position inconfortable qui pourrait bientôt la pousser à se réveiller, avant de se rendormir, et ainsi de suite… Mais non, l'entaille béante au niveau de sa gorge et le sang qui jaillit de plus en plus lentement de la plaie témoignent d'autre chose. Cette femme ne se réveillera jamais plus.

Il essuie la lame du couteau de chasse sur le jean de sa victime, avant de le poser sur le lavabo. Sans donner l'impression de forcer, il la soulève dans ses bras, la soutenant à l'arrière des genoux et à hauteur des épaules. Il franchit le seuil de la salle de bains, transporte ce corps gracieux jusque dans la chambre à coucher, et l'allonge avec précaution sur le grand lit, aux côtés des deux enfants endormis. À pas feutrés et déterminés, il retourne à la salle de bains pour récupérer son arme. Sensible aux mouvements, la petite fille allongée entre sa mère et son frère aîné se met à gémir et, à tâtons, porte son pouce à sa bouche.

Au même instant, il réapparaît avec son couteau de chasse et, sans la moindre hésitation, tranche avec netteté la gorge gracile de la petite fille. Elle n'émet aucun son, et seul le souffle calme de son frère trouble le silence de la chambre. L'homme lui-même ne semble pas respirer. Il demeure immobile quelques instants, à contempler le sang qui s'écoule de ce petit corps. Puis, à pas rapides, il se rend de l'autre côté du lit, se penche au-dessus du garçon profondément endormi et, d'un geste, met fin à sa jeune existence en lui sectionnant la trachée-artère.

MARDI MATIN

Au premier coup d'œil, le commissaire Conny Sjöberg se dit qu'on les croirait endormis : la ravissante petite fille avec son pouce dans la bouche et le garçon allongé près d'elle, l'air tout à fait détendu. Mais dans les deux cas, la position de la tête par rapport au corps n'a rien de naturel, et il en vient vite à comprendre. Une fois ses yeux habitués à l'obscurité, il distingue de grandes quantités de sang séché sur les draps et les trois cadavres. Sjöberg a du mal à supporter la vision des gorges entaillées, mais il s'oblige à observer la scène macabre pendant près d'une minute, avant de détourner le regard. Le garçon semble avoir environ cinq ans, comme sa propre fille Maja. La petite paraît un peu plus jeune, de l'âge de ses fils jumeaux. Jens Sandén se place aux côtés de Sjöberg, dos tourné aux cadavres. Il s'adresse à lui à voix basse, légèrement penché, au point d'effleurer son oreille.

— Au moins, ils sont partis ensemble.

— Comment on peut faire un truc pareil… ?

— Il faut regarder cet aspect-là des choses, reprend Sandén. La mère et les enfants sont morts ensemble.

— Ça a dû aller vite, marmonne Sjöberg. S'ils dormaient, les enfants n'ont pas eu le temps de remarquer quoi que ce soit.

Petra Westman fait claquer le store de la fenêtre en le remontant. Une lumière grise de mars envahit la chambre et leur permet de l'observer en détail. Sandén jette un regard vers le lit. Les deux enfants reposent sur la couette. Ils portent tous deux un pyjama. Celui du garçon est de couleur rouge, avec une toile d'araignée noire imprimée sur le pantalon et un Spiderman sur la poitrine. Celui de la petite fille est bleu ciel, avec des petits oursons. La mère est vêtue d'un jean et d'une tunique blanche cintrée portée sur un débardeur. Ses pieds sont nus, les ongles recouverts d'un vernis transparent.

— Il y a beaucoup de sang dans la salle de bains, affirme Sandén. Et aussi sur le sol, tout le long du trajet menant au lit.

— Il a tué la femme en premier, constate Sjöberg. Pendant que les enfants dormaient dans son lit. Ensuite, il l'a transportée jusqu'ici. Je ne vois aucune trace de lutte. Mais pourquoi assassiner des enfants qui n'ont rien vu ?

— Peut-être qu'ils *savaient* quelque chose, suggère Sandén.

— Le crime passionnel est envisageable. Il y a un homme dans cette famille ?

— Ben, il y a écrit Larsson sur la porte d'entrée…

— Et eux n'ont pas l'air de s'appeler Larsson, complète Sjöberg.

Ils se tournent en même temps vers le lit. Des cheveux noirs luisants, et malgré l'aspect cadavérique, des traits asiatiques joliment ciselés. Autant de preuves qu'ils sont tous les trois originaires d'une contrée éloignée de la Suède.

— Peut-être la Thaïlande ? propose Sandén.
— Possible.

Sur la table de nuit, grand ouvert, se trouve un livre en anglais de comptines pour enfants :

De quoi sont faits les petits garçons ?
De quoi sont faits les petits garçons ?
De grenouilles et d'escargots
Et de queues de chiots
Ainsi sont faits les petits garçons.

De quoi sont faites les petites filles ?
De quoi sont faites les petites filles ?
De sucre et d'épices
Et de tout un tas de délices
Ainsi sont faites les petites filles.

— Il est possible qu'elle ait été adoptée, lance Jamal Hamad, inspecteur adjoint d'à peine trente ans, accroupi sur le seuil de la salle de bains, en train d'étudier ce qui ressemble à une empreinte de semelle sur le bord d'une flaque de sang séché.

Il se lève et pose son regard sur ses supérieurs hiérarchiques.

— Il y a un sac à main suspendu au portemanteau de l'entrée, poursuit-il. Est-ce que j'y jette un coup d'œil en faisant attention, pour voir si on y trouve l'identité de la femme ? Comme ça, Einar aura déjà une base de travail avant que Bella en ait terminé.

Gabriella Hansson, surnommée Bella, et ses techniciens de la police scientifique ne sont pas encore arrivés, mais Sjöberg sait qu'ils sont en route. Comme il fait confiance à l'instinct, il souhaite toujours que lui et son équipe puissent se faire leur propre opinion de la scène de crime avant que les scientifiques de la brigade criminelle s'approprient totalement les lieux.

— Oui, vas-y, répond-il sans rien ajouter.

Il a une grande confiance en Jamal et ne voit pas la nécessité de lui préciser la façon d'opérer.

— Mais d'ailleurs, où est Einar ?

Sandén manifeste son ignorance d'un haussement d'épaules.

— Aucune idée, lance Jamal depuis l'entrée.

Sjöberg ressort de la chambre en prenant soin de ne pas poser ses pieds au mauvais endroit, même si ses chaussures sont revêtues de protections. Il traverse le couloir et rejoint Petra à la cuisine. Elle est en train de l'examiner, le dos tourné à la fenêtre.

— Ça te dit quoi, Petra ?

— La première chose qui me vient, c'est que des enfants ont souffert, affirme-t-elle d'un ton désabusé.

Il présume que ses pensées la ramènent au petit garçon qu'elle a trouvé dans un fourré, il y a moins de six mois. Pour Sjöberg, c'est l'image d'une petite fille dans une baignoire qui lui revient.

— Je vois une femme solitaire, poursuit Petra. Une femme perdue, avec des problèmes d'argent.

— Dans un appartement en copropriété de Norra Hammarbyhamnen ? Un quartier où les logements coûtent des millions !

— Je sais que ça n'a pas l'air cohérent. Mais quand on regarde, on ne voit pas le moindre signe d'opulence. Les placards et le réfrigérateur ne contiennent que des produits de première nécessité. Tout est bon marché : les vêtements, les meubles, les appareils ménagers. On peut dire que c'est meublé de manière spartiate. Il n'y a pratiquement pas le moindre objet de décoration. On a l'impression d'un appartement pas encore installé. Tu le vois bien toi-même, Conny ?

— Et qu'est-ce qui te fait croire qu'elle vivait seule avec ses enfants ?

— Précisément ce que je viens de te dire. Tout est tellement impersonnel. Elle n'avait pas envie d'être ici. Sa vraie place était ailleurs.

*

Au moment où les techniciens de la police scientifique débarquent avec Bella Hansson à leur tête, Sjöberg a déjà quitté l'appartement du 5 rue Trålgränd et se trouve dans la cour.

— Salut, Bella, dit Sjöberg.

— Tu as l'air fatigué.

Elle ne s'arrête pas, se contentant de ralentir à hauteur des policiers.

— Il y a des enfants parmi les victimes. Et du sang partout.

— Un accident ?

— Totalement impossible.

Elle accélère l'allure et avance d'un pas résolu, légèrement voûtée sous le poids des gros sacs qu'elle porte à la main. Sjöberg rapplique au petit trot pour lui ouvrir la porte d'entrée de l'immeuble et risquer une prudente requête :

— On a besoin de tous les éléments susceptibles de nous aider à établir son identité. Papiers d'identité, adresses, factures…

— … photographies, correspondance et tout le reste, complète Bella. Tout sera sur ton bureau avant 16 heures.

Le médecin légiste Kaj Zetterström et l'un de ses collègues ont le temps de se faufiler à l'intérieur de l'immeuble avant que Sjöberg relâche la porte et se dirige vers le canal, pour emprunter la promenade qui mène au commissariat d'Hammarby situé non loin de là. Il ne fait rien pour se hâter et rattraper ses

15

collègues qu'il discerne dans la bruine, une centaine de mètres devant lui. Il a envie de se retrouver un moment seul avec ses pensées, le temps d'atteindre le numéro 100 d'Östgötgatan.

MARDI APRÈS-MIDI

Quelques heures plus tard, l'équipe se retrouve autour de la table de la salle de réunion bleue du commissariat. Il y a là Conny Sjöberg, Jens Sandén, Petra Westman, Jamal Hamad, ainsi que le procureur en chef Hadar Rosén dans son habituel costume gris assorti d'une chemise blanche et d'une cravate. Sjöberg trouve plus surprenante la présence de Gunnar Malmberg, commissaire principal adjoint, venu se faire une idée de la façon dont l'équipe compte gérer cette affaire sensible. Affichant une mine sérieuse de circonstance, Malmberg tente un sourire en les saluant un à un, et Sjöberg est heureux de constater que même Petra se prête au jeu avec un naturel apparent. Il n'a pas souvenir de les avoir vus dans une même pièce depuis la situation pénible d'il y a six mois, quand Malmberg, sur directives du commissaire principal Roland Brandt, avait plus ou moins ordonné à Petra de remettre sa démission. Cela en raison d'un courrier électronique obscène envoyé à Brandt depuis l'adresse de Petra, que Sjöberg aurait souhaité ne jamais avoir vu. Mais l'affaire semble désormais oubliée et pardonnée pour chacune des deux parties. Il vaut mieux qu'il en soit ainsi, tant la situation nécessite d'éviter les controverses internes.

— Bella ne peut venir par manque de temps et on le comprend, commence Sjöberg, mais elle nous a fait parvenir une somme d'éléments qui nous permettent d'avancer.

Il soulève une pochette transparente qui contient divers papiers, un passeport, et quelques cartes postales.

— C'est vraiment une rapide, cette nana, constate Sandén.

— Oui, et d'ailleurs, on peut lui en être reconnaissants.

— Mais où se trouve ce bon Eriksson, aujourd'hui ? s'interroge Rosén en regardant autour de lui, l'ébauche d'un sourire au coin des lèvres.

— Il semble qu'il soit de repos, répond Sjöberg. À moins que quelqu'un ne l'ait vu ?

— Tu crois qu'Einar est parti en vacances ? ricane Sandén. Un séjour au ski en Italie, peut-être ?

Jamal laisse échapper un rire étouffé. L'image d'un asocial comme Einar Eriksson en train de skier, lui qui ne quitte son bureau que contraint et forcé, a quelque chose de comique. Petra adresse un sourire entendu à Sandén, mais Sjöberg laisse couler, sans manifester de réaction.

— Oui, c'est dommage, se contente-t-il de dire. Il nous aurait été bien utile.

Il se lève, va jusqu'au tableau blanc, s'empare d'un marqueur et inscrit le nom de « Catherine Larsson » avant de le souligner.

— Catherine Larsson, nom de jeune fille Calipayan, trente-quatre ans, née en 1973. Les enfants, qui sont bien les siens, ont pour nom Tom et Linn Larsson, respectivement quatre et deux ans.

Tout en lisant à haute voix ces informations figurant sur une note rédigée à la main, il les écrit au tableau.

— L'appartement où les faits se sont déroulés lui appartient. Elle est originaire des Philippines, habite la Suède depuis 2001 et a obtenu la nationalité suédoise en 2005. Elle est mariée à Christer Larsson, né en 1949, et père des deux enfants. Il est aujourd'hui officiellement domicilié à une autre adresse, ce qui voudrait dire qu'ils ne vivaient plus ensemble. Elle a habité le domicile conjugal jusqu'en juin 2006, date à laquelle elle a déménagé au 5 rue Trålgränd.

— Comment subvenait-elle à ses besoins ? interroge Rosén.

— Elle est inscrite comme demandeuse d'emploi, et ceci depuis que ses enfants sont entrés à la crèche, en août 2006. Avant d'être maman, elle a occupé un emploi temporaire dans une entreprise de nettoyage, d'où elle a été licenciée au bout de quatre mois pour « baisse d'activité ». Tom, son premier enfant, est né quelques mois plus tard, ce qui peut avoir poussé son employeur à la congédier.

— Elle est propriétaire de l'appartement ?

Sjöberg répond par un signe de tête affirmatif.

— Ça paraît une façon de se loger un peu coûteuse pour une Philippine au chômage, souligne Rosén.

— Oui, on va regarder ça de plus près. Mais elle est… ou plutôt elle était toujours mariée.

— Je pencherais pour l'hypothèse qu'elle faisait des ménages au noir, intervient Sandén. C'est une façon de gagner un sacré paquet de fric. En plus, il est possible qu'elle soit arrivée ici avec de l'argent, vu qu'on devine facilement de quoi elle vivait là-bas.

Sjöberg se frotte le coin de l'œil d'un doigt et laisse échapper un léger soupir désabusé.

— Est-ce qu'on peut essayer de procéder scientifiquement ? rétorque-t-il.

— Il faut bien que quelqu'un ose dire ce que tout le monde pense, peste Sandén, en feignant de se montrer offensé. Mais d'accord, retour à la méthode qui consiste à mettre au jour péniblement une information que tout le monde connaît déjà.

Au même instant, Sjöberg remarque comme une ombre qui passe sur le visage de Sandén, dont le teint devient aussitôt grisâtre. Sjöberg se crispe et tente de faire une rapide évaluation de l'état de santé de son collègue, un réflexe acquis six mois plus tôt, après l'attaque de Sandén qui a été bien près de lui coûter la vie. Difficile de dire si Sandén a remarqué son inquiétude, mais un court instant plus tard, il y va de nouveau de son habituel ricanement satisfait.

— Toi et moi, on s'occupe de Christer Larsson, indique Sjöberg comme si de rien n'était, tout en pointant un doigt vers son vieux compagnon d'armes. Petra et Jamal, vous vous chargez du porte-à-porte, enchaîne-t-il. Jens se joindra à vous par la suite. Je vais éplucher le contenu de la pochette, et donc jouer les Einar jusqu'à ce qu'il soit de retour. Des commentaires ?

Son regard s'attarde sur ses collègues regroupés autour de la table.

— J'ai l'impression qu'elle vivait seule avec ses enfants, sans homme dans sa vie, indique Petra.

— Moi, je pense qu'elle avait un mec, réplique Jamal.

Petra lui adresse un bref regard empreint de colère.

— Mais bordel, elle était mariée, exulte Sandén.

Sjöberg lève la main dans un geste d'apaisement.

— Qu'est-ce qui te fait dire ça, Petra ?

— On peut supposer que sa relation avec ce Christer Larsson était terminée puisqu'elle a déménagé, commence-t-elle. Je n'ai vu aucun signe évoquant la présence régulière d'un homme dans l'appartement. Pas de vêtements masculins, ni d'accessoires de toilette dans la salle de bains. Et comme je te l'ai déjà dit, Conny, le lieu est totalement impersonnel, sans la moindre touche de décoration. C'est mon sentiment.

— Deux remarques, commente Jamal. D'abord le fait qu'elle possède bel et bien un lit double.

— C'est peut-être lié aux enfants, intervient sèchement Petra. Elle aimait peut-être les avoir dans son lit.

— Ou bien ce sont *eux* qui avaient plaisir à venir se coucher auprès d'elle, souligne Sjöberg, quand lui vient en tête l'image de lui-même avec Åsa et leurs cinq gamins installés dans le grand lit.

— Deuxième point, enchaîne Jamal sans manifester le moindre trouble, il y avait un pull vert d'homme accroché au portemanteau de l'entrée.

Sjöberg soulève un sourcil.

— Une hirondelle ne fait pas le printemps, réplique Petra. Il est plausible que Christer Larsson leur rendait parfois visite.

— Sur la façon d'agir du criminel, qu'est-ce que ça nous dit ? lance Sjöberg. C'est violent, sanglant, bestial. De la haine ? De la vengeance ? Un crime passionnel ?

— Manifestement, il voulait du mal aux enfants, estime Jamal. Sinon, pourquoi s'en prendre à eux alors qu'ils paraissaient dormir ?

— On ne le sait pas avec certitude. C'est à Zetterström de nous le dire, mais je conviens que pas mal d'éléments portent à le croire. Si la femme a été assassinée dans la salle de bains, il semble étrange que les deux enfants éveillés aient sagement attendu leur tour allongés sur le lit.

— Ils peuvent aussi avoir été tués en premier, enchaîne Jamal, mais il semble difficile de croire qu'il ait procédé dans cet ordre. Ce qui est sûr, c'est que la mère se trouvait dans la salle de bains… Peut-être qu'ils se connaissaient. En tout cas, je crois qu'il en voulait aux enfants. Soit à eux seuls, soit à la mère et aux enfants.

— Est-ce qu'il s'agit bien d'un homme ? interroge Sjöberg.

Tous ceux présents autour de la table acquiescent.

— Ce n'est pas un petit couteau de poche qui a fait ça, expose Sandén. Il est question d'un attirail impressionnant. Et la boucherie qui a eu lieu dans la salle de bains ne peut être que l'œuvre d'un mec. Même si elle n'était pas très grande, Catherine Larsson a sans doute opposé une certaine résistance. J'imagine qu'une femme aurait plutôt poignardé. C'est l'acte d'un homme. Quelqu'un de fort, déterminé, qui agit froidement.

— Je suis de ton avis, affirme Sjöberg. Mais comment en vient-on à tuer deux jeunes enfants ? Jens, tu veux bien nous sortir quelques bonnes vieilles idées toutes faites pour m'éviter le travail.

— Parce qu'on est le père des petits et qu'on en a ras le bol de tout ça, répond promptement Sandén. Ou parce qu'on aurait souhaité être le père des enfants et qu'on en a marre de cette merde.

— Qui a prévenu la police ? interroge le procureur.

Sjöberg jette un regard sur la note qu'il tient à la main.

— Un voisin du nom de Bertil Schwartz. Catherine Larsson avait réservé un horaire à la buanderie de l'immeuble dans la matinée, mais elle ne s'est pas pointée. Schwartz est allé sonner chez elle pour lui demander s'il pouvait utiliser son créneau, mais personne n'a répondu. Il lui a alors écrit un mot, et quand il a ouvert la fente à courrier de la porte pour y glisser le papier, il a senti une odeur nauséabonde. Ça l'a poussé à regarder à l'intérieur et il lui a semblé voir du sang sur le sol. Et c'est là qu'il a appelé la police. Il faut vérifier cette histoire de buanderie.

Cette dernière remarque s'adresse à Jamal et Petra. Il se tourne ensuite vers Sandén :

— Tu t'occuperas aussi de la crèche où allaient les enfants. Mais d'abord, on règle ensemble le cas de Christer Larsson. Démarrons comme ça et retrouvons-nous ici demain à la même heure.

*

Pour ménager son dos, il se tient allongé sur le côté dans la pénombre. Un rai de lumière hivernal tente de pénétrer par la lucarne située au-dessus de l'évier souillé. Quand il plonge les yeux dans cette clarté, le reste de la pièce devient noir. Comme il préfère voir les objets qui l'entourent, il fixe quelques boîtes posées sur une étagère. Il les observe, sans vraiment les distinguer. Dans son esprit, il se retrouve *en mai, lors d'une de ces journées resplendissantes de printemps, il y a longtemps de cela. Sa main est posée sur la taille de sa femme. Ils se tiennent tous deux à la fenêtre de la salle de séjour de leur appartement, en train de regarder les deux garçons de leurs voisins de palier qui jouent dans la cour. L'un des battants de la fenêtre est ouvert et le souffle de l'air fait légèrement flotter le rideau blanc tout proche d'eux. D'ailleurs, est-il vraiment blanc, ou est-ce plutôt que tous les souvenirs de cette journée sont enveloppés dans une sorte de brume laiteuse ?*

Sans les plantations en cours, ils auraient pu s'asseoir sur le balcon. Mais la table et les deux chaises sont repliées et trônent fièrement le long du mur, tandis que des journaux recouvrent le sol en béton. Un sac de terre est à moitié répandu sur ce lit de papier, et une dizaine de pots sont empilés tout près, ainsi qu'un ou deux cartons contenant les plantes. L'odeur de la terre en provenance du balcon se mêle à celle de l'herbe fraîchement coupée qui monte depuis la cour.

On est samedi, et des enfants plus âgés accaparent la totalité des balançoires, ce qui, pour l'instant, oblige les deux petits voisins à se contenter du bac à sable. Armés l'un et l'autre d'une petite pelle, ils creusent distraitement le sol tout en jetant des regards furtifs en direction des balançoires. Mais ils n'osent pas s'approcher des plus grands, même si leur maman est toute proche, assise sur un banc en train de feuilleter un magazine.

— Tu veux en avoir des comme ça ? demande-t-il tandis que sa main vagabonde le long du dos de sa femme, jusqu'à atteindre sa douce chevelure à hauteur de la nuque.

— Non, plutôt dans ce genre-ci, répond-elle en se tournant vers lui et en lui pinçant le menton. Mais juste en plus petit, ajoute-t-elle dans un rire.

Il l'entoure de ses bras et la serre contre lui. Ils demeurent ainsi quelques instants en silence. Son regard se pose de nouveau sur les deux gamins du bac à sable, et il remarque qu'ils partent en courant pour disparaître hors de sa vue. Ils réapparaissent quelques instants plus tard, accrochés l'un et l'autre à une main de leur père. La maman se lève et lui parle. Elle roule son magazine et s'éloigne d'eux. La dernière image d'elle la montre en train de crier quelque chose aux garçons. Quelques propos ordinaires, lancés par-dessus son épaule, avant de disparaître. Il pensera – un peu plus tard – qu'elle ne les a pas pris dans ses bras, qu'elle n'a pas embrassé leurs joues roses avant de partir, qu'elle n'a pas passé sa main dans leurs cheveux en leur disant combien elle les aimait. Le fait est qu'il est bientôt 10 heures, temps pour elle de partir travailler au salon de coiffure.

— Tu as l'estomac qui gargouille, dit sa femme en se délivrant de ses bras. Viens, on va prendre le petit déjeuner.

Elle fait frire des œufs et du bacon pendant qu'il dresse la table de la cuisine. À travers la fenêtre, il aperçoit les grands qui abandonnent les balançoires et les petits des voisins qui se précipitent pour prendre possession des lieux. Leur père a été rejoint sur le banc par un autre homme, et leurs gestes montrent qu'ils se connaissent.

Après le petit déjeuner tardif du samedi, ils laissent tout en l'état et retournent se blottir dans le lit un moment. Il est déjà 12 h 30 lorsqu'ils finissent de tout remettre en ordre, la cuisine nettoyée et les gants de jardinage enfilés, prêts à reprendre les plantations sur le balcon.

C'est alors qu'on sonne à la porte.

*

Sans trop se parler, ils marchent côte à côte en direction de la rue Trålgränd pour interroger les voisins. Jamal fait quelques tentatives maladroites pour engager la conversation, mais Petra n'est pas d'humeur. Elle fait simplement comme si de rien n'était. Pour elle, il n'existe plus en tant que personne. Comme collègue policier d'accord, mais pas plus. Sjöberg insiste toujours pour leur confier des missions communes et Petra reste professionnelle. Elle ne laisse jamais ses sentiments personnels influer sur son travail. Mais ce ne sera plus jamais comme avant. Elle ne peut se résoudre à tirer un trait sur ce qu'il lui a fait. À elle comme aux autres filles qui figurent sur les enregistrements vidéo retrouvés dans la cave de Peder Fryhk.

Il est pour ainsi dire prouvé que c'est Jamal qui tenait la caméra. C'est lui qui l'a convaincue de le suivre au bar du Clarion, qui l'a précipitée dans les bras de Fryhk, le violeur. Et c'est Jamal qui a subtilisé son passe d'entrée au commissariat, qui l'a manipulée pour qu'ils se rendent au Pelikan et qu'elle y boive de nombreuses bières, avant qu'il s'introduise au commissariat à l'aide du passe dérobé et qu'il envoie un courrier électronique à caractère sexuel au commissaire principal. Cela depuis l'adresse et l'ordinateur de Petra, dont le mot de passe ne pouvait être connu que d'elle-même et de son violeur. De plus, elle a retrouvé l'image transmise à Roland Brandt sur un fichier présent dans l'ordinateur de Jamal.

Si ça ne suffit pas, elle peut prouver à tout moment que ses soupçons sont fondés. Håkan Carlberg, de la brigade criminelle scientifique de Linköping, a toujours en sa possession les empreintes digitales et l'ADN de celui qu'elle nommait *le deuxième homme* avant de pouvoir lui donner un nom. Un *deuxième homme* qui tenait la caméra pendant que Peder Fryhk violait ces femmes droguées et inconscientes, et qui abusait également d'elles, mais sans jamais être filmé ni laisser le moindre souvenir à ses victimes.

Mais elle ne le fait pas. Elle n'envoie pas les empreintes digitales de Jamal à Linköping pour comparaison. Tout simplement parce qu'elle estime que ce n'est pas nécessaire, qu'elle connaît déjà le résultat. Et aussi parce qu'elle considère qu'il est trop tard pour faire les choses comme il se doit, puisqu'elle a décidé dès le début de ne pas porter plainte pour ce qu'elle a subi. Et peut-être même que la situation telle qu'elle est lui convient. Qui sait comment elle réagirait si la preuve formelle que Jamal Hamad est bien le *deuxième homme* se trouvait établie ? Son fidèle ami. Ou pire encore : qu'après tout ce temps, il résulte de cette analyse qu'il est innocent. Dans les deux cas, l'existence qu'elle s'est reconstruite de haute lutte volerait en éclats… Non, elle ne peut pas se permettre de remettre tout ça en question.

Petra se contente de maintenir Jamal à distance, en essayant de se montrer neutre, de ne parler avec lui que de faits liés au travail, sans lui offrir la moindre opportunité de prendre l'ascendant sur elle ou de lui nuire. Or c'est bien ce qu'il cherche à faire. Une hypothèse dont même Sjöberg a convenu quand elle lui a révélé les détails du viol dont elle a été victime. Dans sa tête, le *deuxième homme* ressent une pulsion de pouvoir et de vengeance à son égard. À n'en pas douter, le pouvoir sur l'autre est le moteur de tout viol. Quant à l'envie de se venger, elle tient à ce qu'elle a su faire en sorte que Peder Fryhk se retrouve derrière les barreaux. La transmission d'images pornographiques à Brandt est une tentative pour la faire renvoyer qui a été à un cheveu de réussir. Esprit de vengeance. Exercice du pouvoir.

Jamal a procédé avec subtilité. Dès que la chance s'est présentée. Il a fait en sorte de toujours être proche d'elle, d'être un soutien solide dans son existence. Il s'est volontiers montré complice, l'a entourée de ses bras, l'a regardée au fond des yeux, lui a manifesté de l'intérêt. Mais sans jamais aller plus loin. Aucune avance, pas de paroles déplacées. Alors qu'elle ne l'aurait probablement pas repoussé. Un homme beau, intelligent, chaleureux, charmant. Qu'aurait-elle pu exiger de plus ? Et il venait tout juste de divorcer. Mais depuis qu'ils se connaissent, il n'a eu qu'une seule idée en tête : faire d'elle ce qu'il veut, sans respecter sa volonté. Il a réduit leur relation à cela, et elle n'a été qu'un jouet entre ses mains, un objet de fantasme.

Mais jamais il n'arrivera à triompher d'elle. Face à lui, elle ne s'est jamais montrée faible. Elle s'est vite reprise, remise sur pied presque dans l'instant. Depuis le viol, il y a un an et demi de cela, elle a affiché un intérêt quasi inexistant pour les hommes. Mais même dans ce domaine, elle est sur le point de s'en sortir. Comment y est-elle parvenue ? Elle sourit en pensant à l'absurdité de la situation. Rien ne peut advenir de cette histoire, et rien ne le doit, même si c'est agréable. Bon pour sa confiance en elle. Une histoire sans lendemain avec un homme mûr au meilleur de sa forme. Un père de famille. Elle n'a rien prémédité : ils se sont rencontrés environ une semaine auparavant, alors qu'elle était sortie faire la fête en compagnie de quelques copains. Elle s'est d'abord montrée distante, comme il se doit. Mais il a su percer habilement son armure, et lui a parlé de choses si intéressantes qu'elle s'est laissé convaincre de l'inviter à boire un thé chez elle. Et tout s'est enchaîné. Mais elle ne regrette rien, demeure tout à fait consciente de la situation et ne se berce d'aucune illusion, bien au contraire. Il semble qu'il en soit de même pour lui. Ils ont tenu à en parler au plus vite, à une ou deux reprises, avec maturité et en évitant le déni. Une vision adulte des choses.

*

Au 5 rue Trålgränd, Petra et Jamal rencontrent Bertil Schwartz, un homme habitant seul, âgé d'une soixantaine d'années, qui ne sait rien de la femme assassinée et de ses enfants. Il affirme ne jamais les avoir remarqués. Jamal et Petra ne voient aucune raison de mettre en cause sa bonne foi. Le tableau de réservation de la buanderie de l'immeuble confirme que Catherine Larsson avait bien retenu une tranche horaire d'utilisation dans la matinée de ce mardi.

Ses voisins de palier du rez-de-chaussée n'ont pas grand-chose de plus à déclarer. Aucun d'entre eux n'a entretenu de relation étroite avec les Larsson, mais tous les habitants de l'immeuble s'accordent à décrire une famille plutôt discrète, avec des enfants gentils et une mère qui saluait toujours amicalement les uns et les autres.

Ils ont bien remarqué un homme de type suédois en lien avec cette famille, mais ils ne savent pas s'il s'agit de M. Larsson ou pas. Lui aussi affiche une nature réservée, tout en saluant ceux qu'il croise dans les escaliers. Il est possible qu'il dorme parfois sur place, bien que personne ne puisse l'affirmer avec certitude. Compte tenu de leur grande différence d'âge, on peut douter qu'ils forment un couple, mais il est impossible qu'il soit son père. De temps à autre, l'homme a été vu entrant ou sortant en compagnie des deux enfants.

Parfois, il arrivait à Catherine Larsson de recevoir également la visite d'une femme de son âge, asiatique comme elle. Aucun voisin n'a remarqué la moindre querelle ni bruit de disputes en provenance de l'appartement des Larsson. Les médecins légistes affirment désormais que les meurtres ont eu lieu entre samedi soir et dimanche matin. Dans la période qui a précédé l'assassinat, personne dans l'immeuble n'a constaté quoi que ce soit d'inhabituel ni noté que Catherine Larsson ait eu des visiteurs.

En dehors de Bertil Schwartz parmi les autres habitants du lieu, les deux policiers entendent une jeune femme de vingt-cinq ans qui se nomme Elin Lange. Elle est plutôt de petite taille, blonde aux cheveux courts, d'allure dynamique et sportive dans son jean serré et son tee-shirt aux couleurs du Brésil. Il s'avère qu'Elin a effectivement discuté avec Catherine Larsson, un jour où elles se sont croisées dans la buanderie de l'immeuble. Comme Elin rentrait juste d'un voyage en Asie, elle a demandé à Catherine, par pure curiosité, d'où elle venait. Elle a ainsi appris que cette dernière avait grandi sur une petite île des Philippines appelée Negros, qu'elle avait elle-même visitée au cours de son voyage. Selon Elin Lange, Negros se situe dans une région très pauvre des Philippines, elle n'a donc pas été surprise d'apprendre que Catherine avait ensuite déménagé sur une autre île nommée Mindoro pour y trouver un emploi dans le tourisme. Quelque temps plus tard, elle a rencontré sur place un Suédois dont elle est tombée amoureuse. Elle l'a suivi en Suède, l'a épousé et lui a donné deux enfants. Catherine a expliqué à Elin que, depuis, elle et son mari s'étaient séparés. Elle a ajouté que ses enfants avaient leurs racines en Suède et qu'elle aussi se plaisait parmi les Suédois. Mais elle lui a quand même avoué qu'au fond d'elle-même, si ce n'était pour les enfants, elle aurait préféré retourner aux Philippines.

— Elle travaillait dans le tourisme… ? reprend Petra.

À l'abri de sa frange, Elin Lange tourne son regard vers elle, avant de se risquer à exprimer sa pensée.

— Oui… On n'a pas été plus loin dans les détails. C'était juste sympa de parler avec elle. Les Philippins sont un peuple très agréable, on ne peut que les aimer. Mais bon… Quand on visite les endroits touristiques comme Mindoro, le premier emploi qui vient à l'esprit pour une femme n'est pas vraiment réceptionniste d'hôtel. Bien que toutes ne soient pas… Il faut éviter d'avoir des préjugés… Et puis merde, je n'ai pas la moindre idée de la façon dont leur histoire a commencé.

Petra acquiesce, circonspecte.

— Vous avez autre chose à nous dire ? De toutes les personnes que nous avons interrogées jusqu'à maintenant, vous êtes la seule à avoir échangé plus d'un mot de politesse avec Catherine Larsson.

— Elle était très sympa, reprend Elin Lange. Comme ils le sont toujours. Mais elle avait le mal du pays, ce que je comprends. Une femme isolée, face à une existence glacée et misérable. Quand on voit sa vie amoureuse prendre fin, la seule chose que ce pays propose, c'est de l'aide sociale.

Elle reste silencieuse quelques secondes avant d'ajouter :

— Comment peut-on ôter la vie à deux petits enfants… ?

— Si quelque chose d'autre vous revient, appelez-nous, indique Jamal en lui tendant sa carte.

— Oui, je n'y manquerai pas, répond-elle.

Elle y jette un bref coup d'œil avant de la glisser dans la poche arrière de son jean.

— Ne l'oubliez pas à l'intérieur avant le prochain lavage, plaisante Jamal avec un clin d'œil.

Elle part d'un petit rire, reconnaissante à Jamal d'alléger l'atmosphère pesante.

Petra fait un effort pour sourire.

*

Christer Larsson frise la soixantaine, mais en dépit de ses cheveux grisonnants, il fait vraiment plus jeune. Il est grand et mince, bien bâti, avec des mains épaisses. Ses yeux bruns emplis de tristesse lui donnent un regard légèrement absent.

Sans se montrer surpris, il les invite à entrer dans son appartement situé au quatrième étage d'un immeuble du quartier de Fredhäll. De petite taille, son studio est décoré avec beaucoup de goût et de soin. Il sent le propre. Quelques plantes vertes vivaces ornent le rebord de la fenêtre, et les murs sont agrémentés de photos ou de reproductions encadrées. Une bibliothèque relativement grande, qui ne contient que des livres, occupe tout un côté. En passant devant pour se rendre dans la pièce, Sjöberg a remarqué que la cuisine était elle aussi propre et bien rangée.

Les deux policiers sont installés sur le canapé, dont Sjöberg suppose qu'il est convertible et sert de lit la nuit. Larsson a pris place dans un fauteuil, le corps penché et les jambes écartées, ses grandes mains pendantes à hauteur des genoux. Son regard fixe le tapis.

— Vous êtes bien marié à Catherine Larsson ? commence Sjöberg.

— Oui, répond Christer Larsson sans relever les yeux.

— Mais vous n'habitez plus ensemble ?

— Non, elle a déménagé.

Il s'exprime très lentement, et Sjöberg le soupçonne d'avoir pris quelque chose.

— Vous avez bu ?

Christer Larsson ne paraît pas surpris par la question, peut-être même qu'il s'interroge.

— Non, se contente-t-il de répondre.

— Vous prenez des médicaments ?

— Non, réplique-t-il sèchement. Vous désirez savoir autre chose ?

— Vous vous fréquentez encore ? enchaîne Sjöberg sur un ton naturel.

— Non, on ne peut pas dire ça. Même si de temps en temps, elle est repassée ici avec les enfants.

— Et c'était quand, la dernière fois ?

— En tout, elle est passée deux fois, je crois. Et sa dernière visite remonte à plusieurs années.

— Mais vous êtes le père des enfants ?

— Mm.

— Donc, c'est vous qui alliez les voir ?

— Non, je ne l'ai pas fait.

— Mais vous savez où ils habitent ?

— J'ai bien l'adresse quelque part, mais je ne sais pas trop où.

Sandén, qui n'est pas connu pour sa patience, se sent frustré par la lenteur du dialogue et se mêle à la conversation.

— Par exemple, vous ne seriez pas allé chez eux samedi soir dernier ?

— Non, je ne suis jamais allé chez Catherine et les enfants.

Le regard de Larsson croise celui de Sandén, et une pointe de défi émerge de sa tristesse. D'un geste de main discret, Sjöberg indique à Sandén de se modérer, inspire un grand coup et reprend la parole.

— Christer, nous avons le regret de vous informer que Catherine et les enfants… ne sont plus de ce monde.

Un sourire hésitant apparaît sur le visage de Larsson.

— Vous vous moquez de moi ?

— Malheureusement non, répond Sjöberg, sérieux. Ils ont été retrouvés morts à leur domicile dans la matinée.

— Un accident ?

Sjöberg secoue négativement la tête.

— Non, nous suspectons un assassinat.

— Par qui ?

Le ton de Christer Larsson reste identique, mais son regard exprime plus de tranchant.

— Nous n'en savons rien. Et nous pensons que vous pourriez peut-être nous aider à comprendre.

— Naturellement, vous supposez que c'est moi.

— C'est une hypothèse que nous souhaitons exclure, mais pour cela, il va falloir que vous nous aidiez. Qu'avez-vous fait samedi dernier, disons entre 18 heures et le lendemain matin 6 heures ?

— Rien que je puisse prouver. J'étais chez moi, j'ai mangé, regardé la télé et dormi. Je suis aussi descendu acheter ce qu'il me fallait, mais il n'y a sans doute personne qui s'en souviendra.

— Où avez-vous fait vos courses ?

— Au supermarché Ica qui se trouve sur Stagneliusvägen.

— Vous avez payé par carte ?

— Oui, certainement.

— C'est bien, on pourra au moins vérifier ça.

— Ça vous dérange que je jette un œil dans votre salle de bains ? intervient Sandén.

Larsson l'y autorise d'un mouvement de tête.

— Je peux fouiller un peu dans le linge sale ?

— Faites ce que vous avez à faire, réplique Larsson sans relever les yeux.

Sandén se lève du canapé, s'avance jusqu'au petit hall d'entrée et disparaît dans la salle de bains.

— Pourriez-vous me dire quelques mots de votre relation avec Catherine ? demande Sjöberg. Comment vous vous êtes rencontrés, pourquoi ça s'est terminé, comment il se fait que vous ne vous soyez pas vus depuis si longtemps, votre rapport avec vos enfants, ce genre de choses.

Après un moment de silence et une profonde inspiration, Christer Larsson entame son récit. Sjöberg décide de lui laisser le temps nécessaire pour s'exprimer, sans l'interrompre ni l'aiguillonner.

— De retour des Philippines, un collègue de travail m'avait fait un récit enthousiaste de son voyage. Mais sur le coup, je ne m'étais pas senti très intéressé par ce genre d'expédition. Je ne partais jamais bien loin. Pourtant, quelques années plus tard, je me suis dit qu'il fallait me bouger et faire quelque chose de différent. J'ai donc décidé de me rendre là-bas. Et c'est ce que j'ai fait. J'ai acheté un guide et j'y suis allé, sans plus réfléchir. J'ai visité plusieurs endroits et, sur l'île de Mindoro, j'ai rencontré Catherine. Je n'avais pas eu de relation avec une femme depuis un sacré bout de temps et, cette fois encore, au début, je ne me suis pas vraiment senti intéressé. Mais on peut dire qu'elle s'est montrée curieuse à mon égard et déterminée à me connaître. Je n'ai pas compris ce qu'un vieux raseur comme moi pouvait lui apporter, mais elle a été tenace. Et petit à petit, j'ai moi aussi été séduit. Elle a redonné vie à ce vieux bonhomme que j'étais, un peu comme une nouvelle naissance.

Il regarde Sjöberg avec une légère honte, mais brille aussi dans ses yeux comme une lueur de joie.

— Nous avons fait le tour des îles ensemble pendant plusieurs mois et nous sommes tombés vraiment amoureux. Elle me rendait de bonne humeur. Elle m'a donc suivi à mon retour en Suède, a emménagé ici dans mon appartement et nous nous sommes mariés. Les enfants sont nés. De bons petits. Gentils, faciles à élever, sans cris ni chahut. Catherine savait s'y prendre avec eux, une bonne mère. Mais moi, au bout d'un moment, j'ai perdu mon entrain. Sans raison particulière, c'est juste ma nature. Je me suis donc éteint de plus en plus et cette fois, Catherine n'est pas parvenue à me redonner le goût de vivre. Elle a fini par se lasser. Il n'y a pas eu de dispute entre nous mais, un jour, elle est partie avec les enfants. Et c'était plus que normal. Il fallait bien qu'elle vive, que mon comportement cesse de l'en empêcher.

Ils demeurent assis en silence un moment avec en fond sonore Sandén qui fouille la salle de bains. Sjöberg se demande si le mari a bien intégré la nouvelle, ou quand il va le faire. Il y a quelque chose qui ne tourne pas rond chez cet individu. Sjöberg ne saurait dire s'il est déprimé ou juste globalement incapable de ressentir la moindre empathie. Comment appelle-t-on ça ? Des signes d'autisme ? Est-ce que ce trouble peut aussi déboucher sur de violents accès d'agressivité ?

— Comment sont-ils morts ? demande Christer Larsson avec calme.

Sjöberg le cherche du regard, mais les yeux de l'homme sont de nouveau rivés au tapis.

— On leur a tranché la gorge, répond Sjöberg.

Toujours aucune réaction.

— Les enfants aussi ?

— Les enfants aussi.

Christer Larsson ne lève toujours pas le regard. Sandén sort de la salle de bains en marquant sa déception d'un signe de tête.

— C'est vous qui avez acheté l'appartement de Catherine ? interroge Sjöberg.

— Je n'ai pas d'argent.

— De quoi vivez-vous ?

— Je perçois une pension.

— À quel titre ?

— Dépression.

— Depuis… ?

— Depuis de nombreuses années.

— Mais vous ne prenez pas de médicaments ?

Christer Larsson confirme d'un signe.

— J'ai senti que ça n'aidait pas, répond-il.

— Vous versiez une pension alimentaire pour les enfants ?

— Ça n'a même pas été un sujet de discussion.

— Ce qui veut donc dire non ?

— Non, je n'ai jamais rien versé.

— Et Catherine, que faisait-elle comme travail ?

— Je ne sais pas. Depuis qu'elle avait perdu son emploi dans une entreprise de nettoyage, elle était inscrite au chômage.

— Je peux vous assurer, assène Sjöberg d'un ton plus mordant, que cet appartement dans le quartier de Söder dont elle est propriétaire et où elle vivait avec les enfants a coûté un effroyable paquet d'argent, plus de deux millions de couronnes. Où pensez-vous qu'elle ait pu trouver une telle somme ?

Christer Larsson ne répond pas.

— Ou elle possédait un moyen de gagner beaucoup d'argent, poursuit Sjöberg, ou quelqu'un a payé pour cet appartement. Ça vous inspire un commentaire ?

Larsson s'y refuse d'un signe de tête. Sandén se sent poussé à durcir un peu le ton.

— Elle a peut-être gagné au loto, ou braqué une banque, ou fait le trottoir, ou rencontré un homme riche qui l'entretenait. Il paraît qu'elle recevait fréquemment la visite d'un homme de votre âge. C'était vous, ou croyez-vous qu'il s'agissait de son maquereau ?

— Elle ne faisait pas la putain, réplique-t-il de la même voix traînante, mais sur un ton plus aigre. Elle ne dévalisait pas les banques non plus. Par contre, il se peut qu'elle ait rencontré un homme. Je ne lui parlais plus depuis une éternité.

— Vous vous êtes peut-être senti jaloux au point de vous décider à agir, suggère Sandén.

Larsson ne réplique pas.

— Est-ce que vous connaissiez certaines de ses relations ? interroge Sjöberg.

Il revient ainsi à son ton amical initial, ce dont Larsson semble tenir compte puisqu'il retrouve sa voix neutre habituelle :

— Elle avait une amie qui vient aussi des Philippines et qui s'appelle Vida. Elles travaillaient ensemble.

— Dans l'entreprise de nettoyage ?

— Oui, et même par la suite.

— Du travail au noir ? interroge Sjöberg.

Larsson acquiesce faiblement.

— Ça, quand je vous l'ai demandé tout à l'heure, vous ne me l'avez pas dit.

— Parce que vous êtes de la police. Mais bon, voilà, c'est dit.

Sandén ravale de mauvaise grâce un commentaire narquois et s'en tient à une nouvelle question :

— Chez qui faisait-elle le ménage ? Comment s'est-elle constitué une clientèle ?

— Si j'ai bien compris, elle travaillait pour des personnes rencontrées quand elle était employée dans l'entreprise de nettoyage.

— Combien d'argent se faisait-elle ? enchaîne Sandén, inflexible.

— Je dirais 70 couronnes de l'heure. Ce qui pouvait donner 2 000 couronnes par semaine.

— Au noir ! s'écrie Sandén. Bordel de Dieu, c'est l'équivalent du salaire d'une infirmière.

— Mais ça ne suffit quand même pas pour acheter un appartement dans Norra Hammarbyhamnen, souligne Christer Larsson.

Sjöberg et Sandén échangent un regard.

— Possédez-vous une arme ?

— Non, rétorque aussitôt Larsson.

— Est-ce que vous nous autorisez à jeter un œil dans l'appartement ?

— Vous l'avez déjà fait, réplique Larsson en se serrant les mains au point de faire craquer ses articulations.

— Nous souhaiterions recommencer plus en détail, précise Sjöberg de son ton le plus aimable.

— C'est une perquisition ?

— Non, mais ça peut le devenir si vous refusez de collaborer, menace Sjöberg dans l'espoir que Larsson s'y soumette par crainte.

— Faites comme vous voulez, concède Larsson, résigné. Je reste assis ici.

— Je peux vous demander la clé de votre cave ? ajoute Sandén avec un regard en biais et la main tendue.

*

Quarante-cinq minutes plus tard, ils quittent le domicile de cet homme singulier sans avoir trouvé le moindre élément qui les éclaire un tant soit peu sur l'affaire. Cependant, Sjöberg repart avec une enveloppe contenant le relevé des empreintes digitales de Christer Larsson dans sa poche.

— C'est vraiment un putain de drôle de type, commente Sandén au moment de s'asseoir dans la voiture.

— Ben, de toute évidence, il est dépressif, suggère Sjöberg. Ce qu'il a raconté a l'air de coller, non ?

Sandén tourne la clé de contact et jette un regard dans le rétroviseur avant de quitter son stationnement en marche arrière.

— On ne peut pas dire qu'il a versé des torrents de larmes en apprenant le meurtre de sa femme et de ses enfants.

— Une dépression peut entraîner une sorte de paralysie émotionnelle. Et s'ils comptaient tant pour lui, il ne se serait sans doute pas résigné à les laisser disparaître de sa vie, se dit Sjöberg à haute voix.

Sandén donne un coup de volant et reprend la route à faible allure.

— Justement, c'est peut-être ce qu'il n'a pas digéré. Faute de quoi, il a préféré se débarrasser d'eux. C'est le schéma classique. Et il nous a menti. Pour quelle raison, s'il n'avait rien à cacher ? D'ailleurs, pourquoi tu ne l'as pas mis face à son mensonge ?

— Tu parles du fait qu'il savait où ils habitaient ? On ne peut pas dire que ce soit vraiment un mensonge, répond Sjöberg.

— Il est grand et fort, de corpulence à pouvoir commettre ces meurtres, constate Sandén. Il n'a pas eu besoin de s'introduire de force dans l'appartement, puisqu'on l'a sûrement laissé entrer sans problème.

Et il a bénéficié de tout le temps nécessaire pour éliminer les traces. Il y a une machine à laver dans sa salle de bains, sa corbeille à linge sale est pratiquement vide, et même chose pour la poubelle.

Sjöberg jette un regard en direction de la tour du quotidien *Dagens Nyheter*. Dans la lumière grise et froide de cette journée de mars, sa silhouette apparaît triste et dépouillée.

— Qu'est-ce que ce mec parle lentement ! J'ai failli péter un plomb, ricane Sandén en secouant la tête.

— Oui, j'ai remarqué, murmure Sjöberg. Une chance qu'on n'ait pas le même caractère. Pas de médicaments dans le placard de la salle de bains ?

— Rien du tout. Il est entièrement responsable de ses actes.

— À propos de médicaments, comment ça va, toi ?

Sandén marque une brève hésitation avant de répondre. C'est un sujet qu'il préfère éviter, Sjöberg le sait, mais les faits sont là. Il y a six mois, Sandén a été victime d'une attaque cardiaque et s'est écroulé en plein interrogatoire d'un témoin. Une ambulance est arrivée très vite sur place, ce qui a été déterminant pour la suite. Il a rapidement reçu les soins appropriés et, après deux mois de congés maladie, il a repris son travail à temps partiel. Les lésions affectaient la mobilité de la partie gauche de son corps, mais avec une détermination dont Sjöberg ne le croyait pas capable, Sandén a récupéré toutes ses capacités. Aujourd'hui, d'un point de vue physique, il est pour ainsi dire rétabli. Cependant, il va désormais devoir vivre avec le risque d'une nouvelle attaque qui pourrait être plus sévère. Mais comme à toute chose malheur est bon, Sandén a modifié ses habitudes alimentaires et perdu une vingtaine de kilos.

— Bien, répond Sandén. Tranquille. Je prends mes anticoagulants, et à part ça, tout est comme avant. Pas de stress.

— Tu envisages de repasser à plein temps ?

— Putain de merde, je bosse déjà largement le nombre d'heures, commente Sandén avec un sourire forcé.

— Dans ce cas, fais en sorte d'être payé pour.

*

En pénétrant dans son bureau du commissariat, Sjöberg trouve un carton posé sur sa table de travail. Sans que ce soit une surprise, Bella Hansson a tenu parole. Elle lui a fait parvenir au plus vite une somme de mots et d'images retraçant la vie de Catherine Larsson, contenue dans cette sorte de boîte à chaussures joliment emballée. Quant à la petite pochette en plastique qu'il avait déjà reçue, elle se trouve juste à côté. Il ferme sa porte et va s'asseoir.

Il commence par regarder les photographies et constate aussitôt que Catherine Larsson ne possédait sans doute pas son propre appareil. Les photos ont été prises soit par ses proches aux Philippines, soit par des photographes professionnels en Suède. Il reste quelques instants assis à contempler une compilation de portraits des enfants à différents âges, probablement photographiés à la crèche.

Avec un soupir, il les met de côté et saisit un cliché avec la famille au complet, puis d'autres qui datent du mariage, également l'œuvre d'un professionnel. Il demeure pensif plusieurs minutes, à examiner ce couple d'amoureux. Christer Larsson, dont la chevelure bien coiffée n'est pas encore si grisonnante, a le teint hâlé et regarde l'objectif avec un vague sourire.

Il porte un costume sombre avec une rose rouge à la boutonnière. Vêtue d'une sobre robe blanche, Catherine se tient à moitié de profil, les yeux tournés vers son nouvel époux, le sourire aux lèvres. Il fait une bonne tête de plus qu'elle, et sa large main droite entoure la totalité de son épaule nue.

Peut-il être un meurtrier ? Pas à en juger par cette scène, mais bien des choses se sont passées depuis cette photo. Les personnes changent, comme les circonstances. Par la suite, Christer Larsson est redevenu ce qu'il était avant, sans véritablement savoir ce que ça signifie.

*

Mais que se passe-t-il avec Sjöberg ? Son avenir et celui de sa famille sont en train de prendre un tour périlleux. Il met en balance l'amour de sa vie, sa meilleure amie, son Åsa chérie, avec une femme qu'il ne connaît pas. Une femme venue de nulle part et qui, raisonnablement, ne peut représenter quelque chose pour lui.

Margit Olofsson, la femme qui hante ses rêves, mais qui, pour autant, ne représente pas son idéal féminin. Ce n'est pas souvent qu'il s'autorise à explorer ce sujet. Mais là c'est le cas, et il souhaite aller au bout. Il se demande ce qu'il est en train de faire. Il met à contribution toute sa force mentale pour se convaincre que cette histoire doit cesser. Tout de suite. Ou la prochaine fois qu'ils se verront. Margit et lui ne se rencontrent pas souvent, mais quand quelque chose le bouleverse, c'est dans ses bras qu'il vient chercher refuge. Sans qu'il sache pourquoi. Åsa s'est toujours montrée d'un grand réconfort, mais depuis que ce rêve s'est manifesté, il s'est senti changer. Il est devenu un autre homme. Il s'est transformé en un être peureux, désespéré, déloyal. Une sale petite merde.

Dans son rêve, il se tient toujours debout sur une pelouse couverte de rosée, à regarder ses pieds nus. Il n'ose pas hausser le regard, tout en sachant qu'il doit le faire. Sa tête lui semble si lourde qu'il est à peine capable de la relever. Il rassemble tout son courage et sa force pour y parvenir. C'est alors qu'il la voit. Cette femme magnifique dont la chevelure rousse flamboie tel un soleil autour de son visage. Elle exécute quelques pas de danse et son regard croise le sien, exprimant de la surprise. Il tend les bras vers elle, mais perd l'équilibre et tombe en arrière. Cette femme, c'est Margit. Il en est ainsi depuis qu'il l'a rencontrée pour la première fois, il y a presque un an, au cours d'une enquête sur une série de meurtres. Sa raison lui dit de mettre fin à cette histoire, mais elle reste pour lui d'une importance inestimable. Elle a révélé en lui quelque chose qu'il ne soupçonnait pas. Une nouvelle part de lui ? Ou une ancienne ?

*

Dans un frisson, il se débarrasse de ces pensées désagréables et se remet à parcourir les photographies. Il se racle la gorge, comme pour évacuer la honte liée à son comportement. Il redevient un autre homme, un être adulte, redressant le dos pour mieux renforcer ce sentiment de maturité.

Une série de quatre Photomaton couleurs attire son attention. On y voit Catherine Larsson en compagnie d'une autre femme asiatique. Sur les deux premières images, elles se montrent joyeuses et sont agréables à regarder. Sur la troisième, elles s'amusent à faire des grimaces. Et sur la dernière, elles sont carrément en train de danser dans la cabine, les bras en l'air et le visage illuminé de mimiques enfantines. *Ce doit être Vida*, se dit Sjöberg. *Elle, il faut qu'on la retrouve.*

Il suppose que le reste des photos représente des amis et des parents philippins de Catherine. Elle-même n'y figure pas, ce qui peut indiquer qu'elle les a reçues après avoir déménagé en Suède. Il n'existe rien relatif à sa vie avec Christer Larsson. Les lettres et les cartes postales conservées proviennent toutes des Philippines et sont écrites dans une langue inconnue de Sjöberg. Il va veiller à ce qu'elles soient traduites.

Ensuite, il passe rapidement en revue le contenu de la boîte et fait une pile à part de tout ce qui concerne les finances de Catherine Larsson : reçus, factures, relevés de comptes, feuilles d'impôts et documents administratifs. Il se met à les éplucher, sans même trouver l'amorce d'un indice lui permettant de s'orienter dans une quelconque direction.

*

Sjöberg a besoin de se dégourdir les jambes. Il se lève et sort dans le couloir. Au passage, il jette un coup d'œil dans le bureau d'Einar Eriksson. Toujours vide. Il jure à l'idée de devoir se coltiner toutes les tâches dont Eriksson assume habituellement la charge : coups de fil aux administrations, recherches dans les fichiers informatiques, et plein d'autres choses auxquelles il n'a pas l'habitude de se confronter.

Quelques heures plus tard, malgré un engouement modéré, il entrevoit globalement la manière dont Catherine Larsson a géré ses finances. C'est elle-même qui a procédé à l'achat de l'appartement en juin 2006, après qu'une somme de 2 115 000 couronnes avait été transférée de son compte en banque vers celui du vendeur. Quelques semaines plus tôt, les arrhes, 235 000 couronnes, avaient déjà transité de la même façon. Dans les six mois précédents, elle s'était constitué son pactole, à coups de versements de 20 000 couronnes en liquide, dans diverses agences de sa banque à Stockholm. Par ailleurs, depuis l'acquisition de l'appartement, une somme de 5 000 couronnes est venue étoffer son compte à chaque fin de mois. En appelant les agences concernées, Sjöberg a constaté que plusieurs employés se souvenaient que Catherine Larsson opérait les dépôts elle-même. La question restait de savoir d'où provenait cet argent.

Dans toutes ses transactions financières, il n'y a qu'elle aux commandes. Chaque mois, en plus des 5 000 couronnes, son compte est crédité d'une allocation familiale. Elle n'en reçoit aucune autre. Ses factures sont réglées par elle, dans les temps, une fois par mois. L'argent alors présent sur son compte couvre assez précisément ses frais. Des revenus mensuels et des dépenses courantes à l'équilibre.

Avec l'aide d'un collègue de la brigade financière, Sjöberg examine également les comptes de Christer Larsson. Rien n'incite à penser que l'argent de Catherine proviendrait de lui. Il possède un compte dans la même banque qu'elle, ce qui aurait pu permettre de lui virer de l'argent sans éveiller l'attention. Mais il n'en a rien fait et il n'y a manifestement pas trace de pension alimentaire.

*

A-t-il existé un mystérieux bienfaiteur dans la vie de Catherine Larsson, et si oui, qui est-il ? Quelqu'un qui l'aimait ? Ou qui profitait d'elle d'une manière ou d'une autre et qui payait pour ça ? Une personne qui lui devait quelque chose ? Ou s'agissait-il vraiment de son propre argent, sans doute gagné de manière discutable, mais qui n'appartenait à personne d'autre ?

Sjöberg s'étire pour s'emparer du téléphone. Il appelle le service des renseignements pour demander qu'on le mette en contact avec Telia[1]. Au bout d'un long parcours et à la suite de nombre de tergiversations, il obtient l'accès à la liste exhaustive des numéros entrants et sortants sur la ligne de Catherine Larsson durant les six derniers mois. Elle devrait lui parvenir par fax dans une vingtaine de minutes.

Il découpe ensuite un des quatre clichés de la série du Photomaton, le colle sur une feuille blanche, et entoure au stylo à bille le visage asiatique de l'inconnue. D'une écriture lisible, il inscrit en dessous : « Connaissez-vous cette personne ? Dans le cadre d'une enquête criminelle, la police d'Hammarby a besoin d'entrer en contact avec elle de toute urgence. Merci d'appeler au numéro suivant… ».

Après quoi il enfile sa veste, se précipite dans le couloir et se dirige vers l'escalier, le papier de l'annonce flottant entre ses doigts.

*

Un quart d'heure plus tard, il se retrouve à l'église catholique de Skånegatan, qui officie en langue espagnole. Il est en train d'épingler son avis de recherche sur le panneau d'affichage des petites annonces. Un homme de petite taille et d'âge moyen, au physique sud-américain, vient se poster près de lui.

— Bonjour, Conny Sjöberg, du commissariat d'Hammarby, lui dit le policier en tendant la main.

---

1. Entreprise suédoise de télécommunications. (*N.d.T.*)

— Bonjour, moi c'est Joseph, répond l'homme avec un sourire.

Sjöberg se passe la main dans les cheveux pour remettre en place une mèche mouillée par la pluie.

— Nous enquêtons sur un meurtre, explique-t-il. Ou plus exactement trois. Ce matin, cette femme et ses deux enfants ont été retrouvés morts à leur domicile.

Il pointe du doigt le visage enjoué de Catherine Larsson avant de poursuivre :

— Il semblerait qu'elle ne côtoyait pas beaucoup de monde, mais il se pourrait que l'autre femme soit sa meilleure amie. Elles sont toutes deux originaires des Philippines. Certains de vos fidèles viennent-ils de là-bas ?

— En effet, répond Joseph avec son fort accent, tout en scrutant l'avis de recherche de Sjöberg. De nombreux Philippins viennent ici, vu que leur pays est une ancienne colonie espagnole.

— Vous ne reconnaissez aucune de ces deux femmes ? tente Sjöberg.

— Non, ça ne me dit rien. Toute une famille assassinée ? C'est une histoire effroyable. Quel âge avaient les enfants ?

— Deux et quatre ans.

— Et que se passe-t-il pour l'enterrement ?

— Honnêtement, je n'en sais rien, répond Sjöberg. Il faut qu'on en parle avec la famille de cette femme.

— Si vous avez besoin de nos services, vous êtes les bienvenus. Et dans l'hypothèse où l'un de nos paroissiens reconnaîtrait ces femmes, je vous tiens au courant.

— Je vous en serais très reconnaissant, réplique Sjöberg. Il est très important que nous puissions mettre la main sur l'amie dont le visage est entouré. Il est probable qu'elle s'appelle Vida, ajoute-t-il.

— Vida, reprend le petit homme sur un ton énigmatique. On va sans doute pouvoir la retrouver.

*

Sjöberg est de retour à son bureau, mais trois quarts d'heure après sa conversation avec Telia, il n'a toujours pas reçu le fax. Au prix d'innombrables tentatives, il joint de nouveau son interlocutrice de tout à l'heure et, dix minutes plus tard, il se retrouve avec la liste en main. Il se demande combien de temps l'envoi aurait pris s'il n'avait pas insisté, et réalise ce à quoi Einar est confronté en permanence. C'est Telia qui est responsable de son éternel côté renfrogné.

Il s'assoit à son bureau et passe en revue la liste des communications téléphoniques. Il en a vite fait le tour.

L'employé de Telia l'a informé que, pour ce qui était d'un téléphone mobile, Catherine Larsson ne possédait pas d'abonnement chez eux. On n'a pas trouvé de portable dans l'appartement, mais Sjöberg note qu'il convient quand même de vérifier auprès des autres opérateurs. Il lui faut à peine une demi-heure pour mettre des noms sur les correspondants qui ont téléphoné à Catherine ou qu'elle a appelés. Aucun d'entre eux ne s'appelle Vida. Il rédige et imprime la liste, sur laquelle il colle un Post-it : « se renseigner sur le lien que ces personnes entretenaient avec Catherine Larsson » et laisse le tout en évidence sur le bureau d'Einar Eriksson.

*

Il ne reste plus que quelques enfants quand Sandén fait son entrée. L'institutrice, charmante femme proche de la soixantaine, donne l'impression de travailler dans un autre secteur. Elle porte un jean serré, un chemisier imprimé d'apparence coûteuse, ainsi qu'un foulard élégant autour du cou. Elle est parée de bijoux étincelants, bagues, collier, bracelet et boucles d'oreilles, sans que Sandén soit capable de juger s'ils sont vrais ou pas. Sa voix, chaleureuse et joyeuse, capte l'attention de Sandén dès son arrivée. Il connaît le conte qu'elle est en train de lire. C'est l'histoire du bébé lapin dénommé Pricken. Il l'a lui-même lu de nombreuses fois à ses enfants lorsqu'ils étaient petits. Elle est assise par terre, sur des coussins moelleux, un enfant installé sur chaque genou. Un troisième est allongé tout à côté, le pouce dans la bouche. Quand il entre dans la pièce, elle interrompt son récit et le gratifie d'un sourire étonné.

— Jens Sandén, police criminelle, annonce-t-il, avant de se rendre compte qu'il piétine le sol de ses chaussures mouillées. J'aurais besoin de vous parler. Mais finissez votre histoire, je vais en profiter pour retirer mes chaussures.

Le visage inquiet, elle le suit des yeux tandis qu'il retourne vers la porte.

— Je vais essuyer mes saletés, crie-t-il depuis le coin vestiaire, avant qu'elle ait eu le temps de reprendre son récit.

Il pose ses chaussures près de la porte d'entrée et s'empare d'un bon mètre de papier hygiénique dans les toilettes. Puis il nettoie avec soin ses traces de pas mouillées, va jeter le papier, et à pas de loup, rejoint en chaussettes les enfants et leur maîtresse.

— Voilà pour aujourd'hui, on lira la fin demain ! s'exclame-t-elle en refermant le livre d'un claquement, pour bien leur faire comprendre que la suite de l'histoire est affreusement excitante. Je dois discuter avec le gentil policier qui est venu nous rendre visite. Aidez-moi à ramasser les crayons qui traînent et après vous vous partagerez la dernière banane.

Les enfants s'exécutent, ce qu'ils n'auraient pas fait, selon Sandén, si l'ordre était venu de leurs parents.

Vu l'information dont il est porteur, il ne se considère pas comme un policier particulièrement gentil. Il prend conscience qu'il n'est pas seulement ici pour glaner des renseignements, mais qu'il lui incombe aussi de transmettre l'effroyable nouvelle à l'une des personnes parmi les plus proches des deux enfants assassinés.

— Margareta Norlander, se présente-t-elle en lui tendant une main tandis que, de l'autre, elle l'accompagne hors de la pièce. Mettons-nous un peu à l'écart pour pouvoir parler tranquillement. De quoi s'agit-il ?

Il la suit jusqu'à la cuisine sans répondre à sa question.

— Asseyons-nous, lui propose Sandén en indiquant les chaises autour de la table.

Visiblement tendue, elle croise son regard, avant de s'asseoir face à lui, les doigts noués à hauteur de sa bouche.

— C'est le genre de moment que je n'ai pas envie de vivre, glisse-t-elle avec inquiétude.

— C'est sûr. Mais ça n'a rien à voir avec vous personnellement, répond Sandén pour tenter de l'apaiser. C'est lié à votre travail.

Il est conscient de son ton bureaucratique, mais poursuit avec sérieux :

— Tom et Linn, il est exact qu'ils sont inscrits ici ?

— Oui, mais ils sont absents depuis le début de la semaine. Nous n'avons d'ailleurs reçu aucune nouvelle.

Elle presse ses mains contre ses joues et ses yeux se remplissent de larmes avant même qu'il ait le temps de poursuivre.

— Kate prend toujours grand soin de...

— C'est Catherine que vous appelez Kate ?

Elle acquiesce.

— Tous trois ont été retrouvés morts dans la matinée, expose Sandén d'une voix aussi neutre que possible. Nous les avons découverts chez eux, allongés sur le lit de la mère, les uns contre les autres. Ils sont morts ensemble, apparemment.

— Et que s'est-il passé ? le questionne-t-elle d'une voix cassée.

Margareta Norlander ne peut contenir ses larmes, qui ruissellent le long de ses joues.

— C'est terriblement difficile pour moi aussi, s'excuse Sandén, qui a du mal à retenir ses pleurs.

Il prend les mains de l'institutrice dans les siennes et enchaîne :

— Ils ont été assassinés. Quelqu'un leur a tranché la gorge.

— Vous les avez vus ? demande-t-elle au milieu de ses sanglots.

— Oui. Mais je peux vous assurer que les petits n'ont eu conscience de rien, et qu'il y avait quelque chose de beau dans la façon dont ils gisaient tous les trois côte à côte.

— Et la pauvre Kate ?

— Les investigations sur le lieu du crime ne sont pas terminées, mais malheureusement, la plupart des éléments portent à croire qu'elle était consciente au moment des faits. Néanmoins, il semble tout à fait certain qu'elle n'a pas vu mourir ses enfants.

Sandén reste assis en silence et laisse Margareta Norlander digérer ce qu'il vient de lui apprendre.

Elle retire ses mains des siennes et avance son bras vers un rouleau de papier. Il la devance, en déchire quelques feuilles et les lui tend.

— Comment expliquer ça aux enfants ? se demande-t-elle tout en séchant ses larmes.

La porte d'entrée s'ouvre dans un bruit et, sans grande conviction, l'institutrice fait l'effort de se lever. Sandén l'arrête d'un geste en l'interrogeant :

— Un parent qui vient chercher son enfant ?

Elle hoche la tête.

— Je m'en occupe, poursuit-il. Restez assise ici. Je vais demander à la personne de bien vouloir veiller sur les enfants quelques instants. J'ai encore besoin de vous parler.

Il quitte la cuisine et rejoint l'entrée, pour y retrouver les trois enfants encore présents, en compagnie d'une maman toute mouillée par la pluie. Il sort sa carte professionnelle de sa veste pour la montrer à la mère, qui tient déjà son petit dans ses bras.

— J'ai bien peur d'avoir débarqué ici avec de mauvaises nouvelles, et j'aimerais que vous restiez un moment pour vous occuper des enfants. Margareta et moi devons encore discuter dans la cuisine, et il serait préférable que nous ne soyons pas dérangés. Comment vous appelez-vous ?

— Je m'appelle Anna, répond-elle, la mine grave. Anna Åkesson. Je suis la maman d'Isa, que voici.

— Très bien, Anna, réplique Sandén d'une voix impérieuse tout en rangeant sa carte dans sa poche. Faisons comme ça. Margareta vous donnera de ses nouvelles un peu plus tard. D'accord ?

— Oui, consent-elle, déconcertée, mais sans poser de questions.

Sandén retourne à la cuisine, où Margareta Norlander est toujours assise exactement comme il l'a laissée. Elle continue de pleurer, son regard apathique rivé sur la porte du réfrigérateur. Il se rassoit sur la chaise face à elle.

— Et Erik ? l'interroge-t-elle à voix basse.

— Erik ? reprend Sandén. Qui est-ce ?

— Il a pour habitude de l'aider, en venant déposer ou rechercher les enfants.

— Il faut me dire tout ce que vous savez sur Erik, lui ordonne Sandén. Vous connaissez son nom de famille ?

— Non, je ne lui ai jamais posé la question. Il a environ mon âge. Nous n'avons jamais vraiment compris quel type de relation il entretenait avec Kate. Naturellement, il se peut qu'ils aient été en couple, et c'est sans doute le plus vraisemblable. Mais devant nous, ils n'ont jamais montré la moindre intimité physique. Il a quand même une bonne vingtaine d'années de plus qu'elle… Extrêmement gentil avec les enfants, qui l'adoraient. Mais je sais une chose, c'est que ce n'est pas leur père.

— Vous avez rencontré le papa ?

— Non, il ne s'est jamais présenté. Kate et lui étaient divorcés.

— Séparés, en tout cas, précise Sandén.

— Oui, vous avez peut-être raison. Vous l'avez prévenu de ce qui s'est passé ?

— Oui, mais selon lui, il ne voyait plus Catherine ni les enfants. Et il ne sait rien du dénommé Erik. Pour ce qui nous concerne, nous aimerions entrer en contact avec lui.

La porte d'entrée s'ouvre à nouveau et des voix adultes leur parviennent.

— Son numéro de téléphone figure peut-être dans nos fiches, suggère Margareta Norlander. Tous les parents sont tenus de nous fournir les coordonnées téléphoniques d'une tierce personne au cas où ils seraient injoignables. Mais je…

Elle fait un geste en direction des voix et Sandén la calme aussitôt :

— Nous verrons cela plus tard, quand tout le monde sera parti. Ne vous inquiétez pas de ce qui se passe dans l'autre pièce, Anna Åkesson gère la situation. Mais dès ce soir, il va peut-être falloir que vous téléphoniez à vos collègues et aux parents…

— Bien sûr, il faut que je les prévienne.

Elle éclate de nouveau en sanglots, et laisse ses larmes couler sans retenue le long de ses joues.

— Qui a pu faire une chose aussi affreuse… ?

— J'aimerais bien qu'on aborde ce sujet ensemble. Par votre travail ici, vous connaissez peut-être cette famille mieux que personne. Avec qui Catherine était-elle en contact ? Ses enfants entretenaient-ils des liens amicaux en dehors d'ici ? Je veux que vous me disiez tout ce que vous savez sur Catherine Larsson. Avait-elle des ennemis ?

— Elle était la gentillesse incarnée. Toujours joyeuse et positive. Erik également. Il ne passait pas ici si souvent, disons une ou deux fois par semaine.

— Depuis quand ?

— En fait, depuis que les enfants ont commencé à fréquenter notre établissement. Ça doit remonter à août 2006. Ils étaient tout petits. Linn venait tout juste d'apprendre à marcher. Pour ce qui est de Kate, je ne saurais vous dire si elle fréquentait d'autres parents en dehors. Et les enfants de ce groupe sont trop jeunes pour aller jouer les uns chez les autres. En tout cas, de ce que je sais, Tom et Linn ne le faisaient pas. Ils arrivaient et repartaient toujours soit avec Kate, soit avec Erik.

— Comment était Catherine en tant que personne ?

Margareta Norlander réfléchit quelques instants avant de répondre.

— Une bonne nature, amicale, comme je vous l'ai déjà dit. Je crois pouvoir ajouter qu'elle était un peu timide. Elle n'était pas du genre à faire beaucoup de bruit. Et son suédois n'était pas extrêmement fluide.

— Vous avez une idée du travail qu'elle faisait ?

— D'après ce qu'elle m'a confié, elle faisait des ménages. Je n'en sais pas plus.

Elle déchire un morceau du rouleau de papier et tente, sans beaucoup de succès, d'essuyer le mascara qui a coulé.

— Comment allaient les enfants ?

— Ils étaient très joyeux et équilibrés. Il n'y a jamais eu de problème avec eux. Toujours propres et en bonne santé. Kate prenait bien soin de tout. Elle veillait à ce que les horaires et le reste soient respectés.

— Est-ce que les enfants parlaient parfois de leur père ?

— Une fois, j'ai entendu Tom se vanter du fait que son père était très fort, mais tous les enfants font ça. Par contre je ne les ai jamais entendus *raconter* quelque chose concernant leur père.

— Et Erik ? De quoi a-t-il l'air ? Dans quoi travaille-t-il ?

— Taille moyenne, les cheveux blond cendré, des lunettes. Un physique suédois. Il a l'air plutôt banal et porte des vêtements ordinaires. Style pantalon et pull.

— Donc, ni costume, ni bleu de travail, poursuit Sandén. Plutôt employé de bureau ?

— Oui, quelque chose dans ce genre. Je ne sais pas quel est son travail.

— Il possède un pull vert ? demande soudain Sandén.

— Oui, maintenant que vous le dites... Il porte souvent un pull vert foncé. Erik est très affectueux avec les enfants. Pas seulement avec Tom et Linn, qui l'aimaient beaucoup. Mais il a toujours un mot gentil pour les autres aussi, joue avec eux à la balle, les lance en l'air. Vous savez, toutes ces choses que les gamins adorent.

Hors de la cuisine, les bruits de voix s'intensifient avant de disparaître totalement. La porte d'entrée se referme en claquant. Margareta Norlander jette un œil à sa montre. Il est un peu plus de 17 heures.

— Je crois que les derniers viennent de partir, suggère-t-elle dans un soupir.

— Pourriez-vous m'aider avec ces numéros de téléphone ? la prie Sandén.

— Bien sûr, répond-elle d'une voix lasse.

Elle se lève péniblement de sa chaise et paraît désormais plus âgée.

Tandis qu'elle précède Sandén dans le couloir, il constate combien sa démarche est devenue traînante. Dans sa tête, elle n'est plus institutrice, mais une mère de famille confrontée à la perte de deux enfants.

De l'autre côté de la vitre donnant sur la section des grands, un jeune homme est nonchalamment appuyé au manche d'un balai. Il est vêtu d'un jean délavé et d'une chemise ajustée qui met en valeur ses biceps imposants. Sandén le salue d'un signe de tête, alors que Margareta Norlander ne prête aucune attention à cet homme de ménage indolent. Elle sort de sa poche un trousseau de clés, en choisit une et ouvre la porte d'un bureau. Elle attrape un classeur gris parmi ceux qui sont alignés sur la table de travail, et le feuillette pour aller à la fiche des enfants Larsson. Sur les deux numéros répertoriés, l'un est celui du domicile de Catherine Larsson, alors que l'autre indique un téléphone mobile. À qui appartient ce portable ? À Erik ?

MARDI SOIR

— Mais m… La semaine dernière, tu savais le faire, et même il y a un an… T'as quand même pas oublié tout ton calcul ?

— T'allais jurer, là.

— Non. Enfin si… mais je l'ai pas fait.

— Et là, t'allais mentir.

— Chacun a le droit de penser comme il veut. On est en démocratie, Simon. Alors, arrête tes bêtises et on s'y remet.

— Il y a aussi la liberté d'expression. On a droit de dire ce qu'on veut.

— Laissons tomber la politique et revenons aux devoirs. D'accord ? Tu vois, si je pars de cet angle-là… Et m… ! Åsa !

— T'allais encore jurer.

Conny Sjöberg lance un regard exaspéré à son fils de dix ans et se lève avec une telle hâte que la chaise de cuisine manque de tomber.

— Åsa ! crie-t-il à nouveau.

Une porte se referme très doucement à l'autre bout de l'appartement. Il entend des pas sur le parquet du couloir, d'abord feutrés, puis plus marqués, jusqu'à ce que Åsa pénètre dans la cuisine.

— J'étais en train de coucher les garçons, souffle-t-elle. Ils viennent tout juste de s'endormir !

— Et je les ai réveillés ?

— Non, mais tu aurais pu.

— C'est quoi, ces discussions bizarres ?

Simon pouffe de rire et les parents s'y mettent aussi.

— Vous faites quoi, des maths ? demande Åsa.

Simon regarde sa mère et fait semblant d'être honteux.

— Pour ce qui est du juridique, mon domaine de compétence, il se débrouille très bien. Mais les maths... pff ! Et comme notre famille possède un professeur en la matière, je ne vois pas de raisons de me charger de ça...

— Parce que vous êtes au même niveau, mon chéri. Tu comprends mieux où se situent les difficultés.

D'un clin d'œil et d'un geste de la main, elle lui fait signe de lui laisser la place. Alors qu'il se lève de table, son téléphone portable se met à sonner quelque part dans la maison. Il saute sur l'occasion pour se ruer hors de la cuisine et finit par localiser l'appareil dans la poche de son blouson suspendu dans l'entrée.

— C'est Vida à l'appareil, dit une voix avec un fort accent. Vous avez cherché à me joindre.

Sjöberg met quelques secondes à se remettre dans la peau d'un commissaire de la Criminelle, avant de retrouver une voix ferme et posée :

— Absolument. Nous aimerons vous rencontrer au plus vite.

— Je travaillais et mon portable était déchargé. Un copain qui est passé à l'église m'a dit que je devais appeler ce numéro. Quelqu'un de la police m'a aussi laissé un message.

Quelqu'un de la police ? Merde. Le numéro de portable sur lequel Sandén a mis la main l'autre jour n'était donc pas celui d'Erik.

— C'est à quel sujet ? demande Vida.

— Vous êtes au courant de ce qui s'est passé ?

— Non ? Quoi ?

— Alors, il vaut mieux qu'on se voie.

— Ça peut attendre demain ? Je suis un peu fatiguée.

— Malheureusement non. Vous êtes à votre domicile ?

— Oui…

— Je passe dans une demi-heure avec un collègue. Ça vous va ? C'est très important.

— D'accord. J'habite 31 rue Rusthållarvägen à Bagarmossen. Le code de l'entrée est 5110.

Après un moment d'hésitation, il appelle Sandén, qui lui propose de venir le chercher. Sjöberg entre ensuite dans la chambre de ses deux filles, Sara et Maja, pour leur souhaiter bonne nuit avec un câlin. Elles s'appliquent à préparer les questions d'une course d'orientation pour leur mère et leur frère aîné. Dans la cuisine, à la grande joie de sa mère, Simon débite les solutions à tous les problèmes de calcul. Sjöberg lui fait une bise sur les cheveux et lui donne une petite tape d'encouragement sur l'épaule.

— C'est bien, Simon. Je savais que tu y arriverais.

— Maman explique beaucoup mieux que toi.

— Je sais, c'est un peu son boulot.

Il embrasse Åsa sur la bouche.

— Tu t'en vas ?

— La copine de la victime vient d'appeler. Elle ne sait pas encore ce qui s'est passé et il vaut mieux qu'on l'interroge maintenant. Jens est en route.

— Ah, Jens… Celui qui bosse à mi-temps pour éviter le stress…

— Mmm.

— Quel malheur, murmure Åsa en inclinant la tête sur le côté.

— Pour qui ? Jens ou moi ?

— Pour la Philippine. Tu rentres tard ?

— Je ne pense pas, répond Sjöberg avant de les quitter avec un vague salut de la main.

*

Vida Johansson est une très belle femme, âgée d'une trentaine d'années. Elle habite un deux-pièces. À l'arrivée des policiers, son mari regarde la télévision, installé dans un fauteuil du salon. Il semble tout juste sorti de la douche, les cheveux encore mouillés, et il dégage une odeur de savon quand il se lève pour les saluer. Il a le même âge que sa femme et porte un jean et une chemise à carreaux déboutonnée jusqu'au nombril, qui met en valeur son torse musclé. Les cheveux nattés de Vida sont noirs, longs et brillants. Elle porte également un jean, ainsi qu'un gros pull tricoté. Elle garde les bras croisés à hauteur de la poitrine, sur ses gardes.

— On peut s'asseoir ? demande Sjöberg.

Vida hoche la tête, le regard fuyant.

— Göran peut rester ou vous voulez me parler seul à seule ?

— Il vaut mieux que Göran reste avec nous, répond Sjöberg. On peut s'installer ici ?

Sans attendre la réponse, il prend place sur le canapé beige en cuir.

Göran attrape la télécommande, éteint le téléviseur, puis s'enfonce à nouveau dans le fauteuil. Sandén rejoint Sjöberg sur le canapé et Vida s'assoit sur le repose-pieds du fauteuil de son mari. Elle paraît mal à l'aise.

— Il s'est produit un drame, commence Sjöberg.

Vida met les deux mains devant la bouche. Ses yeux terrifiés se baladent entre Sandén et Sjöberg. Göran fronce les sourcils.

— D'après ce que j'ai compris, vous êtes une amie proche de Catherine Larsson, poursuit Sjöberg. (Vida hoche à nouveau la tête.) Vous aussi, vous la connaissez ? poursuit-il à l'adresse de Göran.

— Oui. Très bien même.

— On l'a retrouvée morte dans son appartement ce matin.

— Morte ? Non ! s'exclame Vida. C'est ma meilleure amie !

Consterné, Göran la serre contre lui. Sjöberg se racle la gorge comme pour reprendre son élan, avant d'expliquer les circonstances avec le plus de délicatesse possible. Göran Johansson regarde son épouse qui pleure à chaudes larmes, les mains toujours collées à sa bouche. Il lui caresse les cheveux et la tient fermement dans ses bras pour qu'elle cesse de trembler. Alors que Sjöberg termine son récit, elle demeure immobile, le visage blotti au creux de la poitrine de son mari. Göran Johansson reste silencieux. Il regarde les deux policiers comme pour implorer leur grâce. Sjöberg garde le silence un moment, leur donnant le temps d'intégrer ce qu'il vient de raconter. Il lance un regard à Sandén, avant de se résigner à reprendre :

— Il faut qu'on vous pose quelques questions.

— Mais on ne sait rien de tout ça ! clame Göran.

— Et nous, on ne sait rien de Catherine, rétorque Sjöberg. Vous devez nous aider à nous faire une image de cette famille. Vida, vous vous connaissiez depuis combien de temps ?

La jeune femme s'extirpe des bras de son mari, pour adresser à Sjöberg un regard plein de trouble.

— Depuis 2002. On travaillait pour la même entreprise de nettoyage. Toutes les deux, ça ne faisait pas longtemps qu'on était en Suède. Elle, peut-être quelques mois de plus, alors elle s'est occupée de moi.

— Vous y travaillez encore ?

— Non. Maintenant je suis employée de bureau dans l'entreprise de Göran.

Sjöberg lance un regard inquisiteur à Göran Johansson.

— On a créé une boîte de peinture en bâtiments avec des copains, explique-t-il.

— Vida… faites-vous toujours des ménages au noir ? demande Sjöberg. (Terrifiée, elle le regarde sans répondre.) On n'est pas ici pour vous juger, mais comme vous pouvez le comprendre, il faut nous dire la vérité.

— J'ai arrêté de faire des ménages, glisse-t-elle à voix basse. Mais Kate continue. Je veux dire *continuait*. Au noir.

— Kate… Vous voulez dire Catherine ?

Vida acquiesce.

— Vous connaissez ses clients ?

— Certains. Quelquefois, on a travaillé en équipe quand il y avait beaucoup à faire, comme le lavage des vitres ou le nettoyage après un déménagement.

— Vous allez devoir nous rédiger une liste des clients que vous connaissez.

— Maintenant ?

— S'il vous plaît.

63

Sjöberg se dit que ça aidera Vida à penser à autre chose. Il feuillette son bloc-notes jusqu'à trouver une page blanche et le lui tend avec un stylo. Vida commence à noter.

— Avez-vous une idée de qui aurait pu lui faire une chose pareille ? Quelqu'un qui aurait une dent contre elle.

— Une dent contre elle… ?

— Quelqu'un avec qui elle ne s'entendait pas.

— Tout le monde aimait Kate, affirme Vida.

Son mari hoche la tête.

— Parlez-moi un peu de sa relation avec Christer Larsson, enchaîne Sandén.

Vida Johansson et son mari échangent un regard.

— C'était un type d'un ennui mortel, résume Göran.

— Apparemment Kate n'était pas de cet avis puisqu'elle l'a épousé.

— Ben, il y a peut-être d'autres raisons à ça.

— Kate l'aimait bien, sans aucun doute, interrompt Vida.

— Qu'est-ce que vous vouliez dire en parlant « d'autres raisons à ça » ? interroge Sandén.

— Les Philippines sont un pays pauvre. Beaucoup de gens là-bas feraient n'importe quoi pour en partir, explique Göran. Par exemple, se marier avec un Occidental.

Par réflexe, les deux policiers tournent leur regard vers Vida, mais décident de ne pas demander aux Johansson pourquoi ils se sont unis.

— Donc, Catherine et Christer Larsson s'appréciaient ? demande Sandén à Vida.

— Au début, oui. Je crois que Kate n'a jamais été amoureuse de lui, mais au début ils s'aimaient bien. Elle a vraiment essayé de faire en sorte que leur histoire marche. Mais au bout d'un moment, il est devenu de plus en plus bizarre.

— Comment ça, bizarre ?

— Au début on se voyait souvent tous les quatre, intervient Göran Johansson. Bon, on ne peut pas dire qu'il était très bavard à cette époque non plus, mais au moins il était là. Il rigolait quand on faisait des blagues. Ensuite, il s'est renfermé de plus en plus. Et les dernières fois qu'on l'a vu, il restait muet à regarder par la fenêtre.

— Selon nos informations, il souffre de dépression, précise Sjöberg.

— Je sais, répond Göran. Kate me l'avait dit. On a essayé de l'intégrer à nos discussions, mais comme ça ne donnait rien, on a fini par abandonner.

Vida hoche la tête.

— Après, il est resté chez lui. Il ne voulait plus nous voir, poursuit-elle. Un jour, Kate en a eu marre. Elle est partie avec les enfants.

— Je crois qu'on n'a pas revu Christer depuis que Linn était tout bébé, estime Göran.

— Il n'était pas fait pour le mariage, poursuit Vida. C'est un solitaire. Il avait déjà été marié, puis avait divorcé. Kate m'a dit qu'elle était la première femme avec qui il avait eu des rapports depuis vingt ans.

Sjöberg hausse les sourcils.

— Est-ce qu'il lui arrivait d'être agressif, menaçant ? lui demande-t-il.

— En tout cas, pas avec nous, répond Vida. Et Kate ne m'en a jamais parlé. Il ne donnait pas cette impression.

— Et vis-à-vis des enfants ?

— Non plus. Mais il s'en souciait peu. C'est Kate qui s'en occupait.

— Elle paraissait malheureuse ?

— Je crois qu'elle avait très envie de rentrer au pays. Mais elle n'osait pas quitter la Suède, pour les enfants.

— Est-ce qu'elle allait aux Philippines de temps en temps pour rendre visite à sa famille ? s'enquiert Sandén.

— Non, c'était trop cher pour une femme seule avec deux enfants.

— Elle n'avait pas beaucoup d'argent.

— Exact. Mais elle mettait de côté presque tout ce qu'elle gagnait. Elle achetait juste le strict nécessaire.

— Alors d'où venait l'argent avec lequel elle a acheté l'appartement dans le quartier du port d'Hammarbyhamnen ? interroge Sjöberg.

— On se l'est demandé aussi, s'exclame Göran en se grattant le crâne avec l'index. Impossible à comprendre. Dans ce coin, les appartements sont hors de prix.

Vida se rappelle le nom d'un autre client et le griffonne en vitesse.

— Est-ce qu'elle se prostituait ? (Sandén va droit au but.)

— Non. Absolument pas, réplique Vida d'un ton ferme, en le fixant.

— Vous en êtes sûre ?

— Complètement.

Ses yeux se reportent sur le papier, et elle rajoute un nom.

— Kate a-t-elle rencontré un autre homme qui l'aidait financièrement, elle et ses enfants ? lance soudain Sjöberg, à l'intention de Vida.

— Non, elle… commence Göran, mais Sjöberg lui fait signe de se taire et s'adresse de nouveau à son épouse, d'un ton autoritaire.

— Vida ?

Une larme coule sur sa joue et tombe sur le bloc-notes de Sjöberg. Elle essaie de l'effacer avec le bout de son majeur.

— J'ai promis à Kate… commence-t-elle. J'ai promis de ne jamais le raconter à personne.

— Kate est morte, la presse Sjöberg. On doit connaître la vérité.

Vida respire un grand coup avant d'entamer son récit.

— Elle avait un homme dans sa vie. Un homme qu'elle avait rencontré par hasard. Elle s'était fait agresser par des skinheads et il était venu à son secours. Elle m'a dit ça longtemps après. Ils ont commencé à se voir. D'après Kate, ils ne couchaient pas ensemble, mais je n'en sais rien… Alors, c'était quoi ? Ils se voyaient toujours à l'extérieur, jamais chez lui. Il était sans doute marié, mais elle n'en parlait pas. Ils ne se voyaient pas chez elle non plus. À cette époque, elle vivait avec Christer. Kate aimait bien discuter avec cet homme. Ils parlaient de tout. Il la consolait quand elle avait des soucis avec Christer et il a voulu l'aider quand elle s'est enfin décidée à le quitter. D'abord, elle ne voulait pas accepter tant d'argent – plus de deux millions de couronnes –, mais il a fini par la persuader. Il lui a expliqué que les enfants seraient bien dans cet appartement. Une aire de jeux dans la cour, plein de copains… Au début, elle avait peur de lui être redevable de quelque chose, mais il n'a jamais réclamé quoi que ce soit en retour. Il avait l'air tellement gentil. Kate me disait que les enfants l'adoraient. Et lui aussi, il les aimait. Parfois, il les gardait quand elle travaillait tard.

— Vous ne l'avez jamais rencontré ? demande Sjöberg.

— Non. J'en avais très envie, mais il faut dire qu'il était un peu mystérieux. Elle avait l'impression de le trahir quand elle me parlait de lui. Comme moi, en ce moment.

Vida recommence à pleurer et son mari lui caresse les cheveux.

— S'appelait-il Erik, par hasard ? demande Sandén.

— Oui. Erik. Vous croyez que c'est lui qui a… ?

— Pour l'instant, on ne croit rien. Mais on doit à tout prix le joindre, répond Sjöberg.

Il se penche pour ramasser le bloc-notes et le stylo. Vida Johansson leur a fourni six noms à contacter. Après avoir relevé les empreintes du couple, il se lève du canapé en même temps que Sandén. Il sort une carte de visite de sa poche arrière et la pose sur la table du salon.

— Nous sommes vraiment désolés. Vous nous avez beaucoup aidés. N'hésitez pas à nous contacter si vous vous souvenez d'autre chose.

*

La pluie martèle le pare-brise et, à l'extérieur, des milliers de points lumineux constellent l'obscurité. Sandén conduit prudemment et Sjöberg se sent protégé, à l'abri des rigueurs d'un hiver qui s'éternise.

— Qu'est-ce qui t'a pris tout à l'heure, à la réunion ? demande Sjöberg.

Sandén ne répond pas tout de suite et Sjöberg en conclut qu'il a touché un point sensible. Inutile d'aller plus loin.

— Je ne sais pas si j'ai envie d'en parler.

— C'est pas grave. On oublie.

Après quelques minutes de silence, Sjöberg se convainc qu'il n'y a pas de raison de s'inquiéter. Sandén prend mieux soin de lui. Il mange plus équilibré, boit moins d'alcool et fait du sport. Si on s'angoisse trop, c'est un aller assuré pour la morgue. Mais Sandén n'est pas du genre à se ronger d'angoisse, et Sjöberg s'efforce de suivre son exemple.

— Je regrette. J'aurais pas dû dire ça, reprend Sandén. Je sors toujours des énormités sans réfléchir. C'est juste des mots qui me viennent, comme « prostitution », par exemple. C'est l'image qui m'est venue spontanément, même si je l'ai trouvée déplaisante.

— Tu parles de Catherine Larsson ?

— Non, soupire Sandén. De Jenny.

Sjöberg ne sait pas trop quoi penser. Sandén s'engage sur la route menant au centre-ville. Malgré la pluie et l'heure tardive, il y a pas mal de circulation, mais ça avance quand même. Sandén reste dans la file de droite, se laissant dépasser par des conducteurs plus pressés qui l'éclaboussent au passage. Et il confie à Sjöberg les événements qui l'ont abattu en ce fameux mois de septembre. Comment il a appris que sa fille chérie, atteinte d'un léger handicap mental, se livrait à une sorte de prostitution, manipulée par son petit ami. Un abruti total, prénommé Pontus, qui habitait chez elle et empochait l'argent. En apprenant l'épouvantable réalité, Sandén a failli y laisser sa peau. Mais Pontus s'est contenté d'un portefeuille bien rempli et a renoncé à Jenny. Sandén est parvenu à l'acheter et à le faire disparaître de leur vie – la sienne et celle de Jenny – pour la somme de cinquante mille couronnes. Depuis, heureusement, il ne s'est plus manifesté. Sandén a préféré ne pas le traîner en justice, avant tout afin de ne pas dévoiler au grand jour tant de détails compromettants pour sa fille.

Sjöberg lui donne raison. Il croise les doigts pour que tout ça soit vraiment du passé et que Jenny prenne un nouveau départ, maintenant qu'à son initiative elle est devenue l'assistante de Lotten à l'accueil du commissariat.

— Et avec Åsa, ça va ?

Sandén en a marre de parler de lui. Il préfère ouvrir une porte à Sjöberg et lui donner la chance de se confier sur ce qui le tourmente. Mais il n'insistera pas. Sandén a horreur des questions insidieuses. C'est tout Jens : un mélange de phrases directes et une discrétion totale. Contrairement à ce qu'il espérait, Sjöberg se doute bien que son affaire avec Margit Olofsson n'est pas passée inaperçue aux yeux de son collègue. Sandén était présent quand Margit et lui se sont revus au piano-bar, et il a forcément remarqué combien ça vibrait entre eux.

Et de fait, c'est bien le cas. Malgré sa rudesse, Sandén est une personne chaleureuse et sensible. Il a dû se rendre compte de ce qui s'est passé ce soir-là, alors que Åsa était chez ses parents avec les enfants. Il n'en a jamais dit un mot, n'a jamais insinué quoi que ce soit. *En revanche*, se dit Sjöberg, *il s'est montré particulièrement attentionné à mon égard durant les mois qui ont suivi ce faux pas, en dépit de sa brusquerie naturelle*. Il sait, constate Sjöberg. Jens est son meilleur ami depuis l'école de police, et Conny se sent rassuré que Sandén ait conscience de ce qui se passe dans sa maudite tête. Il comprend sans doute les sentiments contradictoires qui le déchirent, bien qu'il se soit montré assez délicat pour ne pas en parler.

Qu'est-ce qui l'incite alors à se livrer ? Le fait de se trouver bien au chaud dans l'obscurité de la voiture, à l'abri de la pluie, du froid et des éclats de phares ? Ou l'assurance que procure la certitude d'une longue et solide amitié ? En tout cas, il ressent le besoin d'être totalement sincère, et Sjöberg se confie à Sandén.

Au moment où la voiture s'engage dans Skånegatan, passe devant Nytorget et s'arrête, leur conversation n'est pas terminée. Ils restent longtemps devant le domicile de Sjöberg en silence. C'est la soirée des sujets douloureux, qui ne seront peut-être même plus effleurés. Mais la conversation reprend et lui permet d'avancer, de se sentir un peu plus fort et un peu plus sage. Un peu moins seul aussi.

— Non, conclut Sandén. À quoi ça servirait d'en parler à Åsa ? Ça ne ferait que tout bouleverser. Et tout détruire.

*

La nuit, il fait un froid glacial dans la remise. Un minuscule radiateur a été placé contre le mur du fond à l'autre bout de la pièce. Un courant d'air hivernal se glisse sous la porte et par la petite fenêtre située à côté. L'endroit est plongé dans le noir et le silence. Mais dans le lointain, on perçoit les bruits de la ville.

Il tend tous les muscles de ses membres supérieurs pour tenter de desserrer les cordes qui lui lient les poignets. Au bout d'une dizaine d'essais, il constate son impuissance. Et pourtant il a choisi de continuer, jusqu'au bout. C'est sa seule chance, même s'il sait qu'elle est infime.

Il se couche sur le dos, fixant l'obscurité. La douleur pulse à l'arrière de son crâne et dans son dos. Il n'y peut rien. Il faut bien avoir mal quelque part.

On sonne à la porte. Ding dong ! Cette sonorité le fait sursauter à chaque fois. Le gérant de l'immeuble les a gratifiés d'une nouvelle sonnette. Désormais, tout visiteur aura droit à deux notes mélodieuses et accueillantes, au lieu du bourdonnement hargneux d'un système qui a rendu l'âme. Elle fronce les sourcils et le regarde avec un sentiment d'exaspération, mais il ne voit que ses yeux bleus pétillants sous sa frange blonde. Il ne remarque que sa beauté.

— J'y vais, dit-il avec un sourire, avant de franchir les quelques pas qui séparent le balcon de l'entrée.

Il a conservé ses gants de jardinage et tourne le loquet avant d'ouvrir la porte.

— Salut ! Dis-moi, j'ai un petit souci...

C'est le voisin de palier. La porte de son appartement est restée grande ouverte et, depuis l'intérieur, on entend les voix excitées de ses fils. Remarquant les gants de jardinage, il s'interrompt.

— Ah, vous êtes en plein travail ? questionne-t-il, gêné.

— Oui, on fait quelques plantations sur le balcon. Qu'est-ce que je peux faire pour toi ?

— Des plantations... super ! Bon, voilà... ma femme travaille aujourd'hui et un copain vient de m'appeler pour que je l'aide à mettre son bateau à l'eau. Pour que ce soit fait dans la journée, il faudrait qu'on s'y mette tout de suite. Je me demandais si vous pouviez garder les mômes quelques heures ?

— Bien sûr. Aucun problème.

Ce n'est pas la première fois qu'ils s'occupent des fils des voisins. Ils sont toujours prêts à dépanner en cas de besoin. Les garçons, âgés de trois et cinq ans, sont de vraies petites tornades, mais en même temps affectueux et charmants.

— Elle termine dans une heure et demie. Vous n'aurez qu'à passer les déposer au salon. Ils doivent aller acheter des chaussures après.

— D'accord. On les garde ici ou chez vous ?

— Comme vous voulez. Je laisse la porte ouverte. Mais attends !

Il se précipite chez lui et revient rapidement avec une bouteille de Rioja. Il la lui tend et prend un ton solennel :

— Pour que tu passes une bonne soirée avec ta charmante épouse...

Elle apparaît derrière son homme et salue le voisin d'un sourire.

— Encore merci pour le coup de main ! crie-t-il en dévalant l'escalier.

— Il n'y a pas de quoi, c'est un plaisir ! répond-elle.

Elle se tourne vers son mari :

— Va voir ce que font les gamins pendant que je m'occupe des plantations.

Il lui tend les gants et pénètre dans l'appartement du voisin.

Les garçons sont installés par terre dans leur chambre, tout absorbés à construire un circuit de train.

— Salut, les gars ! Je peux jouer avec vous ?

Ils se jettent sur lui en rigolant et tous les trois chahutent quelques instants sur le sol, avant de reprendre la construction. Faire semblant de se battre fait partie de leur rituel. Il se dit que si jamais il a un fils un jour, il fera la même chose. Le jeu, ce sera avec la maman. Autant il déteste faire avancer le petit train, autant il adore monter les rails. Peu lui importe que ça prenne du temps. Il laisse les enfants réfléchir tout en les guidant d'une main ferme, afin qu'ils aient

73

l'impression de l'avoir fait par eux-mêmes. Une fois les rails en place, il s'apprête à subir l'interminable simulacre de voyage en train. Mais cette fois, le petit Tobias le sauve :

— Elle est où, la dame ?

— Écoute-moi, jeune homme – il fait semblant d'être offensé –, c'est pas une dame. C'est une jeune femme.

— Mais elle est où ?

Andreas le grand frère éclate de rire en même temps que lui, avant que tous tombent en arrière. Et les voilà repartis pour un nouveau combat.

MERCREDI MATIN

Sjöberg observe d'un œil distrait Petra Westman qui arrive dans la salle de réunion. Elle referme la porte, s'installe à la table, remue son thé, porte la tasse à ses lèvres, constate que c'est encore trop chaud, repose le tout et se remet à tourner la cuillère. Sjöberg cesse de cogiter et ouvre la réunion.

— Tout le monde est là ? Hadar, retenu au tribunal, ne pourra pas venir. Mais Bella a pris sur son temps pour se joindre à nous, avec le rapport préliminaire de Kaj Zetterström. C'est bien ça ?

Bella soulève un dossier noir et hoche la tête.

— Dans ce cas, à toi de commencer. Après, tu pourras partir dès que tu le souhaites.

— D'accord. Catherine Larsson a été assassinée entre 21 heures samedi et 3 heures dimanche. Le meurtre a eu lieu dans la salle de bains. Elle se tenait face au lavabo quand on lui a tranché la gorge d'un seul geste, provoquant une entaille suffisamment profonde pour qu'elle décède sur-le-champ. Elle présente des hématomes sur les bras et le thorax, ce qui prouve que son agresseur l'a serrée contre lui par-derrière. Celui-ci est forcément droitier et plus grand que la victime. Il – ou elle au cas où il s'agirait d'une femme dotée d'une grande force – a utilisé le

75

miroir pour perpétrer son crime, et Catherine Larsson a probablement tout vu dans le reflet. Ensuite, il l'a portée, pas traînée, jusqu'au lit, et l'a placée à côté de ses enfants. Il s'est alors penché au-dessus d'elle, puis a tranché, de la même manière, la gorge de la petite fille couchée au milieu. Après quoi il a fait le tour du lit pour tuer le garçon. Les enfants dormaient profondément, on n'a trouvé aucune trace sur leur corps indiquant la moindre résistance. L'arme du crime possède une lame rectiligne, d'au moins vingt centimètres de long, comme celle d'un couteau de chasse, d'une machette ou d'une épée.

— Comment est-il entré ? demande Sjöberg.

— Il n'y a aucune trace de lutte. Soit on lui a ouvert, soit il est entré par ses propres moyens. Il avait peut-être une clé en sa possession. Ou alors il a crocheté le verrou de la porte. Ou encore elle était ouverte. En tout cas, il est reparti sans la refermer à clé. La porte peut être verrouillée de l'intérieur avec ou sans clé. Mais de l'extérieur, il faut impérative-ment une clé pour actionner le verrou. Le fait qu'il ne l'ait pas refermée en partant tendrait à indiquer qu'il ne possédait pas de clé.

— Il devait être couvert de sang, commente Jamal.

— Difficile à dire, répond Bella. Il a sans doute reçu des éclaboussures, mais je ne sais pas en quelle quantité. Il en avait sûrement sur les bras et les mains, mais il semble qu'il se soit nettoyé au lavabo avant de partir. Sans s'essuyer avec les serviettes. Peut-être aussi qu'il portait une tenue de protection qu'il a enlevée avant de quitter l'appartement.

— Il y avait un pull dans l'entrée…, poursuit Jamal.

— Nous avons trouvé des cheveux dessus que nous avons envoyés au laboratoire pour analyse, intervient Bella. Et le pull en question est trop grand pour avoir appartenu à Catherine Larsson.

— Quelle marque ? demande Sjöberg.

— Åhléns.

— J'ai aussi remarqué une trace de semelle…, reprend Jamal, mais une nouvelle fois la technicienne de la police scientifique le devance dans l'analyse.

— Nous avons relevé un certain nombre de traces de semelles. Elles proviennent toutes de la même paire de chaussures, des baskets en l'occurrence. Nous ne pouvons encore dire de quel modèle il s'agit, mais c'est une pointure d'homme, du 43 ou du 44, ce qui semblerait prouver que l'assassin est de sexe masculin. On a retrouvé des traces identiques le long de la cage d'escalier, qu'on perd évidemment de vue en arrivant dans la cour.

— Des empreintes digitales ?

— Bien sûr. Nous en avons relevé provenant de plusieurs personnes. La plupart appartiennent aux membres de la famille, mais certaines restent non identifiées. Malheureusement, il n'y en avait aucune sur le robinet de la salle de bains, ni sur la poignée de la porte d'entrée. Je vais les comparer avec celles que tu m'as fournies, Conny.

Sjöberg acquiesce.

— Et l'autopsie, elle a donné quoi ? poursuit-il.

— Comme il est question de trois autopsies, elles ne sont pas encore terminées. Zetterström m'a informée qu'aucune des victimes n'a subi de violences sexuelles. D'ailleurs, Catherine Larsson n'a pas eu de rapports au cours des derniers jours de sa vie. Pas non plus de traces de coups, ni sur la mère, ni sur les enfants. Vous avez d'autres questions ?

Bella Hansson commence à ranger ses affaires.

— J'aimerais bien que des examens soient prati-
qués sur les enfants et sur Christer Larsson, afin
d'avoir la confirmation qu'il est leur père, ajoute
Sjöberg, pensif.

— Ah, dit Sandén d'un air entendu. Suspense !

— Tu veux que je transmette ta demande à Zetterström, ou tu te charges toi-même des prélèvements
sanguins ? sourit Bella.

— Si ça ne le dérange pas, je préfère qu'il s'en
occupe. Merci, Bella.

Gabriella Hansson fait glisser le dossier noir contenant le rapport préliminaire des autopsies jusqu'à
Sjöberg, avant de ranger le reste de ses papiers dans
sa serviette et de quitter la pièce.

L'un après l'autre, les quatre inspecteurs rendent
compte des interrogatoires qu'ils ont menés. Sjöberg
croise les mains derrière sa nuque et pivote sur sa
chaise :

— Mais qu'est-ce que c'est que ce meurtre ? À
quel type d'assassin on a affaire ? En apparence, tout
est très clinique, organisé dans le moindre détail. Et
s'il s'agissait d'un contrat ?

— Dans ce cas, il n'y aurait pas de traces de
pieds, proteste Petra. Un professionnel ne laisse pas
d'empreintes.

— Parce que les tueurs à gages sont forcément
des professionnels ? ricane Jamal. T'as vu ça à la télé
ou quoi ?

Petra le fusille du regard.

— Plaisanterie mise à part, il peut s'agir d'une
paire de chaussures qu'il brûle ensuite, poursuit
Jamal. Un modèle ordinaire qu'on trouve dans tous
les magasins. Ou alors il s'en fout d'être démasqué
du moment que sa mission est accomplie.

— Dans ce cas, pourquoi éliminer les autres empreintes ? souligne Petra.

— La question est posée, commente Sjöberg. Les meurtres en question ont un côté bestial, mais ils sont commis sans grand signe d'investissement personnel, vous ne trouvez pas ? Pas de violence gratuite, pas d'humiliation, ni de profanation. On n'est pas non plus face à un cambriolage qui aurait mal tourné, sinon il ne s'en serait pas pris aux enfants. Pas d'agression sexuelle. Rapide et efficace, aucune maladresse, pas de souffrance inutile occasionnée.

— Mais pourquoi un contrat ? réfléchit Sandén. C'est vrai que l'achat de l'appartement pourrait être associé à du blanchiment d'argent. Était-elle en contact avec la pègre ?

Sjöberg se gratte le menton avec le pouce et l'index.

— Einar est toujours absent, constate-t-il avec un certain abattement. Personne ne l'a vu ces derniers jours ?

Tout le monde fait non de la tête.

— Je vais me renseigner. Il est peut-être en congé, marmonne Sjöberg.

— Un peu de paperasserie, ça te fera pas de mal, sourit Sandén. Tu pourras te mettre dans la peau d'Einar. Ah, je vois déjà poindre le petit air renfrogné…

Sandén regarde ses collègues et désigne son chef qui tambourine des doigts sur la table, ce qui déclenche les rires de l'assistance. Sjöberg attend quelques secondes avant de reprendre la parole :

— Comme punition, Jens, tu vas me trouver un traducteur pour la correspondance de Catherine Larsson. Tu t'occuperas également de ses clients. Vérifie leur casier, contacte-les et vois si à leur tour ils connaissent d'autres clients qui ne figurent pas sur nos tablettes. Petra et Jamal, passez-moi au crible la liste des correspondants de Catherine Larsson que j'ai posée sur le bureau d'Einar hier soir. Faites-vous une idée précise de ses habitudes téléphoniques, surtout pendant les jours qui ont précédé le meurtre. Avec qui a-t-elle parlé, et de quoi ? Y a-t-il un Erik quelque part ? Je veux aussi que vous recherchiez si elle possédait un abonnement de téléphone portable. On sait déjà qu'elle n'avait rien souscrit chez Telia. Moi, je m'occupe d'examiner la situation financière de la famille Johansson, notamment celle de l'entreprise de peinture du mari.

*

Une heure et demie plus tard, Sjöberg a fini de vérifier les comptes bancaires de la famille Johansson ainsi que ceux de l'entreprise du mari. Rien de suspect. Aucun retrait important, pas de changement notable dans le montant des revenus ou des dépenses. Le regard perdu dans le vide, il fait tourner son stylo entre ses doigts. Puis, il saisit le combiné pour composer le numéro de portable d'Einar. Il tombe sur le répondeur et laisse un message.

— Salut, Einar, c'est Conny. Ça fait quelques jours qu'on ne t'a pas vu et d'après mes informations tu n'es pas en congé. Est-ce que tu peux me rappeler au plus vite, s'il te plaît ? On a besoin de toi, ajoute-t-il avant de raccrocher.

Il fait défiler la liste des contacts dans son téléphone portable et compose le numéro fixe d'Einar Eriksson. Pas de répondeur. Il raccroche au bout de dix sonneries et rédige un bref SMS qui reprend le même message que sur le répondeur. Pour finir, il joint le standard du commissariat et demande qu'on lui passe la comptabilité.

— Conny Sjöberg, brigade criminelle. J'aurais besoin de quelques renseignements sur l'un de mes subordonnés, Einar Eriksson.

— Oui ? répond la voix féminine.

— Est-il en vacances ou en congé maladie ?

— Voyons voir… (Sjöberg l'entend tapoter sur le clavier.) Quel est son numéro d'identité ?

— Aucune idée, dit Sjöberg. À vous de me le dire. Il n'y a quand même pas pléthore d'Einar Eriksson dans la maison.

— Je regarde… Ah, le voilà. Il n'est pas en arrêt maladie et il n'a pas déposé de demande de congé.

— Vous pouvez me donner son adresse, s'il vous plaît ?

— Désolée, nous ne communiquons pas ce genre d'information, dit-elle d'un ton amical mais ferme. Sauf si vous en avez l'autorisation ?

— L'autorisation ? Je suis son chef, bordel !

— Je peux vous rappeler, dit-elle, toujours aussi aimable.

— Bien sûr. Alors, mon numéro… commence Sjöberg.

— C'est bon. Je l'ai, merci.

Elle lui raccroche au nez.

Une « autorisation », se dit Sjöberg. *C'est quoi, cette réglementation à la con ?* Il n'a pas le temps d'y réfléchir davantage, son téléphone sonne.

— Sjöberg à l'appareil.

— Très bien. Vous vouliez des renseignements sur Einar Eriksson ?

— C'est exact.

Elle lui transmet son numéro d'identité et son adresse. Il la remercie et met fin à la conversation.

Sjöberg s'aperçoit qu'il n'a jamais su dans quel quartier habite Eriksson, alors qu'ils sont pratiquement voisins. Ce dernier est domicilié dans Eriksdalgatan, à quelques pas du commissariat de Östgötagatan, à équidistance de son propre appartement de Skånegatan. *On ignore parfois tout de la vie d'un collègue*, songe Sjöberg. Voilà maintenant douze ans que ces deux-là travaillent ensemble, mais il ne connaît pratiquement rien sur Eriksson, sauf qu'il est marié et qu'il n'a pas d'enfants. Mais quoi d'autre ? Rien. Il faut dire qu'Eriksson est quelqu'un de distant, souvent mal embouché et cassant. La plupart du temps, ils ne parlent que du boulot. Eriksson ne sort jamais déjeuner avec ses collègues, et du coup, se prive d'une belle occasion de discuter d'autre chose. Il reste dans son bureau à manger le repas que sa femme lui a probablement préparé. En même temps, Sjöberg ne peut pas s'empêcher de sourire en s'imaginant Eriksson en train de se cuisiner un plat de saucisses pour le déjeuner du lendemain.

Sjöberg se met alors à réfléchir à sa propre vie et à sa part d'ombre. Ses collègues auraient sans doute du mal à imaginer l'existence d'une Margit Olofsson. À part Jens bien sûr, mais bon, il s'en est douté dès le début. Et sa mère, que dirait-elle ? Il préfère ne pas y penser. Elle qui veut toujours garder la face, soucieuse du qu'en-dira-t-on.

Sa mère. Une histoire à part entière, pleine de secrets. Plus que cela, c'est cette manière sèche qu'elle a de refuser de lui parler de quoi que ce soit d'important. Il a bien essayé de lui demander des détails sur son père qu'il n'a jamais connu. Tout ce qu'il possède, c'est l'image vague d'un homme mort d'une maladie mystérieuse, quand Sjöberg avait trois ans.

Il repense au titre de propriété qu'il a trouvé dans les papiers de sa mère alors qu'il l'aidait à régler ses factures, la fois où elle est tombée d'une chaise et s'est cassé une côte. Un titre de propriété référencé Björskogsnäs 4:14. Sa mère a tout de suite dit qu'elle ne savait pas où se trouvait ce terrain, qu'il devait faire partie des biens de feu son mari. Mais pourquoi n'a-t-elle pas eu la curiosité d'aller voir à quoi correspondait cette parcelle à la mort de ce dernier ? Il a beau être commissaire, il n'a jamais réussi à lui en extirper davantage.

Il a soudain envie de faire toute la lumière sur cette vieille histoire. Et puisqu'il est en plein mode paperasserie, comme dit Sandén, autant en profiter pour localiser le terrain.

Il compose le numéro des Pages blanches et demande qu'on le mette en relation avec le Bureau d'enregistrement des actes de propriété du tribunal de Stockholm. Il attend quelques minutes, puis une femme lui répond. Sjöberg se présente et explique sa requête.

— Voilà, je possède un titre de propriété foncière référencé, mais je n'ai aucune idée de l'endroit où se situe le terrain. Vous croyez que vous pouvez m'aider ?

— Bien sûr, répond la femme. Ça peut prendre un moment, mais donnez-moi déjà la référence et on va voir ce qu'on peut faire.

— Björskogsnäs 4:14, dit Sjöberg.

Elle épelle pour s'assurer d'avoir bien entendu, avant de le prier d'attendre. Elle revient à lui quelques minutes plus tard.

— Björskogsnäs 4:14 se situe dans le département de Västmanland. À proximité d'Arboga.

— Arboga… ? marmonne Sjöberg.

— C'est ça, confirme-t-elle. Voulez-vous que je vous envoie l'extrait du cadastre par fax ?

— Volontiers.

Sjöberg ne sait pas trop ce qu'il va faire de cette information.

*

Il s'éveille en sursaut. Même s'il est parvenu à dormir presque toute la nuit, il a également réussi à sommeiller une partie de la matinée. Il doit changer de position toutes les dix minutes et dormir par à-coups. Sinon les douleurs deviennent insupportables et l'assaillent durant des heures. Il a donc pris le réflexe de se réveiller quand vient le moment de changer de posture. C'est devenu une habitude. La vie qu'il mène sur le plancher glacial de la remise a désormais sa routine.

Il se force à glisser en position assise en s'aidant du mur froid, avec des mouvements très lents. Pendant quelques minutes, il tente encore de desserrer les cordes. Sa raison lui dicte de le faire, et c'est bien l'unique chose à laquelle il s'astreint encore. Il n'a plus d'espoir, plus de raisons de s'imaginer un avenir. Comme sa vie actuelle n'a plus de sens, il repense au passé. Il se voit *avec les deux petits garçons couchés sur lui, à se pincer, à se mordiller et à rouler au sol. Tout se passe en douceur, et même si on reçoit un coude dans l'œil, ça ne fait pas mal.*

— *La dame plante des fleurs sur le balcon,* grogne-t-il, *tenant Tobias à bout de bras au-dessus de lui.*

— *Oh, on peut l'aider ? J'adore planter des fleurs !*

— Bien sûr. Ça lui fera sûrement plaisir. Elle vous plantera chacun dans un pot. Comme ça, vous pousserez et vous deviendrez tellement grands que je n'oserai plus me battre avec vous.

— Viens, Tobias, crie Andreas qui est déjà sorti de la chambre.

Tobias se libère et lui court après. Lui-même se lève, remet le tapis en place et frotte ses vêtements pour enlever la poussière. Il referme la porte de l'entrée et retourne dans son appartement.

Andreas est déjà sur le balcon. Il a enfoui ses petites mains dans des gants de jardinage immenses et tient fermement le cou de son petit frère.

— Non, non, non, proteste sa femme. Pas de ça. Vous voulez faire des plantations ou on fait autre chose ?

— Je veux une fleur à moi, dit Tobias.

— Bonne idée ! Chacun de vous va choisir une fleur et après, vous les planterez. Mais vous devez vous rappeler qu'ensuite il faudra les arroser. Souvent.

— Je veux la rouge, s'exclame Tobias.

— Un pélargonium. Elle sera magnifique. Et toi, Andreas ?

— La bleue.

Il montre la fleur du doigt, dans son carton.

— Parfait. Un pétunia pour Andreas. Voilà ce qu'il faut faire...

Elle donne un pot en terre cuite à chaque garçon et en saisit un troisième pour faire la démonstration.

— On prend un peu de terre, comme ça... qu'on dispose au fond du pot...

Il n'y a pas assez de place pour tout le monde sur le balcon, alors il reste sur le seuil. Il admire la dextérité de sa femme et se délecte de sa voix douce *et de celles des enfants. Montant de la cour, l'odeur de l'herbe fraîchement coupée se mélange à celle, humide, du terreau sur le balcon. La vie vient juste de commencer.*

*

Sjöberg quitte le commissariat sans mentionner où il a l'intention d'aller. Un malaise croissant le ronge jusqu'à Eriksdalsgatan. Et si Einar lui ouvre ? Que va-t-il lui dire ? Il redoute de découvrir son collègue en train de baigner dans des vapeurs d'alcool, les cheveux en bataille. Mais pourquoi penser à cela ? Einar n'a jamais semblé ivre au boulot, contrairement à lui, parfois. Mais alors, qu'est-ce qui lui est arrivé ? Pourquoi cette absence après douze années d'assiduité exemplaire ? S'est-il blessé ? Est-il tombé malade ? Dans ce cas, sa femme aurait appelé le commissariat pour le signaler. À moins, bien sûr, qu'elle aussi ne soit blessée. Ils ont peut-être eu un accident de voiture…

Un vieil homme sort de l'immeuble d'Eriksson en compagnie d'un caniche nain, et Sjöberg parcourt les derniers pas en courant pour éviter que la porte ne lui claque au nez.

— Excusez-moi, lance Sjöberg. (Le vieillard le toise avec des yeux vitreux.) Vous habitez cet immeuble ?

— Qui le demande ?

— Ah bien sûr, pardon…

Sjöberg tire le portefeuille de sa poche arrière et en sort sa carte de police.

— Conny Sjöberg. Je travaille avec Einar Eriksson qui est domicilié ici.

— Ah bon, il est flic ? Je ne savais pas.

Le vieux lui adresse un sourire plein de ruse que Sjöberg lui rend aussitôt.

— Vous l'avez vu ces derniers temps ?

— Non. Pas depuis samedi, quand il a pris sa voiture.

Le ventre de Sjöberg se noue. Ce serait donc bien un accident ?

— Chaque samedi matin, il part en voiture au moment où je sors Topsy, poursuit le vieillard. Et il revient tard le soir, mais là, je dors en général.

— Et samedi dernier ?

— Je ne l'ai pas vu rentrer.

— Il était seul dans la voiture ou son épouse l'accompagnait ?

— Son épouse ? Eriksson est célibataire à ce que je sache. Je n'ai jamais vu d'épouse, ni d'ailleurs d'autre femme, se gausse-t-il.

Il n'a pas toute sa tête, se dit Sjöberg. Eriksson a évoqué sa femme à plusieurs reprises. Il n'a pas vraiment parlé d'elle, mais de toute façon ils ne discutaient que de boulot. En plus il est quasiment certain d'avoir vu son alliance. Comme pour contester le manque de lucidité que Sjöberg lui prête, l'homme poursuit :

— Mais il est bel et bien revenu, si c'est ça qui vous préoccupe, commissaire. Sa voiture est garée là-bas, et ça, depuis dimanche matin.

Il indique de la tête une vieille Toyota Corolla, la seule voiture garée sur le grand parking.

— Merci beaucoup pour ces informations, affirme Sjöberg, soulagé de ne pas avoir à appeler tous les hôpitaux pour rechercher son collègue disparu.

Le vieux tire sur la laisse et le petit chien se met en marche d'un bon pas. Sjöberg se demande ce que Lotten, la responsable de l'accueil au commissariat, en aurait pensé. Sans parler de Micke, le gardien. Tous deux partagent une folle passion pour les chiens, au sens strict du terme. Leurs animaux respectifs s'envoient des cartes de vœux et se souhaitent même leurs anniversaires. Jenny, la fille de Sandén, si influençable, s'est bien sûr laissé gagner par la même hystérie depuis qu'elle travaille avec eux.

Il monte l'escalier jusqu'au premier étage et s'arrête devant la porte sur laquelle figure le nom d'Eriksson. Il appuie sur la sonnette qui résonne à l'intérieur, mais pour le reste, c'est le silence complet. Après deux nouvelles tentatives, il jette un regard un peu coupable autour de lui avant de sortir un passe-partout d'une poche de son blouson. La serrure d'Eriksson est tout ce qu'il y a de plus ordinaire, et quelques instants suffisent à Sjöberg pour se retrouver à l'intérieur.

Il appelle Einar, mais n'obtient pas de réponse. La première chose qui attire son regard est un sac de golf. Sjöberg ne connaît rien à ce sport, et tout ce qu'il constate, c'est qu'il s'agit d'un modèle ancien. Ça ne lui serait jamais venu à l'idée qu'Eriksson puisse jouer au golf. Sur le mur de l'entrée, une photo noir et blanc encadrée représente un Einar bien plus jeune en compagnie d'une belle jeune femme. Sans le moindre doute son épouse, puisqu'il s'agit d'une photo de mariage. Jamais il ne s'était imaginé Eriksson jeune. Ou heureux. Incontestablement, sur la photo, il rayonne de bonheur. Un visage souriant, dénué de soucis, qui témoigne d'une ouverture d'esprit que Sjöberg ne lui connaît pas.

Einar Eriksson habite un studio qui comporte une petite entrée, une assez grande pièce avec lit, canapé et fauteuil. À cela s'ajoutent une petite salle de bains et une cuisine minuscule. Il remarque qu'il s'agit d'un lit pour une seule personne. Sjöberg respire un grand coup, soulagé d'avoir parcouru l'appartement sans tomber sur son collègue ivre, blessé, ou tout simplement mort. En bon policier, il jette un œil au courrier qui se trouve sur le sol de l'entrée. Il constate qu'Eriksson n'a pas même pris la peine de ramasser le journal depuis samedi. Où est-il donc passé ? Il se remet en tête ce que porte habituellement son collègue en cette période de l'année. Pas de grosse veste noire ni de chaussures d'hiver à l'intérieur de l'appartement. Sjöberg en déduit donc qu'Eriksson est rentré en voiture tard le samedi soir, comme l'a suggéré son voisin, avant de disparaître tôt le dimanche matin. Tout cela paraît incompréhensible.

Ce qui perturbe le plus Sjöberg, c'est l'affreux constat que personne ne se soucie de l'absence d'Eriksson. Pas plus ses voisins que ses collègues, en dehors de lui-même. Mais il doit bien avouer que ça tient en grande partie au fait qu'il en a marre de se coltiner les tâches habituellement dévolues à Einar. Et Mme Eriksson, où est-elle ?

Il est tenté d'appeler Sandén, mais se ravise au dernier moment. Il a peut-être été un peu hâtif en pénétrant par effraction chez Eriksson ? Il s'agit juste de deux ou trois jours d'absence au travail. En tant que collègue, il n'a pas à s'en mêler. Et s'immiscer comme ça dans sa vie privée est impardonnable. Tout en se disant cela, Sjöberg se rend devant la bibliothèque et s'empare sans hésiter d'un classeur qui porte l'inscription « Papiers importants ».

Il découvre une première pochette en plastique dont l'étiquette indique « Solveig ». Il en extrait une pile de documents et jette un œil à celui du dessus : une facture récente. La dernière feuille de la pile est du même type, mais date de dix ans. Toutes les factures proviennent d'une clinique appelée Solberga, dont le logo indique qu'elle est située à Fellingsbro. Il trouve également une brochure qui décrit l'établissement comme étant la perle du département de Bergslagen, situé dans un environnement superbe, au bord de l'eau. La prise en charge du service médical est assurée vingt-quatre heures sur vingt-quatre avec, si nécessaire, la visite quotidienne d'un médecin.

Sjöberg n'a pas le souvenir d'avoir entendu Einar prononcer le prénom de son épouse, mais Solveig est un prénom courant pour les femmes de sa génération et de celle d'Einar. De toute évidence, son épouse n'habite pas dans ce minuscule appartement. Pourquoi ? Il s'en veut de ne pas s'être montré plus curieux au fil des années, lorsque son collègue se contentait de grommeler une vague réponse quand il lui demandait s'il avait passé de bonnes vacances ou de bonnes fêtes. Mais le visage sévère et le côté maussade d'Einar maintiennent toujours son entourage à distance. Il semble évident qu'il n'est pas prêt à dévoiler son intimité. Peut-être considère-t-il simplement qu'il n'a pas de vie privée à faire partager. La réserve et le côté buté d'Einar traduiraient-ils sa déception de mener une existence qui n'a pas emprunté la direction souhaitée, celle qu'il s'imaginait peut-être quand a été prise la photo de mariage de l'entrée ?

Sjöberg referme le classeur sans l'explorer davantage. Il est déjà suffisamment mal à l'aise d'avoir fouillé dans la vie privée de son collègue. Avant de partir, il fait un petit crochet par la cuisine. Il s'arrête devant la cuisinière, qui est impeccable, tout comme l'évier et la table. C'est bel et bien Einar qui prépare ses plats. Mais l'imaginer en train de cuisiner, vêtu d'un tablier, ne le fait plus sourire. Maintenir

propre son intérieur et son apparence, voilà autant
de preuves qui témoignent qu'il n'a pas abandonné,
même s'il porte toujours les mêmes vêtements ternes.
D'ailleurs, qui est-il pour juger si la vie de son collègue vaut la peine d'être vécue ? Simplement, avec son
air morose, Einar lui semble marqué par le poids du
chagrin et d'une certaine résignation. Une impression
que Sjöberg a intégrée au fil des années, sans qu'il
puisse mettre le doigt sur ce qu'elle traduit. Eriksson
lui a toujours semblé particulier. Pour autant, il n'a
jamais pris part aux railleries qui circulent dans le dos
de son collègue.

Quelques livres de cuisine sont alignés sur le bureau,
à côté de la cuisinière. Il en reconnaît un que sa maman
possède aussi. Il se dit que l'ouvrage doit avoir au
moins quarante ans, alors qu'il le saisit tout doucement pour éviter de faire tomber les autres. Il ouvre
la première page pour vérifier l'année d'impression et
tombe sur une dédicace manuscrite : « Félicitations à
notre petite Solveig chérie pour son baccalauréat. De
la part de grand-mère et grand-père. Mai 1968. »

*

On sait où se trouve Solveig Eriksson. Mais où
diable est Einar ?

*

Jamal et Petra se sont réparti les noms de la liste
à appeler. Une fois sa tâche terminée, Jamal se rend
dans le bureau de Petra et lui propose de sortir déjeuner. Bien sûr, elle lui répond avoir prévu autre chose.
À quand remonte leur dernier repas ensemble ? Il
décide donc d'aller manger seul, prend son blouson

et descend l'escalier vers l'entrée. Jenny, la fille de Sandén, est seule au guichet de l'accueil. Quand elle voit arriver Jamal, son visage s'illumine.

— Salut, beau gosse !

Son cri résonne dans le hall au sol de marbre.

— Parle pour toi. Tu vas bien ? Tu es toute seule ?

— Oui. Lotten est sortie déjeuner.

— Et toi, tu manges quand ?

— J'ai déjà mangé. J'avais apporté de quoi.

— Dommage. Tu aurais pu déjeuner avec moi.

Elle lui adresse un sourire lumineux, ravie de son attention.

— De toute façon, je ne dois pas quitter mon poste avant le retour de Lotten.

C'est bien. Elle connaît ses attributions. Pour Jenny, Lotten est le parfait exemple à suivre : elle dit clairement ce qu'elle veut, se montre encourageante et pédagogue. Jenny sent qu'elle l'estime.

— Les gens sont gentils avec toi ?

— Personne ne me traite mal.

— Tout le monde t'adore, Jenny. Tu es une fille géniale.

Un petit pli soucieux se dessine sur son front au moment où Jenny dirige son regard vers l'entrée.

— Sauf que moi, je n'aime pas tout le monde, se renfrogne-t-elle.

Jamal jette un œil en direction de la porte et comprend qui ne plaît pas à la nouvelle recrue. Il lui sourit, se penche vers elle et chuchote sur le ton de la confidence :

— Ne te prends pas la tête. Tu n'es pas la seule fille ici à ne pas trop aimer Holgersson.

Du temps où ils se parlaient encore, Petra lui a confié à plusieurs reprises qu'elle ne supportait pas ce type.

— C'est sûrement une mauvaise plaisanterie, poursuit-il. Qu'est-ce qu'il t'a fait ?

— J'ai l'impression qu'il se moque de moi, murmure Jenny.

— Fais pas attention. Il y a des idiots partout, dans n'importe quel travail.

Jamal se redresse et reprend un ton normal.

— Tout va bien, à part ça ? Tu n'as pas besoin d'aide ?

— Non, je sais exactement ce que je dois faire. Mais à la maison, j'ai un problème. Et tu pourrais m'aider.

Elle sourit de nouveau.

— Ah bon ? C'est quoi ?

Holgersson passe devant l'accueil. Jamal le salue de la tête.

— C'est mon ordinateur, répond Jenny. Il y a un truc qui ne va pas. Il est extrêmement lent.

— Et ton père, il ne peut pas t'aider ?

— Papa ? Il est nul en informatique !

Jamal sait qu'elle a raison.

— OK, je jetterai un œil, à l'occasion.

— Ce soir, s'il te plaît !

Jamal capitule devant son enthousiasme enfantin et répond après un soupir :

— D'accord, Jenny, je passerai après le boulot. Allez, je sors déjeuner.

Il lance un regard en direction de l'escalier et, à son grand étonnement, voit Petra discuter avec l'odieux Holgersson. Désabusé, Jamal constate combien il est tombé bas sur la liste des gens à qui elle adresse la parole, avant de se diriger vers la sortie.

*

Petra a faim, elle aussi. Pendant toute la matinée, elle a travaillé à la même tâche que Jamal. En l'entendant s'éloigner dans le couloir, elle a décidé de faire aussi une pause, a attrapé son manteau et est sortie de son bureau. À peine a-t-elle atteint l'escalier qu'elle a entendu le sonore « Salut, beau gosse ! » de Jenny monter depuis le rez-de-chaussée.

Jenny est comme elle est, mais voilà que Jamal a répondu sur le même ton. Elle les a entendus bavarder. Avant d'arriver en bas des marches, elle s'est arrêtée pour observer Jamal, penché sur le comptoir, en train de chuchoter quelque chose à l'oreille de Jenny. Aussi crédule que ravie, celle-ci lui a murmuré sa réponse. Depuis un moment, plus rien ne l'étonne venant de lui, mais de là à draguer Jenny Sandén, c'est quand même un comble. Et voilà qu'un dégueulasse de plus a franchi la porte d'entrée : Holgersson. Ce qui a forcé Jamal à masquer ses intentions et à cesser son petit manège. Il s'est redressé et a annoncé haut et fort qu'il viendrait chez Jenny le soir même. Sur ce, arrivé à l'escalier, Holgersson l'a dévorée des yeux. Elle a tressailli de dégoût et s'est remise à bouger pour masquer sa réaction.

— Un vrai coureur, ce Jamal, constate Holgersson, d'un sourire qui se veut complice.

— Oui, oui, répond Petra d'un air détaché.

— Il faut dire qu'elle est jolie, mais bon…

Petra s'arrête.

— Mais bon quoi ? persifle-t-elle, même si la réponse ne l'intéresse pas.

— Bah, elle n'a pas toute sa tête. Non ?

Petra hésite à lui clouer le bec, mais décide de garder pour elle son écœurement. Elle se contente de lui adresser un regard teinté de mépris, secoue la tête et quitte cette maison de fous.

MERCREDI APRÈS-MIDI

Sjöberg vient à peine d'accrocher son blouson au dossier de sa chaise lorsque Sandén fait irruption dans son bureau.

— Alors, comment ça se passe ? demande Sjöberg.

Sandén répond par un soupir et s'assoit sur le siège destiné aux visiteurs juste en face.

— J'ai enfin trouvé un traducteur. Un vieil officier américain, nommé Sverker Ivarsson.

— Sverker Ivarsson ?

Sjöberg fronce les sourcils.

— Il est d'origine suédoise et a émigré aux États-Unis dans les années trente. Pendant la Seconde Guerre mondiale, on l'a envoyé sur une base américaine aux Philippines, ce qui explique pourquoi il parle la langue. Il est revenu en Suède après la guerre. Il est dans mon bureau, en train de lire la correspondance de Catherine Larsson, mais ne trouve rien d'intéressant. Les frères et sœurs vont bien, tel cousin s'est marié, le toit d'untel s'est effondré, et ainsi de suite. Pas grand-chose à en tirer.

Petra et Jamal se pointent à la porte. Sjöberg les invite à entrer.

— Catherine Larsson n'avait pas d'abonnement de téléphone portable, annonce Jamal.

Petra poursuit :

— Concernant ses appels, ils étaient exclusivement adressés à la crèche et à Vida Johansson, sur le fixe et le portable. Les appels reçus provenaient du centre de soins pédiatriques, du dentiste, de la crèche, bien évidemment de Vida, plus quelques clients qui figurent sur la liste que Vida nous a confiée. Personne du nom d'Erik.

— Il faut continuer à décortiquer ces appels, déclare Sjöberg. Surtout les plus récents. Puisque Catherine ne possédait qu'un petit réseau de connaissances, il est possible de voir apparaître Erik derrière l'un de ces numéros. Peut-être qu'il travaille au centre de soins dentaires ou pédiatriques ?

Sjöberg se tourne vers Sandén.

— Tu as eu le temps de contacter les clients de la liste ?

Sandén fait non de la tête :

— J'ai mis du temps pour trouver un traducteur. Mais je vais m'en occuper. Ils ne sont pas si nombreux. Je pense que le mieux serait d'aller les voir en personne. Et comme tu le dis, notre homme se trouve peut-être derrière l'un de ces contacts. Je préfère les interroger les yeux dans les yeux.

— Bien, approuve Sjöberg. Emmène Petra avec toi. De ton côté, Jamal, tu te charges de creuser tout ce qui concerne les appels. Tâche d'apprendre ce qui s'est dit.

— Quant à monsieur le commissaire, il est, bien sûr, débordé ? lance Sandén d'un ton espiègle, le sourire aux lèvres.

Avec empressement, Sjöberg leur signale qu'il n'a rien trouvé d'anormal dans la comptabilité privée des Johansson ou celle de l'entreprise du mari. Sandén voudrait paraître neutre, mais le petit pli au-dessus de ses sourcils trahit un certain étonnement.

— Je m'occupe des recherches sur la première épouse de Christer Larsson. Autre chose ? demande Sjöberg en se levant pour bien montrer que la réunion est terminée.

Jamal et Petra quittent la pièce, tandis que Sandén ne bouge pas de sa chaise.

— Toi, tu mijotes quelque chose, lance-t-il.

Dans un soupir, Sjöberg se rassied. Le fauteuil roule un peu en arrière, mais il le ramène, pose le menton dans ses mains, les coudes sur le bureau. Il tambourine des doigts sur ses tempes. Sandén voit bien que quelque chose ne va pas. Mais Sjöberg n'a pas envie de révéler sa visite au domicile d'Eriksson. En tout cas, pas tout de suite. Dans les prochains jours, Einar va sans doute réapparaître, et il ne voit donc pas la nécessité d'impliquer ses collègues dans sa recherche. Il décide d'attendre vendredi matin pour en parler.

— Tu t'es absenté presque toute la matinée, constate Sandén d'un ton plus amical que curieux.

Sjöberg n'apprécie pas du tout la tournure qu'à prise la conversation. Du coup, il soupçonne Sandén de vouloir se préoccuper de sa vie privée. Pense-t-il que ses soucis aient quelque chose à voir avec Margit ? Sjöberg se refuse à aller plus loin dans ce type de spéculations et s'affranchit de toute discussion sur son cas personnel.

— Ce que je vais te dire doit rester entre nous, souligne Sjöberg en levant le doigt pour souligner son sérieux.

— Bien sûr, répond Sandén, étonné. Mais si tu ne veux pas, tu n'as pas besoin de parler…

— Tu ne lâches pas un mot de tout ça à qui que ce soit, insiste Sjöberg.

Sandén acquiesce.

— Je suis allé chez Einar, souffle Sjöberg à voix basse, en même temps qu'il jette un œil à la porte encore ouverte sur le couloir.

Pour être sûr de ne prendre aucun risque, il se lève et va la fermer. Sandén le suit d'un regard amusé.

— Il n'y a rien de drôle là-dedans, jette Sjöberg. Ça fait trois jours qu'il est absent sans donner de nouvelles. Pas un coup de fil à qui que ce soit. L'administration n'a signalé ni arrêt maladie ni demande de congé.

— Et alors, c'est quoi, son explication ? questionne Sandén.

— Il n'était pas chez lui ! Je ne sais toujours pas où il est. J'ai parlé à l'un de ses voisins qui m'a expliqué qu'Einar partait chaque samedi matin en voiture et revenait le soir. Il a fait la même chose samedi dernier, sans que ce voisin l'ait vu rentrer. Mais il l'a sans doute fait, puisque sa voiture est de retour sur le parking. Ce qui nous permet d'exclure l'hypothèse d'un accident de la route.

— Il est sûrement chez lui, commente Sandén. C'est sans doute juste qu'il n'a pas eu envie de te parler.

— Écoute la suite. J'ai demandé à ce voisin si Einar emmène sa femme avec lui quand il part faire son tour le samedi. Il a ri et m'a affirmé qu'Einar Eriksson n'avait pas de femme. Tu ne le pensais pas marié, toi ?

Sandén réfléchit quelques instants avant de répondre :

— Ben si, il a mentionné son épouse à plusieurs reprises, même s'il n'a jamais vraiment parlé d'elle.

De toute façon, il ne parle pas de sa vie privée. Mais je suis sûr qu'il porte une alliance.

— Je me suis introduit chez lui par effraction, Jens.

Les lèvres de Sandén dessinent un « oh » de surprise.

— J'ai ouvert sa porte avec un passe-partout.

— Ça, c'est interdit ! Dans un cas comme ça, on fait venir la police !

— Mais, bordel, qu'est-ce que tu voulais que je fasse ? Le type ne connaît personne. Il n'a pas de famille.

— Donc, pas de femme ?

— Si. Il a une femme. Mais elle est dans une clinique à Fellingsbro, si le nom te dit quelque chose. Et depuis longtemps. J'ai trouvé des factures liées à son séjour là-bas qui datent d'au moins dix ans. Dix ans ! On comprend pourquoi il est taciturne !

— Donc, tu as fouillé son appartement. C'est très vilain, Conny.

— Je ne pouvais pas faire autrement. C'était pour lui. On ne peut pas laisser Einar disparaître comme ça. On est quand même de la police. Qui d'autre va l'aider s'il est dans de sales draps ?

— Mais tu t'es un peu emballé…

— Non. Les journaux du dimanche matin sont encore sur le sol de l'entrée. Ça fait donc quatre jours qu'il a disparu. Si quelqu'un de son entourage tenait à lui, sa disparition aurait déjà été signalée depuis plusieurs jours.

— Fallait pas être si acariâtre, commente Sandén.

Il porte son regard vers la fenêtre et se laisse gagner par la mélancolie. Dehors, la neige tombe à gros flocons et ajoute à la grisaille d'un hiver qui se prolonge. Durant un moment, les deux hommes gardent le silence.

— Tu savais qu'il joue au golf ? finit par demander Sjöberg.

Sandén fait signe que non.

— Ou peut-être qu'il y a joué à une époque. Le sac n'est pas tout neuf.

— Il habite où ?

— Là-bas. (De la tête, Sjöberg montre la direction de la rue Eriksdalsgatan.) Un petit studio, tout propre et bien rangé. Seul, sans épouse. Un lit à une place, une seule chaise à la table de la salle à manger. Et sur un mur, une photo de mariage. Un très beau couple, qui paraissait très heureux.

— Incroyable, constate Sandén avec gravité.

— Tu ne dis pas un mot de tout ça. Continue avec ce que tu as à faire et, moi, je m'arrange pour m'en occuper en plus de notre enquête en cours.

Sandén acquiesce de bonne grâce et quitte la pièce.

*

La première épouse de Christer Larsson ne s'est jamais remariée. Après leur divorce, elle a repris son nom de jeune fille et s'appelle de nouveau Ingegärd Rydin. Par un surprenant fait du hasard, elle est domiciliée à Arboga. Quand Sjöberg apprend cela, il se dit qu'il devrait peut-être se donner la peine d'aller l'interroger sur place.

Mais il se ravise instantanément. Ce n'est peut-être qu'une excuse pour aller là-bas éclaircir une histoire de terrain qui le turlupine. Il a assez de soucis comme ça avec un triple assassinat par décapitation et un collègue qui s'est évanoui dans la nature.

Néanmoins, il compose le numéro d'Ingegärd Rydin. Pas de réponse. Il décide alors de quitter son bureau. Il passe devant celui d'Eriksson et jette un œil à l'intérieur, comme tant de fois au cours des derniers jours, sans relever la moindre trace de son collègue. D'un rapide regard circulaire, il inspecte la totalité du couloir. Personne ne le remarque lorsqu'il pénètre d'un pas hésitant dans la pièce privée de lumière. Après quoi, il retrouve son allant, referme la porte derrière lui et allume le néon du plafond. Le tube clignote un peu avant d'inonder le bureau d'une blancheur inhospitalière. Comme il aime le faire dans le sien, Sjöberg allume aussitôt la lampe placée près de l'ordinateur et éteint le plafonnier. Puis, il balaye du regard les dos de classeurs alignés sur les étagères qui jouxtent le bureau sans rien détecter de particulier. La chaise de son collègue est soigneusement collée au bureau. En la tirant vers l'arrière, Sjöberg constate qu'elle est équipée de roulettes mais qu'elle ne possède pas d'accoudoirs, à l'inverse de la sienne. Il se demande si cela tient à la position hiérarchique inférieure de son collègue, ou au simple fait que celui-ci préfère une chaise sans accoudoirs. Il s'installe dessus avec précaution. Une fois encore, le voilà qui empiète sur le domaine privé d'Eriksson et la gêne lui noue le ventre.

Le bureau est aussi bien rangé que le sien. Des piles de documents sont soigneusement alignées sur la partie droite, et chaque libellé indique qu'il s'agit d'affaires en cours. Dans le tiroir situé du même côté, il ne trouve que des fournitures de bureau : stylos, gommes, agrafeuse, scotch, ciseaux, boîtes de trombones aux couleurs vives et plusieurs carnets de différentes tailles. Les deux du dessous sont vides, mais le troisième contient des notes prises au cours de réunions de travail organisées par Sjöberg. Dans le tiroir suivant, il découvre un chargeur de téléphone portable, quelques CD vierges et une lampe torche. Le troisième tiroir est fermé à clé. Il ne faut que quelques minutes à Sjöberg pour tripatouiller la serrure et l'ouvrir à l'aide d'un trombone.

Son attention se focalise en premier lieu sur une carte à codes multiples de la banque Nordea qui dépasse d'une pochette en plastique. Il s'en saisit et l'inspecte en se creusant les méninges. Eriksson s'occupe donc de régler ses factures au bureau ? Après tout, rien d'anormal à ça. Einar Eriksson passe la plupart de son temps devant son ordinateur. Quoi de plus naturel que de gérer sa comptabilité d'ici ? D'ailleurs, Sjöberg n'a pas vu de matériel informatique à son domicile. Il glisse un regard sur l'ordinateur qui lui fait face, puis sur la carte qu'il tient à la main. Eriksson n'a gratté que deux codes à quatre chiffres. Il en reste encore un bon nombre à disposition.

Sjöberg décide d'aller jusqu'au bout et s'installe devant l'ordinateur d'Einar. Le témoin lumineux vert et le bourdonnement qui lui parvient du dessous de la table indiquent que l'appareil est en marche. Il bouge la souris pour activer l'écran et fait apparaître un cadre comportant le nom « Einar » sur un fond bleu ciel. Sans grand espoir, il clique dessus et se retrouve comme prévu face à une demande de mot de passe. Sjöberg soupire et s'enfonce en arrière dans son siège. Comme il fallait s'y attendre, l'ordinateur d'Eriksson n'est plus connecté. Après trente minutes d'inactivité, la session a expiré d'elle-même.

Il croise les mains derrière la nuque et regarde autour de lui. Ce bureau ne présente aucune touche personnelle. Tout ici est neutre, comme Eriksson.

La pièce est bien plus petite que son propre bureau. En dehors du mur de la porte d'entrée, de celui des étagères et du côté fenêtre, il n'y en a qu'un qui puisse être décoré. Et sur ce mur, ne se trouve rien d'autre qu'un pull suspendu à un crochet.

Il recule son siège et se remet à fouiller en ouvrant le dernier tiroir. Sous une pile de vieux cours, il découvre une petite coupe en métal qui porte l'inscription « CESP – 1re division – 1976 ». Visiblement, il est question de football : la gravure qui figure sur le socle de l'objet représente un petit bonhomme, les bras fièrement croisés sur la poitrine et le pied droit posé sur un ballon. Sjöberg en déduit qu'il doit s'agir d'un trophée remporté par l'équipe de la police dans un championnat corporatif. Sjöberg n'a pas la moindre idée du poste occupé par Eriksson à cette époque. Mais à l'évidence, Einar était quelqu'un de sportif qui jouait au golf et au football, ce qu'on a du mal à imaginer aujourd'hui. Eriksson n'est pas quelqu'un d'empâté contrairement à beaucoup d'hommes de son âge. Mais à première vue, il ne respire pas vraiment la santé, avec un teint toujours pâle, une mauvaise façon de se tenir, et des yeux cernés qui témoignent d'un manque de sommeil.

Il repose la coupe dans le tiroir et s'empare d'un classeur. Il semble contenir des factures. Il trouve là une quittance de loyer à payer qui concerne l'appartement d'Eriksdalsgatan, une facture téléphonique de la ligne correspondante d'un montant dérisoire, et la fameuse mensualité à régler à la clinique de Solberga. Une idée lui vient. Sjöberg fait rouler sa chaise jusqu'à l'ordinateur, dont l'écran est encore allumé. Il inscrit « Solveig » dans le cadre réservé au mot de passe et *hop*, il franchit l'entrée.

Le cœur battant plus fort, il double-clique sur Internet Explorer, se rend sur la page d'accueil de Nordea, puis sur le service de banque en ligne réservé aux particuliers. On lui demande alors son numéro d'identité personnel et un mot de passe. Il utilise les chiffres que l'employée de la comptabilité lui a fournis, s'en tire une fois encore avec « Solveig » comme mot de passe, puis rentre un des codes à quatre chiffres figurant sur la carte. La chance continue de lui sourire, et il obtient le relevé détaillé du compte personnel d'Eriksson. Un frisson lui traverse le corps de la tête aux pieds. Il se met à étudier les mouvements bancaires de son collègue sur la dernière année.

Chaque mois, il reçoit un virement de 5 500 couronnes – sans doute l'indemnité de son épouse – en provenance de la Caisse d'Assurance Maladie. Il perçoit également un salaire de 20 000 couronnes. De ce total mensuel, 11 500 couronnes partent sur le compte de la clinique où réside sa femme, 4 500 couronnes vont au loyer, 2 500 couronnes pour divers frais fixes, ce qui lui laisse 7 000 couronnes à dépenser pour ses frais quotidiens. Il ne possède pas de carte de crédit liée à son compte courant. Il ne semble pas non plus avoir de prêt à rembourser. La situation financière d'Einar Eriksson est claire. Ses ressources correspondent précisément à ses besoins et il ne détient pas d'épargne.

Sjöberg s'assure que son collègue utilise la même imprimante par défaut que lui-même, avant de commander l'impression de tous les documents. Puis il se déconnecte du site de la banque et remet en veille l'ordinateur. Il repose la carte et le classeur à factures dans le bon tiroir, le referme à l'aide du trombone et replace la chaise sous le bureau, dossier collé au bord.

Il éteint la lampe, se dirige à tâtons jusqu'à la porte et se glisse rapidement dans le couloir.

Il se rend tout de suite à l'imprimante située à côté de la machine à café. Au lieu d'attendre que la totalité des pages soit sortie, il s'en empare, une à une, pour ne pas risquer que quelqu'un passant par là puisse voir de quoi il s'agit. Dès qu'il a en main l'ensemble des documents, il plie le tout en deux et le range dans la poche arrière de son pantalon.

*

Le vent souffle fort et les nuages plombent la ville, prêts à se transformer en pluie sur des Stockholmois déjà frigorifiés. Et même s'il n'est que 15 heures, il règne déjà une atmosphère de crépuscule.

Jamal marche la tête enfoncée dans les épaules et les mains dans les poches. Mais ce n'est pas tant à cause du temps que de son humeur. Ce qu'il s'apprête à faire est loin d'être anodin. Ça passe ou ça casse, et il est fort possible qu'il rentre bredouille au commissariat. Mais ce n'est pas grave. C'est son choix. D'ailleurs, repartir sur l'enquête lui fait un bien fou. Quand il repense à Petra passant devant l'accueil sans même lui accorder un regard, il en frissonne encore. Ambiance glaciale au bureau. Il ne sait pas vraiment pourquoi et ça le frustre.

Tout a démarré six mois plus tôt, le soir où Petra et lui ont passé la soirée à délirer au bar du Pelikan. Comme d'habitude, ils se sont dit quantité de choses, dans une ambiance débridée mais cordiale. Il était déjà minuit quand il a décidé de rentrer. Elle lui a proposé de continuer ailleurs, mais il s'est fait violence et a décliné l'invitation, sous prétexte qu'il avait une compétition de golf le lendemain et qu'il allait devoir se lever tôt. Personne n'était tenu de savoir que son partenaire de golf était Bella Hansson qui, en plus, l'attendait dans sa voiture à quelques rues de là. Même pas Petra. Mais il se peut qu'elle ait compris qu'ils avaient une aventure. Ce qui était d'ailleurs le cas. Entre Bella et lui, les choses avaient commencé comme une sorte de lutte de prestige, en s'affrontant au bowling, au golf, au tennis et ainsi de suite. Avec le temps, c'était devenu une petite liaison, qui depuis a pris fin. Mais peut-être pas dans la tête de Petra ? Elle ne lui a pas adressé une seule parole aimable depuis la soirée en question. Aux yeux de Jamal, il ne peut s'agir que de jalousie.

Pourtant, elle ne lui a jamais manifesté un intérêt plus personnel. Ce qui pourrait tenir au fait qu'il y a peu de temps il était encore marié. Mais elle a quand même dû se rendre compte qu'il ne la regardait pas comme les autres. Et puisqu'elle ne lui laisse rien espérer, elle ne peut quand même pas s'attendre à ce qu'il vive comme un moine. Ou est-ce exactement ce qu'elle veut ? L'avoir pour elle toute seule, ne pas lui autoriser d'autres liaisons ?

Et pour avoir outrepassé les règles tacites de Petra, la punition qu'elle lui inflige est cruelle. Le boycott, le silence et des petits coups d'aiguille dès qu'elle en a l'occasion, de manière subtile mais ostentatoire. Des vacheries de bonne femme. Rien à voir avec la Petra qu'il connaissait. De toute évidence, elle considère sa faute suffisamment grave pour qu'il puisse s'estimer heureux qu'elle ne lui ait pas collé son poing dans la figure. Quoique, après tout, ce ne serait pas si mal. Au moins, les choses seraient plus claires.

Le pire, c'est que plus elle le malmène, plus il a envie de la récupérer. Il la veut. *C'est quand même fou*, se dit Jamal tout en venant à bout d'un verrou de grille compliqué à ouvrir.

*

Ce n'est qu'après avoir tiré plusieurs fois sur la poignée qu'il se rend compte qu'il y en a une deuxième, située à hauteur de sa tête. Un autre dispositif de sécurité pour empêcher les enfants de s'échapper dans un moment d'inattention du personnel. Il pénètre dans l'entrée, referme bien la porte derrière lui et aligne consciencieusement ses chaussures près de celles des enfants.

En levant le regard, la première chose qu'il découvre c'est le grand panneau accroché au mur, orné de photographies des enfants de Catherine Larsson et constellé de petites fleurs en papier crépon de toutes les couleurs.

À cela s'ajoute une inscription en lettres dorées : « Tom et Linn, vous nous manquez », sous laquelle les enfants, tant bien que mal, ont écrit leurs noms. Jamal a la gorge nouée. Un vase de fleurs entouré d'animaux en peluche décore la table basse située juste dessous.

Il entre dans la pièce sur la pointe des pieds pour ne pas perturber les activités en cours. Une femme de son âge anime un spectacle de marionnettes. Dos à lui, elle se tient dissimulée derrière un panneau de contreplaqué percé d'un trou à hauteur de son visage. L'une de ses mains anime la marionnette d'un crocodile et l'autre celle d'un roi. Les deux personnages ont des voix hilarantes et dialoguent avec ardeur. Les enfants sont assis par terre face au décor. Ils observent la scène les yeux écarquillés et dans un silence total, jusqu'à ce que le crocodile lâche un commentaire qui les fait rire aux éclats. L'animatrice en profite pour se tourner vers Jamal, le scruter et lui demander à voix basse :

— Vous êtes de la police ?

Il se demande si c'est flagrant à ce point, mais confirme. Du regard, elle indique un point derrière lui et fait un signe de la tête dans cette direction.

— Maud est dans la cuisine en train de faire la vaisselle. Allez lui parler, lui chuchote-t-elle, avant de se retourner pour poursuivre son spectacle.

Il quitte la pièce et repart vers le petit autel improvisé. Il suit les bruits de porcelaine et emprunte un couloir qui le mène à la cuisine. Cheveux coupés court, vêtue d'un jean et d'un tee-shirt aux manches longues retroussées, une femme d'une soixantaine d'années se tient devant l'évier. Elle est tellement plongée dans ses pensées qu'elle ne remarque pas Jamal au moment où il entre dans la cuisine. Il se racle la gorge et sort sa carte de police.

— Oh, je ne vous ai pas entendu, s'excuse-t-elle, en lâchant la brosse à vaisselle et le gobelet en plastique qu'elle était en train de laver.

Elle s'essuie les mains sur son pantalon.

— Désolé de vous déranger, lance Jamal en lui montrant sa carte de la main gauche et en tendant l'autre pour la saluer. Jamal Hamad, brigade criminelle d'Hammarby.

Elle lui serre la main, se présente sous le nom de Maud Fahlander et indique d'un geste la table de cuisine.

— Tout est bouleversé, ici, soupire-t-elle en s'asseyant au bord d'une chaise.

Jamal l'imite.

— Je comprends, dit-il avec compassion. Et je suis vraiment désolé de ce qui s'est passé.

— On préférerait rester chez soi et pleurer au fond de son lit, soupire-t-elle en secouant la tête avec résignation, mais nous sommes ici, mes deux collègues et moi. Pour les enfants. Ils sont presque tous là. Nous en avons discuté ensemble, mais aussi avec les parents, et nous en avons conclu que la meilleure solution était d'en parler aux enfants, de leur expliquer les choses.

— J'ai vu le panneau à l'entrée, dit Jamal. Et… l'autel. C'est très beau.

Il sent les larmes monter et tente de les chasser en clignant des yeux.

— On l'a fait ce matin avec les enfants. Pour concrétiser le deuil.

— Comment prennent-ils le drame ?

— Ils sont encore très petits. La plupart n'ont pas encore réalisé ce qui s'est passé. Nous n'avons pas donné de détails… sur la manière dont le crime a eu lieu. Mais il faut quand même leur raconter… De toute façon, ils vont entendre des tas de choses ici et là. Nous leur avons juste dit qu'ils avaient été tués par un vilain bonhomme qui les a poignardés. Bien sûr, ils ressentent de l'angoisse. Ils ont peur que ça leur arrive à eux aussi.

Elle inspire profondément avant de poursuivre.

— Ils posent beaucoup de questions. Quelques-uns ont pleuré. Nous leur faisons plein de câlins et nous parlons beaucoup de Tom et de Linn, toujours en termes positifs. Finalement, les enfants ont l'air d'assez bien le prendre. C'est pire pour les parents. Comme pour nous ici, bien sûr.

Elle se tait. Jamal ne sait pas quoi dire. Ils restent assis un moment en silence. Soudain, la porte de la classe voisine s'ouvre et se referme dans un claquement. L'institutrice sursaute.

— Vous avez une piste ? demande-t-elle.

— Malheureusement je ne peux pas répondre à ce genre de question. Nous n'avons pas encore arrêté qui que ce soit. Mais sachez que cette affaire est notre priorité absolue. Et bien sûr, nous vous informerons de la suite.

— C'est une histoire folle. Complètement insensée.

Jamal confirme.

— J'ai connu le cas d'un enfant qui tombe malade et qui meurt, poursuit-elle. Ou qui est tué dans un accident. Mais une telle boucherie…

Elle secoue de nouveau la tête.

— Eh bien, qu'est-ce que vous vouliez me demander ?

Jamal est parcouru par un frisson.

— En fait, je n'ai qu'une seule question.

*

Après avoir mené à bien ses périlleuses investigations dans le bureau de son collègue, Sjöberg sent la tension s'évacuer, mais son mal de tête le reprend. Il tente de le calmer à l'aide d'un grand verre d'eau et de quelques biscuits qu'il va chercher dans le coin cuisine. Il emporte le tout dans son bureau et s'installe devant l'ordinateur. Son remède n'y fait rien et la douleur augmente. Il pose un regard apathique sur l'écran noir. Il marque une brève hésitation, avant de se décider à braver un nouvel interdit.

Il se connecte au fichier central des crimes et délits, puis entame une recherche sur Einar Eriksson, à l'aide de son numéro d'identité personnel qu'il connaît désormais par cœur. Il sait que ce type de recherche peut occasionner un contrôle, et qu'à cause de son caractère frauduleux, il sera privé à tout jamais du droit d'accès au fichier. Cela pourrait même remettre en question son statut de commissaire, et même de policier. Sjöberg tente de se réconforter en se disant que le délit est assez modeste comparé aux faits dont il s'est rendu coupable pendant la journée : effraction de domicile et accès illégal à des données informatiques privées. Mais l'inquiétude est là puisque, contrairement aux autres, l'infraction qu'il est en train de commettre risque effectivement d'être découverte. Au bout du compte, il constate avec plaisir qu'Einar Eriksson n'a pas de casier judiciaire. Il lui reste à espérer que son collègue n'aura pas envie d'engager une procédure contre lui.

Sans trop savoir pourquoi, il appelle ensuite les services de l'état civil. Il se présente en sa qualité de commissaire de police, et le fonctionnaire concerné lui demande de raccrocher afin de pouvoir le rappeler. Son téléphone sonne quelques minutes plus tard, et Sjöberg récolte toutes les informations possibles sur Einar Eriksson et son épouse, ce qui se résume en fin de compte à pas grand-chose. Au fil de la conversation, il prend des notes, qu'il relit ensuite. Eriksson est enfant unique. Ses parents ne sont plus en vie. Il est bel et bien marié à Solveig Eriksson, dont le nom de jeune fille est Jönsson. Ils sont nés la même année. Elle non plus n'a ni frère ni sœur et ses parents sont morts eux aussi. Ils sont mariés depuis 1976, n'ont pas d'enfants et Solveig est domiciliée à la même adresse que son époux. Eriksson a changé d'adresse en avril 2006, date à laquelle il a quitté le quartier résidentiel de Huddinge, situé dans la banlieue de Stockholm, afin de venir s'installer dans l'appartement qu'il occupe encore à Eriksdalsgatan. Il habitait

Huddinge depuis 1980 et, avant cela, Einar Eriksson était domicilié à Arboga.

Ce dernier point rappelle à Sjöberg qu'il doit essayer de parler à Ingegärd Rydin, la première femme de Christer Larsson. Il soulève donc le combiné et compose son numéro, mais une fois encore sans obtenir de réponse. Il laisse sonner dix fois, puis raccroche.

Sjöberg soupire, croise les mains derrière la nuque et tourne sa chaise vers la fenêtre. Il étend les jambes devant lui et se laisse aller contre le dossier. Le printemps se fait désirer. À l'instant même, de gros flocons de neige virevoltent devant la fenêtre et le vent souffle. En dehors de la lumière printanière, pas le moindre perce-neige ou autre signe printanier visibles, à moins que ce ne soit lui qui n'y prête pas assez attention. Ce matin, lorsqu'il a quitté son appartement de Skånegatan, le thermomètre extérieur indiquait – 5 °C et le canal d'Hammarby était encore couvert de glace, même si les bateaux utilisaient un passage creusé au milieu.

« Gelé ». Voilà un mot qui reflète bien son état d'esprit du moment. Il ne se reconnaît plus. Comment peut-il tromper si froidement Åsa, sa femme adorée ? Ce n'est arrivé que quelques fois, mais avec la même femme, ce qui en fait une liaison et pas un simple écart sans lendemain. Il veut se persuader qu'il a honte de lui et de ses actes, mais c'est de l'indifférence qu'il éprouve. Sans honte. Glaciale. Il confère à ce qui s'est passé un caractère inévitable, et il considère cela avec une distance qui le surprend. Peut-être qu'il devrait consulter. Voir un professionnel qui pourrait lui expliquer son rêve récurrent, mettre des mots sur ce qu'il ressent et le pousser dans la bonne direction. Ou mieux encore, quelqu'un qui l'exhorterait à cesser immédiatement de voir cette femme. « Cette femme », se répète-t-il. Les choses sont allées si loin qu'il évoque Margit en ces termes. Et en transférant sur elle tout la responsabilité de cette aventure.

Il soupire à nouveau. Une famille entière a été exterminée, Einar a disparu. Et dans aucune de ces affaires lui et ses collègues ne sont parvenus à avancer. Il se sent impuissant. Comment alors peut-il se permettre de songer à ses propres soucis ? Soudain, une image lui vient : Einar qui se réveille seul dans son petit appartement chaque matin, alors qu'il est marié depuis plus de trente ans. Einar qui se bat chaque jour pour aller à un travail qui de toute évidence ne lui plaît pas. Mais c'est l'emploi pour lequel il a été formé et qui lui est indispensable pour financer le séjour en clinique de sa femme. Une chose le frappe : pour sacrifier une telle somme, Einar Eriksson doit vraiment aimer sa femme, malgré sa maladie et le malheur qui en résulte. Il ne l'a pas installée n'importe où, mais dans un lieu qu'on nomme « la perle de Bergslagen, située au beau milieu de paysages uniques ». Il ne l'a jamais abandonnée. Chaque samedi matin, il fait scrupuleusement le voyage jusqu'à Fellingsbro.

Sjöberg se redresse dans son siège et se focalise encore sur l'ordinateur. Il pianote sur les touches du clavier et se rend sur la page d'accueil des Pages jaunes. Il clique sur la rubrique « Plans » et finit par trouver celui du département de Västmanland où se situe la petite commune de Fellingsbro. Elle se trouve juste à l'extérieur d'Arboga, sur la route de Lindesberg. Du coup, il comprend pourquoi Eriksson a placé son épouse malade précisément à cet endroit : parce qu'elle y est née. Il veut qu'elle soit soignée, si on peut parler de soins, dans la province de son enfance. Einar Eriksson gagne encore en estime dans l'esprit de Sjöberg. Mais pourquoi Einar a-t-il fini par prendre la décision de quitter la région ?

Un coup discret à la porte le tire de ses pensées. Sjöberg fait signe à Jamal d'entrer. Ce dernier porte un pantalon de toile, une large ceinture et une chemise bleu clair. Lorsqu'il s'approche du doux halo de la lampe de bureau, ses yeux noirs brillent d'un éclat que Sjöberg leur connaît bien. C'est la marque de son enthousiasme et de son excitation : Jamal a mis le doigt sur quelque chose. Néanmoins, il s'avance à pas feutrés et Sjöberg ne décèle pas le petit sourire d'autosatisfaction que Jamal affiche d'habitude quand il vient de faire une découverte. Sjöberg l'invite à s'asseoir. Jamal se racle la gorge, mais ne dit rien.

— Comment ça se passe ? entame Sjöberg.

— Rien au dispensaire de soins dentaires ou au centre pédiatrique. La famille ne s'y est rendue que pour des contrôles de routine, et il n'y a pas d'Erik qui fasse partie du personnel.

— Alors quoi… ?

Sjöberg a durci le ton.

— Comment ça, « quoi » ?

— Je vois bien que tu as trouvé quelque chose.

Jamal soupire. Sjöberg ne peut s'empêcher de sourire, mais son collègue garde le visage fermé. Il laisse son regard inquiet errer dans la pièce.

— Tu vas m'en vouloir.

— T'en vouloir ? rit Sjöberg. Je ne t'en ai jamais voulu pour quoi que ce soit. Allez, dis-moi !

— J'avoue que c'était un peu tiré par les cheveux. Loin d'être logique, juste une intuition.

— Je croyais que c'était moi le spécialiste en la matière, répond Sjöberg, toujours avec le sourire. Toi, tu es supposé être le rationnel de l'équipe.

— Mon idée n'était pas non plus totalement irrationnelle…

— Allez, crache le morceau.

Jamal se redresse sur sa chaise. Sjöberg constate à quel point il est tendu. Il ne l'avait jamais vu comme ça auparavant.

— Conny. Tu te rappelles le pull qui était accroché dans l'entrée chez Catherine Larsson ?

Sjöberg est parcouru d'un frisson glacial. D'un coup, il comprend ce que s'apprête à lui raconter Jamal et il se rend compte que lui-même l'avait inconsciemment en tête. Néanmoins, il décide d'assumer le rôle du sceptique. Il acquiesce donc, mais montre sa défiance.

— J'ai de bonnes raisons de croire que le pull appartient à Eriksson.

Jamal baisse le regard.

— Quel Eriksson ? s'emporte Sjöberg.

Au ton cassant de son interlocuteur, Jamal sent la colère s'emparer de lui. Il défie Sjöberg du regard.

— Einar, bordel. Je savais que tu allais te mettre en boule.

— Bien sûr que ça me met hors de moi, répond Sjöberg avec un certain mépris. C'était un pull tout à fait banal de marque Åhléns. À ton avis, il y en a combien de ce genre vendus à Stockholm ?

— Des centaines, peut-être des milliers. Je sais. Mais je pense quand même qu'il est à lui.

— Et qu'est-ce qu'il y a de « pas non plus totalement irrationnel » dans tout cela ? raille Sjöberg.

— J'ai senti le pull, répond Jamal en fusillant Sjöberg du regard. Il avait une odeur d'Old Spice. Très peu de gens utilisent ce parfum de nos jours.

— Et Eriksson en fait partie ?

Jamal fait oui de la tête.

— J'imagine donc que ce sont les mêmes personnes qui utilisent le parfum Old Spice et achètent des pulls Åhléns, balance Sjöberg.

— Ce que tu peux être snob ! tente de plaisanter Jamal.

Mais Sjöberg n'est pas d'humeur à entrer dans une joute verbale et se contente de dévisager froidement Jamal.

— Erik Eriksson, d'Eriksdalsgatan, enchaîne Jamal sur un ton plein de malice.

— Un jeu de mots à la con ? C'est ça la partie rationnelle de ton argumentation ?

— Erik et Einar sont la même personne.

— Einar a disparu.

— Quoi de plus logique, vu ce que je viens de découvrir ?

— Et qu'est-ce que tu as découvert, Jamal ?

— Qu'Erik et Einar ne sont qu'une seule et même personne.

— En te basant sur un pull Åhléns ?

— Non. Sur les dépositions du personnel de la crèche.

Sjöberg sent le froid s'intensifier en lui et une boule lui serrer la gorge. Il se lève brusquement de sa chaise et rejoint la fenêtre. Voilà maintenant que le soleil brille dans un ciel bleu et dégagé. Dos à Jamal, il reprend la parole tout en essayant de se maîtriser.

— Qu'est-ce que tu as fait, Jamal ?

— J'ai montré une photo d'Einar au personnel de la crèche. Ils ont affirmé que la personne en question était Erik. Qu'Einar et Erik ne font qu'un. Ils ont été formels. Il n'y a pas de doute, Conny.

— Tu as outrepassé mes ordres, Jamal.

— On peut aussi dire que je les ai suivis, mais que j'en ai fait un peu plus. Et tant mieux, parce que, maintenant, on est au courant.

Sjöberg plonge les mains dans ses poches et soupire. Dans la zone industrielle située de l'autre côté du canal une immense grue pivote, une baraque de chantier y est accrochée à l'aide d'un câble, à une cinquantaine de mètres du sol.

— Toi aussi, tu t'en doutais, non ? l'interroge Jamal d'un ton prudent.

— Pas exactement. Mais dès que tu as parlé du pull, je t'ai vu venir. Ça me trottait sans doute quelque part dans la tête depuis un moment.

Sjöberg se retourne vers son collègue.

— Pourquoi tu n'es pas venu me voir avant ?

— Je voulais d'abord rassembler plus d'éléments. Et j'avais raison. Je m'attendais à ce que tu réagisses de cette façon.

Le commissaire vient se rasseoir. Ils gardent le silence un moment. Sjöberg frappe le bureau de ses doigts, les yeux fixés sur un point situé derrière son adjoint

— On fait quoi maintenant ? tente enfin Jamal.

— Il faut lancer un avis de recherche concernant Einar.

— Pourquoi ?

— Parce qu'il a disparu depuis quatre jours.

— Pourquoi quatre ?

— Avec la nuit de samedi à dimanche, ça fait le compte.

— Tu inclus le moment où les meurtres ont été commis ?

— J'ai fait mes propres recherches, et j'ai appris qu'il était rentré à son domicile en voiture tard samedi soir. Par contre, il n'a pas ramassé le journal du dimanche qui se trouve sur le sol de l'entrée de son appartement et que le livreur a glissé par la fente de la porte.

— Chapeau, lance Jamal, admiratif.

— Il y a un pull à lui dans son bureau. Fais-le parvenir au labo et demande-leur de comparer ce qu'ils y trouvent, cheveux et autres.

— Parce que tu as aussi été faire un tour dans son bureau ?

Sjöberg ne répond pas. Il est de nouveau dans l'action et conscient des choses à faire.

— Je contacte tout de suite la banque d'Einar et je vois s'ils me confirment que c'est bien lui qui a financé le logement de Catherine Larsson.

— Tu crois que c'est lui ?

— J'en suis certain. Einar vit avec rien. Tout ce qui lui est resté après avoir acheté son logement est allé à Catherine Larsson. Il a vendu sa maison de Huddinge au printemps 2006, juste avant que Catherine Larsson achète son appartement.

Jamal semble consterné.

— Et sa femme, qu'est-ce qu'elle en dit ? Elle a quand même dû remarquer qu'il manquait deux millions sur leur compte bancaire ?

— Elle ne vit plus avec lui. Depuis au moins dix ans, elle réside dans une clinique privée, dépenses également couvertes par le salaire d'Einar.

— Donc, Einar mène une double vie… Qui l'eût cru ? En tout cas, ça explique son côté cachottier. Et son sale caractère.

Sjöberg se rappelle soudain ce que Sandén lui a rapporté à propos de la façon dont le personnel de la crèche voyait « Erik ».

— Il jouait à la balle avec les enfants… laisse-t-il échapper.

118

Jamal le regarde, interloqué.

— Einar a été heureux avec Catherine Larsson, enchaîne Sjöberg. Les enfants l'adoraient. Qu'est-ce qui a fait dérailler tout ça ?

Ils ont assez attendu avant d'entrer dans le vif du sujet.

C'est Jamal qui finit par lâcher l'indicible.

— Tu crois que c'est Einar qui les a tués ?

Sjöberg réfléchit quelques instants avant de répondre.

— Finalement, qu'est-ce qu'on sait des gens qui nous entourent ? La plupart des meurtres ont lieu dans le cadre du foyer familial. J'ai beaucoup de mal à m'imaginer Einar en brutal assassin d'enfants. Mais à vrai dire, j'ai autant de mal à l'imaginer en père de famille attentionné.

Jamal acquiesce tout en réfléchissant.

— Et en plus, le type a deux femmes, ajoute-t-il.

— C'est un reproche ?

— Ben… Non. Pas si, comme tu le dis, sa femme est malade depuis très longtemps. Qu'est-ce qu'elle a ?

— Je vais le savoir. Je pars pour Arboga tôt demain matin.

Sjöberg vient de prendre la décision en même temps qu'il le disait.

— Arboga ?

— La clinique où elle réside est située à côté. En plus, la première femme de Christer Larsson habite aussi Arboga et je n'arrive pas à la joindre par téléphone.

— Mais notre priorité absolue, c'est quand même de retrouver Einar ? s'étonne Jamal.

— Évidemment. C'est pour ça que je vais là-bas. Sur la disparition d'Einar, j'ai deux ou trois hypothèses.

Son jeune collègue mord tout de suite à l'hameçon :

— Il est concevable qu'Einar ait assassiné Catherine Larsson et ses enfants avant de décamper. Sa femme peut fournir un indice et nous permettre de le localiser. Ou nous aider à comprendre la raison de ses actes.

D'un geste d'approbation, Sjöberg l'encourage à continuer.

— Christer Larsson peut aussi être l'assassin. Dans cette hypothèse, on est sans doute face à un classique crime passionnel. Toi qui as rencontré Christer Larsson, tu le penses capable… ?

— Il est dépressif, il vit seul, et pour la nuit des meurtres, il n'a pas d'alibi. C'est un vrai colosse. Face à lui, Einar n'aurait eu aucune chance. Il faut que j'entre en contact avec l'ex-femme de Larsson.

— Il n'a pas de casier judiciaire, fait remarquer Jamal.

— Einar non plus.

Jamal hausse les sourcils mais évite les commentaires.

— Si c'est Einar le coupable, il a eu quatre jours pour quitter le pays, souligne Jamal.

— Je ne crois pas qu'il en ait les moyens, proteste Sjöberg. Il vit avec tout juste le minimum… Mais je vais tout de suite vérifier l'état de ses finances.

— Tu as l'air d'en savoir déjà pas mal, souligne Jamal.

— Comme je te l'ai dit, j'ai fait quelques recherches.

— C'est quand même classe de sa part de ne pas avoir quitté sa femme. Surtout après en avoir rencontré une autre.

— On peut tout aussi bien penser que c'est lâche. Préviens les autres qu'on prévoit une réunion à

17 heures. Rosén inclus. Fais-leur savoir que c'est important. D'ici là, aucun commentaire sur tout ça. On laisse les collègues poursuivre leur tâche en toute objectivité. Et n'oublie pas de lancer un avis de recherche concernant Einar.

— Recherché pour délit de fuite ?

Sjöberg le dévisage d'un regard glacial.

— Disparu, au sens premier du terme.

*

À la suite du coup de téléphone de Jamal, toute l'équipe se retrouve au commissariat juste avant 17 heures. Sandén s'arrête dans le sas de l'entrée pour se débarrasser de la neige qui s'est remise à tomber en cette capricieuse journée de mars. Au même moment, Petra se dirige d'un pas décidé vers Jenny, à son poste derrière le comptoir de l'accueil.

— J'ai cru entendre que tu avais de la visite ce soir, lance-t-elle.

— Oui, Jamal va passer chez moi, répond Jenny, crédule.

Sandén essaie toujours de se débarrasser de la neige qu'il a dans les cheveux en secouant la tête comme un chien, ce qui fait rire Lotten.

— Si j'étais toi, j'annulerais, insiste Petra.

Jenny la regarde, interloquée.

— Je ne comprends pas…

Comme Lotten rit maintenant aux éclats, Sandén en rajoute un peu.

— C'est juste une mauvaise idée, assène Petra. Jamal n'a rien d'un type bien.

— Ah bon ?

— Non. Tu devrais faire attention.

Sandén finit son numéro et les rejoint à l'accueil.

— Pourquoi ? Qu'est-ce qu'il a fait ? demande Jenny.

Petra se penche sur le comptoir et lui glisse à voix basse :

— Des nanas comme toi, il les mange au petit déjeuner.

Difficile de dire si c'est le dernier commentaire ou l'arrivée théâtrale de son père qui déclenche un grand sourire chez Jenny.

— Dis donc, toi, tu n'y vas pas de main morte, s'exclame Sandén. Ne l'écoute pas, ma fille chérie. C'est notre petite sorcière adorée de la brigade.

Il lance un regard vers la grande horloge murale.

— On est attendus à comparaître dans quarante secondes, Petra. Allez, allez, on lâche les chevaux.

*

— L'enquête vient de prendre un virage inattendu, commence Sjöberg.

Il est 17 h 15. Un plateau de sandwiches trône au milieu de la table de la salle de réunion, déposé là par Jenny, quelques minutes plus tôt.

— Au fait, servez-vous, ajoute-t-il.

Lui-même se sent au bord de la nausée et se contente d'une bouteille d'eau minérale qu'il tient déjà à la main. En revanche, ses collègues se mettent à manger avec appétit.

— Avant que je poursuive, est-ce que l'un d'entre vous a du nouveau ? Petra ? Jens ?

— Catherine Larsson n'a pas eu d'autre activité en Suède que celle de femme de ménage, commence Petra.

— Et elle s'acquittait très bien de sa tâche, d'après des clients à qui nous avons parlé, ajoute Sandén.

Elle prenait 90 couronnes de l'heure, et en faisait une trentaine par semaine. Ça fait 2 700 couronnes hebdomadaires au noir. Pas mal, mais pas assez pour se payer un appartement dans le quartier d'Hammarbyhamnen.

— Aucun problème avec les clients, complète Petra. Ils habitent aussi bien dans le centre qu'en banlieue. Des personnes apparemment normales, qui ont été effarées d'apprendre la nouvelle. On va quand même vérifier qu'aucun ne figure dans le fichier national des crimes et délits, mais pour l'instant on n'a rien remarqué de louche. Aucun d'entre eux n'a su nous apprendre quoi que ce soit sur sa personnalité ni ne la connaissait sur le plan personnel.

— Bien, conclut Sjöberg. Continuez les vérifications pour chacun de ses clients et faites-les figurer au rapport. Ce que je vais vous apprendre maintenant ne doit pas changer notre façon de procéder.

Une tension soudaine s'empare de la pièce. Tous cessent de mâcher. Sandén se redresse sur sa chaise. Petra remet une mèche en place derrière son oreille, Jamal pose son sandwich et croise les bras sur sa poitrine. Rosén lève les yeux de son cahier. Tous les regards se fixent sur Sjöberg.

— Jamal est retourné à la crèche, commence Sjöberg. Le mystérieux « Erik » a été identifié, et il est fort probable, comme on le pensait, que ce soit lui qui ait financé l'achat de l'appartement de Catherine Larsson.

Sjöberg marque une pause avant de poursuivre. On entend juste le faible bruissement du système de ventilation.

— L'information que je vais vous communiquer est très sensible et je veux qu'elle soit traitée comme telle. Elle est de nature strictement confidentielle, et j'encourage chacun de vous à ne pas la divulguer jusqu'à ce que nous en sachions davantage. Comme d'habitude, je vous demande de la considérer du seul point de vue professionnel, sans idées préconçues. Vos opinions personnelles sur tel ou tel sujet ne doivent pas interférer.

On pourrait entendre une mouche voler. Sjöberg croise les mains devant lui sur la table et laisse son regard se promener sur chacun de ses interlocuteurs, comme pour recueillir leur promesse implicite qu'ils sauront se montrer respectueux et professionnels.

— Le véritable nom du bienfaiteur de Catherine Larsson n'est pas Erik. C'est Einar Eriksson.

Pendant quelques secondes, personne ne bouge et tout le monde garde le silence. Enfin, Rosén lâche son stylo sur la table et laisse sa longue carcasse se renfoncer dans son siège. Jamal reprend son sandwich jambon-fromage et s'apprête à croquer dedans. Petra secoue la tête et regarde Sjöberg comme si elle voulait qu'il retire ce qu'il vient de dire. C'est finalement Sandén qui prend la parole au nom de tous.

— C'est à tomber sur le cul… se contente-t-il de dire.

Sjöberg laisse le temps aux autres de digérer la nouvelle avant de poursuivre.

— Voici ce que nous savons : Catherine Larsson et ses enfants ont été assassinés dans la nuit de samedi à dimanche. À peu près au même moment, Einar a disparu. Il est marié à Solveig Eriksson depuis 1976. Depuis 1977, son épouse séjourne à Solberga, une clinique située à Fellingsbro, non loin d'Arboga. On n'en connaît pas la raison. D'après un voisin d'Einar, chaque samedi, il part en voiture le matin et rentre tard le soir. La clinique m'a bien confirmé sa visite hebdomadaire. Tous les samedis, il se retrouve là, auprès de sa femme, à veiller sur elle. Il y passe aussi les soirs de Noël, de Nouvel An, et le jour anniversaire de son épouse. Réglé comme une horloge. Samedi dernier, le voisin ne l'a pas vu revenir. Mais tôt le lendemain matin, sa voiture était de nouveau sur sa place de parking, ce qui prouve qu'il est rentré. Par contre, il n'a pas touché au journal du dimanche qui se trouve encore sur le sol de son entrée. C'est tout ce que nous avons.

Rosén, Petra et Sandén prennent des notes avec application. Jamal s'occupe toujours de son sandwich.

— En ce qui concerne l'aspect financier de l'affaire, les virements mensuels de 5 000 couronnes qui alimentaient le compte en banque de Catherine Larsson provenaient bien d'Einar. Elle a acheté son appartement grâce à l'argent qu'il a perçu de la vente de sa maison de Huddinge. Il a habité cet endroit jusqu'en avril 2006, peu de temps avant que Catherine Larsson fasse l'acquisition de son appartement. La quasi-totalité du salaire d'Einar sert à subvenir aux besoins de la famille de Catherine Larsson. Le peu qui lui reste, Einar le consacre à se nourrir et à payer son loyer. C'est tout ce que nous savons pour l'instant. Des commentaires ?

Trois voix s'élèvent en même temps, mais c'est celle de Sandén qui domine.

— Comment avez-vous découvert tout ça ?

— Jamal a reconnu le pull accroché dans l'appartement de Catherine Larsson et il a fait le lien avec Einar. Le personnel de la crèche l'a identifié comme étant « Erik » à l'aide d'une photo. Le laboratoire étudie en ce moment des prélèvements de cheveux afin d'établir la preuve scientifique que le pull vert en question appartient bien à Einar.

— Est-il possible qu'il soit le père des enfants ? interroge Rosén.

L'idée n'avait jamais effleuré Sjöberg.

— C'est effectivement une possibilité. On verra ça quand Bella nous aura fait parvenir les résultats du test de paternité pratiqué sur Christer Larsson. S'il n'est pas le père des enfants, nous irons plus loin avec Einar. Hadar, je veux que tu nous délivres un mandat de perquisition pour son appartement. Jens, tu t'en occupes avec Petra. N'oubliez pas sa voiture. Elle est garée sur le parking qui se trouve devant l'immeuble. Et pendant que vous êtes sur place, profitez-en pour interroger ses voisins. On est particulièrement curieux de savoir si quelqu'un l'a vu rentrer samedi soir ou repartir ensuite. Toutes les chaussures qui se trouvent dans l'appartement doivent être transmises à Bella pour comparaison avec les empreintes relevées sur le lieu du crime. Idem pour les objets susceptibles de comporter des traces de doigts, comme un bouquin sur sa table de chevet ou un livre de cuisine usagé. Jamal, tu te charges de passer au crible ce que contient l'ordinateur d'Einar. Moi, je me rends à Arboga dès demain matin pour interroger Solveig, la femme d'Einar, et Ingegärd Rydin, l'ex-femme de Christer Larsson. On continue à explorer toutes les pistes, même si notre priorité est de localiser Einar. Sa disparition joue un rôle déterminant dans l'affaire.

— Soit il est le meurtrier, soit on l'a tué, clarifie Sandén. Dans la première hypothèse, à l'heure actuelle, il est allongé sur une plage en Uruguay. Et dans la seconde, il se trouve quelque part au fond du canal d'Hammarby. Ce qui veut dire que dans un cas comme dans l'autre, il est introuvable. On a lancé un avis de recherche ?

— Oui, depuis environ une heure. D'après nos informations, il n'avait pas assez de ressources pour s'offrir un séjour prolongé à l'étranger, mais on ne sait jamais. Jamal, tâche donc aussi de contrôler s'il a essayé de quitter le pays, que ce soit en avion, en bateau, en train, ou quoi que ce soit. Et je veux que tu surveilles son compte en banque.

— Pourquoi a-t-il dit à Catherine Larsson qu'il s'appelait Erik ? demande Petra.

— On peut juste faire des suppositions, répond Sjöberg. Pour telle ou telle raison, il a voulu garder secrète sa véritable identité. Pour elle seule, ou pour son entourage, ou les deux. Sans doute par rapport à sa femme.

— Tout dans leur relation est entouré de secret, affirme Sandén. Il n'y a aucune trace de coups de fil entre Erik et Catherine Larsson, et même chose pour les virements bancaires d'un compte à l'autre. Seule entorse à cette discrétion totale, il passe régulièrement à la crèche.

— Est-ce qu'on doit communiquer tout ça à la presse ? s'interroge le procureur.

— Je veux attendre le plus longtemps possible, réplique Sjöberg. Par égard pour Einar.

— Et si c'est l'assassin ? demande Petra.

— Jusqu'à preuve du contraire, je préfère le considérer comme une victime. Il est policier. Il n'a pas de casier judiciaire. À sa place, tu aurais souhaité qu'on fasse comment ?

Pensive, Petra acquiesce, et personne autour de la table ne fait d'objection.

— Est-ce qu'il a des amis ? se risque enfin Sandén.

Sjöberg hausse les épaules.

— Je ne le connais pas personnellement. Si quelqu'un parmi vous en sait davantage sur lui qui ait un intérêt pour l'enquête, j'accepte avec joie d'être mis au courant. En tête à tête, ajoute-t-il, pour souligner à nouveau la nécessité de demeurer loyal envers leur collègue. On va voir ce que donne la fouille de son appartement au niveau des adresses, numéros de téléphone, courriers…

— Il faudrait peut-être interroger une deuxième fois les voisins de Catherine Larsson et de Vida Johansson ? suggère Jamal. Vu ce qu'on a appris sur Einar.

— Tout à fait. Et surtout reparler à Christer Larsson. Mais je veux d'abord rencontrer Ingegärd Rydin. De ton côté, tu peux t'occuper des voisins ?

— Sans problème. Tu seras absent combien de temps, Conny ?

— Je reviens le plus vite possible. Au plus tard vendredi après-midi. D'ici là, tenons-nous régulièrement informés de ce qui se passe.

Sjöberg se lève et les autres font de même. Sauf Petra, qui se tortille sur son siège et referme son cahier de notes d'un air soucieux.

— Einar n'est pas mort quand même ? chuchote-t-elle.

Malgré le raclement des chaises sur le sol, les autres se figent en l'entendant et se tournent tous vers Sjöberg. Celui-ci se raidit et, d'un geste brusque, repousse sa chaise contre la table.

— Il est en vie, réplique-t-il d'une voix ferme. Et il sait qu'on va l'aider.

*

Aujourd'hui, il a fait beau. Il en est certain. Le soleil est parvenu à percer à travers la petite ouverture. C'est maintenant le crépuscule et il y voit à peine.

128

Depuis le matin, il a réussi à se maintenir éveillé. Non pas que sa condition soit devenue acceptable, mais parce qu'il lui tarde vraiment que la nuit vienne avec l'espoir de pouvoir dormir quelques heures. Par bribes de dix minutes, mais quand même.

Il se tient assis, le dos appuyé contre un mur glacial, à écouter les bruits de l'extérieur. Il entend le mugissement caractéristique d'un camion de pompiers, suivi par d'autres sirènes moins identifiables. Au rythme de ces alarmes, il tire autant qu'il peut sur les cordes qui lui enserrent les mains derrière le dos. Mais il n'a pas beaucoup de force et ses liens ne se distendent pas. Au fond de lui, il est convaincu que la manœuvre ne le mènera nulle part. Mais que peut-il faire d'autre ? Seul l'espoir que les cordes se mettent à se distendre l'empêche encore de sombrer dans la folie. Il ne supporte plus la douleur qui cogne dans ses articulations, pas plus que le froid humide qui le pénètre jusqu'à la moelle.

Il glisse le bout de ses doigts dans les rainures du plancher, s'arc-boute et parvient à se redresser quelque peu contre le mur. Au moins assez pour que son corps raidi par le froid se recroqueville à hauteur des genoux. Puis il se laisse tomber sur le côté droit, l'épaule la première. Il se fait mal, mais essaie d'en faire abstraction. Ensuite, il prend appui contre le mur avec ses pieds et se propulse au sol tel un ver, sur les quelques centimètres qui le séparent du bol d'eau. Puis il rassemble toutes ses forces et relève péniblement la nuque assez haut pour plonger son visage dans l'eau et laper quelques gouttes du précieux liquide. Exténué par l'effort, il reste plusieurs minutes à haleter, allongé sur le flanc. Il pourrait facilement s'endormir, mais il résiste. Il souhaite se maintenir éveillé encore quelques heures, avant de s'abandonner au sommeil.

Sous sa joue, quelque chose craque au sol. Avec le peu de forces qui lui reste, il s'extrait des miettes qui jonchent le parquet et atteint un morceau de pain dur dont il pourrait s'emparer avec la bouche à condition de rouler sur le ventre. Un mouvement brusque qui lui occasionne tout de suite une brûlure aiguë à l'épaule droite et le fait gémir de douleur. Tel un reptile, il tend plusieurs fois la langue en direction du bout de pain jusqu'à ce que les deux adhèrent et qu'il glisse le morceau dans sa bouche. Il appuie avec précaution son front contre le sol et se met à mâcher consciencieusement, avant de relever la tête pour avaler.

Il tente de crier mais ne produit qu'un faible sifflement. Dès la première nuit de captivité, il s'est cassé la voix. De toute façon, ça n'a plus d'importance. En cette saison, personne ne semble passer dans le coin. Mais dans quelques semaines, on ouvrira la remise pour y prendre des outils et effectuer les premières plantations de printemps. *Les genoux de leurs pantalons sont maculés de terre, mais quelle importance ? C'est comme ça, au printemps, chez les petits garçons. La terre, ce n'est pas sale, et l'odeur de terreau remplit la voiture au moment où il enclenche la marche arrière au pied de leur immeuble. Les garçons chahutent sur le siège arrière. Soudain, un petit pied surgit entre son siège et celui de sa femme.*

— Stop ! tonne-t-il en s'efforçant de paraître sévère. C'est dangereux, ça. En voiture, vous devez rester tranquilles. Sinon, vous risquez de toucher les commandes. Et je crois que personne ne veut avoir un accident, pas vrai ?

— Ça, c'est quoi ? demande Tobias.

— *Le frein à main.*

— *Je peux tirer dessus ?*

— *Non. On ne touche à rien dans la voiture. C'est très dangereux.*

— *Et qu'est-ce qui se passe si je le fais ?*

— *Si tu tires sur le frein à main, la voiture s'arrête net, et celui qui nous suit peut nous rentrer dedans.*

Tobias jette un œil par la vitre arrière.

— *Mais y a personne derrière nous ! s'écrie-t-il. Allez, s'il te plaît...*

— *Andreas, surveille ton petit frère, l'interrompt sa femme.*

Elle se tourne vers son mari et lui adresse un sourire en coin.

— *Deux heures, c'est largement suffisant...*

— *Oui. Sauf que quand tu te retrouves avec deux zèbres comme ça, c'est pour dix-huit ans que tu en as, soupire-t-il en simulant le désespoir.*

Les garçons se chamaillent tout le long du trajet qui mène en ville. À plusieurs reprises, ils se font gentiment mais fermement rappeler à un minimum de calme. La route longe maintenant la rivière, et les vifs rayons du soleil se reflètent dans les eaux sombres. La voiture vient juste d'atteindre l'entrée de la ville lorsqu'il ralentit et se gare à portée du murmure de l'eau.

— *Je fonce juste chez le cordonnier pour récupérer mes chaussures, explique-t-il. Je reviens tout de suite, les garçons. Et après, je vous emmène retrouver votre maman.*

— *Je peux conduire la voiture ? S'il te plaît, laisse-moi aller devant ! le supplie Tobias.*

Après cette rude mise à l'épreuve, l'homme claque sèchement la portière derrière lui. Il passe la tête dans l'encadrement de la vitre arrière, restée ouverte.

— Non, mon petit gars. Pas question. Et soyez sages maintenant !

Avant de ressortir la tête, il adresse à sa femme un baiser de la main. Elle le lui renvoie avant qu'il se retourne pour traverser la rue. Ce n'est qu'à ce moment-là que le plus grand des deux frères réagit :

— OK ! s'écrie Andreas, qui paraît habité des meilleures intentions.

MERCREDI SOIR

Avec réserve, Modesty Blaise vient le saluer dans l'entrée. La nouvelle colocataire de Jenny est un lévrier silken windhound femelle de deux ans. Elle est un nouveau et puissant vecteur d'enthousiasme, à la limite de l'hystérie, pour le club des fanatiques de chiens fondé par le personnel de l'accueil du commissariat. Curieuse, elle renifle le pantalon de Jamal, mais s'abstient de sauter ou d'aboyer. Jenny, par contre, se jette aussitôt à son cou, avant de l'entraîner dans l'appartement.

La table de la cuisine est dressée, le thé et les canapés sont prêts, et les bougies sont allumées. Jamal avait juste en tête de s'occuper de l'ordinateur un petit quart d'heure maximum avant de repartir. Mais devant tant d'attentions de la part de Jenny, il se sent contraint de revoir ses plans.

— Ouah, c'est beau ! s'exclame-t-il, tout en tentant de se dire que le corps n'a pas nécessairement besoin d'un vrai repas chaque soir et que sa fatigue n'est qu'une illusion due au mauvais temps. Ça a l'air super bon, je meurs de faim !

Elle lui prend la main et le conduit à table sans qu'il ait le temps de réagir. Il s'assoit et Jenny s'installe à ses côtés.

— Mets-toi plutôt en face. C'est plus facile pour parler, propose Jamal.

— Qu'est-ce que ça change ? réplique Jenny en posant une main sur son bras. Comme ça aussi on peut se parler.

Il remarque qu'elle est maquillée. Peut-être l'est-elle au quotidien sans qu'il y fasse attention, mais sur le coup, ça ne lui plaît pas. Il se lève et fait le tour de la table.

— On discute mieux quand on se voit bien, insiste-t-il, avant de s'installer en face.

Elle paraît déçue et troublée.

— Quand on se voit en amoureux, on est assis côte à côte.

— Pas forcément, affirme-t-il. Et on n'est pas ici en amoureux.

— Ah bon ?

Son étonnement est sincère.

Il voit que Jenny ne joue pas. Face à une telle situation, il lui faut se comporter de la manière la plus honnête qui soit.

— Non. Absolument pas. Je suis juste venu ici pour t'aider à résoudre un problème informatique. Tu m'offres de prendre un thé, et c'est très gentil de ta part. On va bavarder un peu tout en grignotant. Après, je vais essayer de m'occuper de ton ordinateur et je vais rentrer chez moi. D'accord ?

— Tu ne m'aimes pas ? Je ne suis pas assez jolie ?

Elle semble un peu attristée, alors que Jamal apparaît soudain tout à fait détendu. Il vient de réaliser qu'il tient là l'occasion d'apporter à Jenny une chose que son père ne parviendra pas à lui donner. Pour la simple raison qu'il est son père.

— Je te trouve géniale, Jenny. Tu le sais. Et tu es très mignonne.

Elle rayonne à nouveau. Jamal leur verse du thé et poursuit :

— Mais ce n'est pas parce que tu es mignonne que je t'apprécie. Ce critère-là n'a pas d'importance. Et en plus, on peut aimer quelqu'un d'un tas de manières. Moi, je t'aime comme un copain. Parce que tu es sympa. Et pleine de talents. Et une bonne copine. Mais je ne suis pas amoureux de toi et tu n'es pas amoureuse de moi.

— Moi si ! lance-t-elle en toute franchise.

— C'est ce que tu crois. Peut-être parce que tu me trouves gentil ?

— Mmm.

Elle replace une boucle de cheveux blonds derrière son oreille et mord dans un canapé garni de pâté de foie et de cornichons.

— Peut-être que tout le monde n'est pas gentil avec toi, mais tu dois t'en foutre. Avec moi aussi certains ne sont pas gentils. Par contre, on ne peut pas tomber amoureux de chaque personne qui se montre gentille. Sinon, on serait amoureux d'un tas de gens, et on passerait son temps à leur faire des câlins, conclut-il dans un rire.

Jenny rit aussi, mais il n'est pas certain qu'elle ait vraiment compris ce qu'il vient de dire.

— Je suis tout à fait d'accord pour être ton ami, enchaîne-t-il. Tu peux venir me parler si quelqu'un s'est montré méchant avec toi, si tu tombes amoureuse ou si tu veux juste discuter. Je t'aiderai. Ça te va ?

Jenny acquiesce et semble satisfaite. Jamal ne trouve rien à ajouter sur le sujet. Ils se remettent donc à manger et à boire tout en parlant d'autres choses.

— Alors, c'est quoi le problème de ton ordinateur ? finit par demander Jamal.

— Il est trop lent.

— Tu parles bien de la connexion ?

— Oui.

— Quand tu envoies des mails et ce genre de trucs ?

— Non, là, ça va. C'est quand je regarde des films. Il plante tout le temps. C'est pénible.

— OK. On peut essayer d'installer la dernière version d'Adobe Flash Player.

Ils quittent la cuisine et se rendent dans l'unique pièce du studio. Jamal s'assoit dans le fauteuil et allume l'ordinateur portable qui se trouve sur la table. Jenny s'installe sur l'accoudoir et le regarde faire, tandis qu'il se rend sur le site d'Adobe. Le téléchargement ne prend pas beaucoup de temps, et la connexion haut débit ne semble pas poser de problème.

— Bon, tu veux regarder quoi pour tester ? YouTube ?

Avant même qu'elle réponde, Jamal se rend sur le site en question et clique sur le clip du jour : un extrait de match de la Ligue des Champions. Ils le regardent en entier sans le moindre incident.

— Et voilà, c'était pas plus compliqué ! affirme Jamal sans jouer pour autant l'expert en informatique.

— Je voudrais vérifier avec un film, répond-elle en se levant.

Jamal l'imite et lui laisse la place dans le fauteuil. Elle va dans ses favoris et clique sur l'un des sites. Tout en attendant le chargement de la page, elle monte le son. De son côté, Jamal décide de se rendre aux toilettes avant de repartir. Mais il s'arrête net quand il voit ce qui apparaît sur l'écran. Et avant qu'il ait eu le temps de réagir, elle lance le film. Un homme en partie flouté est en train de se divertir avec une jeune femme avec, en fond sonore, des râles mélangés à une sorte de musique. Le film s'intitule *Lucy in the Sky*. En ces temps d'exhibitionnisme sur la Toile, il n'y a rien de sensationnel là-dedans. Sauf que la jeune fille sur l'écran est Jenny.

Jamal se sent pris de sueurs froides. Premièrement, qu'est-ce qu'elle fait dans un film pareil ? Deuxièmement, pourquoi l'avoir mis en ligne ? Et enfin, pourquoi le lui montrer ? La réponse à la dernière question lui semble la plus facile. De toute évidence, elle n'a rien compris à leur conversation de tout à l'heure.

Il se penche et coupe le film. Ensuite, il se dirige vers le lit, s'assoit et soupire un grand coup. Jenny le regarde faire, les yeux remplis d'espoir. Mais il se contente de secouer la tête sans savoir quoi dire.

— Ça ne t'a pas plu ? le questionne-t-elle, remarquant bien que quelque chose ne va pas.

— Non, Jenny. Vraiment pas. C'était horrible.

— Mais pourquoi ? Tu m'as dit que tu me trouvais jolie.

— Tu es jolie telle que je te vois ici, Jenny, avec tes vêtements… Je n'ai pas envie de te voir comme sur ces images ! Il dirait quoi, ton père, s'il savait ? Il deviendrait complètement dingue !

— Mais quel besoin tu aurais de lui en parler ?

— Là n'est pas la question ! Tous ceux qui te connaissent réagiraient de la même manière… Pourquoi tu as fait ça, Jenny ? Pourquoi avoir mis ce film en ligne ? Tu veux qu'un tas de vieux cochons se… en même temps qu'ils te regardent ?

Jenny est prise d'effroi.

— C'est pas moi qui l'ai mis en ligne. C'est Pontus.

Elle paraît sur le point d'éclater en sanglots.

— Qui ça ?

— Pontus Örstedt, mon mec. Celui avec qui j'habitais avant.

— Et vous n'êtes plus ensemble ?

— Non, il a déménagé.

— Tant mieux. Il a abusé de toi, Jenny. On ne fait pas des choses pareilles à quelqu'un qu'on aime bien.

Jamal a retrouvé son calme et essaie de penser rationnellement.

— C'est pas si important… tente Jenny avant de se faire couper la parole aussitôt.

— Bien sûr que si, c'est grave. Tu as de la chance que je sois le seul de tes connaissances à l'avoir vu. Ta maman verserait des larmes de sang si elle était au courant. Et ton père en retomberait peut-être malade. C'est ça que tu veux ?

Il ne mâche pas ses mots, conscient que c'est le seul moyen d'avoir une chance de la faire changer d'avis.

— Et tes copains du boulot, ils diraient quoi, Jenny ? renchérit-il. Ils se moqueraient de toi derrière ton dos et tu…

— Mais tout le monde fait ça !

Jenny semble blessée, comme si elle se sentait injustement traitée.

— Non, c'est faux. Je ne connais personne qui s'expose sur le Net de cette manière. C'est juste…

— Si, insiste Jenny.

— Non.

— Je vais te montrer.

— Non merci, je ne préfère pas savoir.

— Mais puisque tu ne me crois pas, il faut bien que je te montre…

Elle se penche vers l'ordinateur, réactive l'écran et, d'un clic, fait apparaître un autre film qui figure dans ses favoris. Jamal la laisse faire. Il est prêt à y consa-

138

crer sa soirée, à convaincre cette gamine égarée de ce qui est juste. À débiter son couplet autant de fois que ce sera nécessaire, jusqu'à ce qu'elle l'accepte.

Elle lance les images. Encore un film porno amateur de la rubrique « homme nettement plus âgé au visage flouté en train de sauter une jeune nana ».

— Je n'ai pas envie de regarder, Jenny. Ça ne m'intéresse pas. Arrête, s'il te plaît.

— Mais tu ne vois pas qui c'est ?

Un sourire plein d'espoir s'épanouit sur son visage.

— Non. Et je ne veux pas savoir. Arrête ça.

— Mais regarde bien. Tu vois bien qui c'est, non ?

La caméra zoome sur la jeune femme qui se fait prendre avec brutalité par-derrière. Elle a les yeux mi-clos et la bouche à moitié ouverte. Elle semble sans réactions, tel un morceau de viande, et se laisse ballotter d'avant en arrière au rythme des mouvements de l'homme. Elle n'est pas vraiment de la partie. Elle paraît droguée ou inconsciente, à moins qu'elle ne soit juste trop affaiblie. Il lui faut quelques secondes avant que les choses se mettent en place et que Jamal réalise qui il a sous les yeux. Qu'il comprenne à qui le titre *Bad cop, good cop* fait allusion. Et ça lui fait mal. Il a envie de pleurer.

— Arrête, ordonne-t-il d'une voix suffisamment autoritaire pour être obéi sur-le-champ.

Jenny le dévisage d'un air réprobateur.

— Tu vois bien, assène-t-elle. Il n'y a pas que moi.

Il se contente de secouer tristement la tête. Il ne comprend plus rien. Que vient-il de se passer ? Que doit-il faire ?

— Tu l'as trouvé où, ce film ?

— Au même endroit. Sur le site de Pontus.

— Amator6, c'est le site de Pontus ?

139

Elle acquiesce.

— Mais putain, qu'est-ce qu'elle fout là, Petra ?

Jenny hausse les épaules, incapable de l'expliquer.

— Il faut que je parle à ce Pontus. Que je veille à ce que ces deux films soient retirés. Il habite où ? demande Jamal, qui commence à retrouver sa lucidité.

— Je ne sais pas. On n'a plus de contact.

— C'était quoi son nom de famille ? Örstedt ? Écris-le-moi.

Jenny s'exécute pendant que Jamal copie les deux films sur une clé USB qu'il avait sur lui, sans trop savoir quelle en sera l'utilité.

— On garde tout ça pour nous, Jenny. Ces deux films auront bientôt disparu, et je ne veux pas que tu en parles à qui que ce soit. On est d'accord ?

Jenny acquiesce.

— Petra serait très triste si elle apprenait cette histoire. Et tes parents ne le supporteraient pas, je te le promets.

— Pourquoi tu te fais du souci pour Petra ? demande Jenny. Elle ne t'aime pas.

— Ah bon ? Elle est peut-être un peu fâchée avec moi en ce moment, mais ça passera vite.

— Elle dit que les gars comme toi mangent les nanas comme moi au petit déjeuner.

Jamal ne peut s'empêcher d'esquisser un sourire, même si ces jours-ci, il ne sait trop ce qui trotte dans la tête de Petra.

— Ah bon, elle raconte des trucs comme ça ? En tout cas, moi je l'aime beaucoup. Et je suis sûr qu'elle n'a pas envie de se retrouver sur ce genre de site. Et toi non plus. Retournons à la cuisine. Je vais t'expliquer pourquoi.

*

Quelques heures plus tard, il quitte Jenny et Modesty Blaise, avec l'espoir que son message ait fini par passer. Voilà une première bonne action d'accomplie, qu'il doit malheureusement faire suivre d'une deuxième.

JEUDI MATIN

Dès 6 heures du matin, Sjöberg quitte son domicile pour prendre la route. Deux heures plus tard, il arrive à Arboga, en se disant que la consciencieuse Bella se trouve sûrement déjà au travail. Il sort son téléphone de la poche de sa chemise et compose le numéro du laboratoire. À l'autre bout du fil, la voix ferme de la scientifique confirme son hypothèse.

— Hansson.

— Bonjour, Bella. C'est Conny. Je te dérange ?

— Aucun souci. Qu'est-ce qui te tracasse ?

Elle est l'une des personnes les plus compétentes et fiables avec qui il a eu la chance de travailler. C'est aussi une femme sympathique et intéressante dans le privé. Il l'a constaté par lui-même au cours de quelques fêtes au commissariat et de plusieurs soirées passées au pub en sa compagnie. En revanche, bavarder au téléphone en toute décontraction est loin d'être son point fort. Elle préfère la concision et attend la même chose de son interlocuteur, sans s'appesantir sur les formules de politesse et autres fioritures.

— Je t'appelle au sujet du test de paternité pratiqué sur l'un de nos suspects, Christer Larsson. C'est en cours d'analyse ?

— Oui. Le labo de Linköping s'en occupe.

— Tu peux leur imposer un délai maximum de vingt-quatre heures ? C'est très urgent.

— C'est déjà fait. Ils savent qu'il est question de meurtres. Le résultat doit arriver dans la matinée.

— Parfait. Appelle-moi dès que tu l'as. Autre chose à me dire ?

— Non, pas pour l'instant.

— Tu vas recevoir plusieurs paires de chaussures, ce matin. Je veux que tu les compares aux traces de pas relevées sur la scène de crime. Vérifie bien si les semelles portent des traces de sang. Tu auras aussi quelques éléments à examiner en lien avec les empreintes digitales recueillies dans l'appartement. Considère cela comme une priorité absolue pour mon enquête.

Sjöberg raccroche et sort de sa voiture. Il vient de se garer dans une zone HLM qui est sans doute le quartier le plus sinistre de la ville d'Arboga, au demeurant charmante. Pas de code à l'entrée. Ingegärd Rydin habite au deuxième étage. Après avoir sonné, il attend si longtemps qu'il est sur le point d'abandonner, quand on lui ouvre enfin. Elle se tient là et le dévisage d'un regard méfiant.

— Je cherche Ingegärd Rydin, dit Sjöberg en tendant devant lui sa carte de police.

Elle la lui prend des mains et l'étudie de près avant de répondre :

— C'est moi.

Sa voix est si rauque que Sjöberg en déduit aussitôt qu'il a affaire à une fumeuse de longue date. Il se présente et demande à lui parler un instant. Elle hausse les épaules et le laisse entrer. Il referme derrière lui, avant de la suivre dans l'appartement.

La femme semble avoir quelques années de plus que Sjöberg, la cinquantaine. Elle est très maigre. Son dos osseux et sa démarche traînante lui donnent une apparence de très grande fragilité. Elle a les cheveux courts et leur teinte gris sombre indique qu'elle a été brune autrefois. *Elle porte une chemise à carreaux et un pantalon qui*, se dit-il, *irait à Sara, sa fille de sept ans, à condition de faire un ourlet de quelques centimètres*.

L'appartement est un deux-pièces. Après avoir traversé la cuisine et passé une porte, ils se retrouvent dans le salon. Elle s'installe tant bien que mal dans un fauteuil. Sur la table basse adjacente sont posés une télécommande, une pile de magazines et un journal local resté ouvert. De l'autre côté du fauteuil, il aperçoit un objet qui aurait davantage sa place dans un hôpital que dans une maison : un trépied sur roulettes, équipé d'une bonbonne d'oxygène. Le tuyau qui en sort se termine par un embout buccal, qu'Ingegärd place aussitôt dans sa bouche dès qu'elle a fini de s'installer.

— Bronchite chronique obstructive, réussit-elle à formuler entre chaque respiration.

Comme pour anticiper l'envie de Sjöberg d'en savoir plus, elle lui donne quelques détails supplémentaires, d'une voix haletante qu'il n'avait pas remarquée durant leur bref échange dans l'entrée :

— Je suis atteinte de BCPO. Un emphysème pulmonaire. L'oxygène facilite ma respiration.

Sjöberg ne savait pas qu'on prescrivait l'utilisation d'oxygène à des fumeurs. Il regarde autour de lui pour confirmer ses soupçons sur la consommation de tabac, mais ne voit pas la moindre trace de cendrier ou de cigarettes. Pourtant, il sent bien qu'on a fumé dans la pièce il n'y a pas si longtemps. Essaie-t-elle de tricher ?

— Une équipe des services de soins à domicile passe me voir deux fois par jour. Ils m'aident aussi pour les courses. Je n'ai plus la force de sortir.

— Je suis sincèrement désolé. Pouvez-vous trouver celle d'échanger quelques mots avec moi ?

Elle lui fait signe que oui tout en aspirant de grosses bouffées par le tuyau. Sjöberg constate avec soulagement qu'elle ne râle pas à chaque inspiration, ce qu'il aurait eu du mal à supporter. Il sent de la compassion pour ce petit bout de femme et l'imagine soudain aux côtés de l'immense Christer Larsson. Un couple aujourd'hui improbable, mais encore faudrait-il pouvoir se faire une idée d'Ingegärd telle qu'elle était dans sa jeunesse. À présent, il ne distingue plus qu'un visage vieilli prématurément et la peau jaunâtre de ses bras nus.

— Je n'en ai plus pour longtemps, dit-elle brusquement. Ils ont enlevé le maximum des parties endommagées de mes poumons. Et ils disent que je ne survivrais pas à une transplantation.

— Je suis vraiment navré.

Sjöberg ne trouve rien d'autre à dire. Si c'est si grave, pourquoi ne pas la laisser tirer une bouffée de temps en temps sous la hotte aspirante de la cuisine ? Il faut juste espérer qu'elle n'y voie pas une occasion de mettre le feu à l'appartement ou de s'immoler. Il écoute encore sa respiration, pris d'une terreur qu'il espère pouvoir dissimuler.

Soudain, le but de sa présence lui revient. Il se redresse et, sans y être invité, va s'asseoir sur le fauteuil en face d'elle. Il se positionne sur le bord pour lui montrer qu'il ne restera pas longtemps, bien que sa présence soit tout à fait légitime.

— Vous savez pourquoi je suis là ?

Elle fait non de la tête et continue à pomper l'oxygène.

— Vous avez été mariée à Christer Larsson,
n'est-ce pas ?

Elle acquiesce sans dévoiler ce qu'elle en pense.

— Vous êtes toujours en contact avec lui ?

Elle sort enfin l'embout de sa bouche pour lui
répondre.

— Nous ne nous sommes pas vus depuis plus de
trente ans.

— Vous vous êtes parlé au téléphone ?

— Non plus.

— Vous vous êtes quittés fâchés ?

— Non, répond-elle d'une voix neutre. Nous
n'avions aucune raison de maintenir le contact, c'est
tout.

Elle remet l'embout entre ses lèvres, et sa respiration se calme un peu.

— Christer Larsson était-il violent ?

— Pourquoi vous me demandez ça ?

— Répondez juste à ma question, s'il vous plaît,
lance-t-il d'un ton impérieux. Je vous expliquerai
ensuite.

— Non, dit-elle du coin de la bouche.

La présence de l'embout empêche Sjöberg de juger
de ses réactions.

— Jamais menaçant ou agressif ?

Elle secoue négativement la tête, sans le quitter
des yeux.

— Avait-il des problèmes d'alcool ou d'autres
addictions ?

— Non. Il buvait de manière normale, sans que ce
soit un problème.

— Vous savez qu'il s'est remarié ?

— Non, je ne le savais pas.

— Ça vous étonne ?

Elle se libère à nouveau de l'appareil et répond sans apparente surprise.

— Comme je viens de vous le dire, nous n'avons plus de contact. Pourquoi devrais-je être étonnée ?

Sjöberg ne répond pas. Il préfère garder le cap sans faiblir :

— En 2001, il s'est marié avec une femme qu'il a rencontrée aux Philippines. Ils avaient deux enfants.

Un pli se forme au-dessus de son œil gauche, qui pourrait être une marque d'étonnement. Sjöberg n'arrive pas à savoir ce qui a pu le provoquer. Sans doute l'emploi de l'imparfait au sujet des enfants. D'un seul coup, elle reprend un visage neutre, mais il a l'impression que sa respiration est devenue plus difficile.

— Ils se sont séparés il y a quelques années. Sans pour autant divorcer. Ils vivaient chacun de leur côté.

— Christer est mort ? questionne-t-elle avant de ramener l'embout à sa bouche.

Sjöberg la fixe quelques secondes avant de répondre :

— Non. Christer est en vie. Mais sa femme et ses deux enfants ont été retrouvés morts à leur domicile il y a quelques jours. Vous l'avez peut-être lu dans le journal ou vu à la télé ?

Elle confirme d'un signe de tête. Sjöberg la trouve plus pensive que terrifiée. Il s'aperçoit clairement que Christer Larsson n'a plus de place dans sa vie. Après tout, c'est normal. Trente ans, c'est long. Plus de la moitié de la vie d'Ingegärd Rydin. Soudain, elle change d'expression.

— Vous m'avez demandé si Christer était violent. Vous pensez qu'il aurait pu assassiner sa famille ?

— On ne sait pas. Vous en pensez quoi ?

— Pas le Christer que j'ai connu, répond-elle sans enlever le tuyau.

— Mais le Christer d'aujourd'hui, peut-être ? suggère Sjöberg en douceur.

Elle se contente de hausser les épaules pour montrer qu'elle refuse de spéculer. Sjöberg se sent gagné par une certaine déception. Il a beaucoup misé sur cet entretien. Il lui faut rayer Ingegärd Rydin de la liste des suspects. Dans son état, elle serait incapable de tordre le cou à un poulet. Par contre, il doit bien s'avouer qu'il espérait quelque information compromettante sur Christer Larsson. Mais malgré son envie d'éloigner les soupçons d'Einar, il se doit de rester objectif. Un point c'est tout.

— Il est grand et fort, insiste quand même Sjöberg. En arrêt maladie depuis des années pour dépression…

Une ombre passe soudain sur le visage d'Ingegärd.

— Il n'a peut-être jamais digéré votre divorce ?

Elle éclate de rire. L'embout buccal lui échappe des lèvres.

— Non, ça, par contre, j'en suis sûre !

Une réponse dans laquelle Sjöberg ne décèle pas la moindre trace d'ironie ou d'amertume.

*

Un peu plus tard, quand il sort de sa voiture et entend chanter les oiseaux, Sjöberg prend conscience que le printemps n'est pas loin. Le soleil s'est faufilé entre les nuages. Il réchauffe son visage et la terre sous ses pieds, encore marquée par l'hiver. Après un trajet assez éprouvant sur des petites routes sinueuses et abîmées par les intempéries, il vient enfin d'arriver sur le terrain de sa mère, Björskogsnäs 4:14. Il lui faut parcourir à pied les derniers mètres qui le séparent de la propriété. Le petit chemin qui y conduit est à peine visible aujourd'hui, recouvert de buissons ou de taillis, et impraticable en voiture.

C'est un terrain plutôt vaste, d'environ huit mille mètres carrés, situé sur une petite colline. Il s'était imaginé que le paysage changerait à son arrivée sur la parcelle. C'est effectivement le cas, mais pas de la manière dont il l'avait pensé. Au lieu de découvrir une prairie, il se retrouve face à une étendue de fourrés touffus, plus bas que les arbres de la forêt qui l'entoure. Il suit le sentier jusqu'à d'anciennes constructions. Quelques vestiges de cabanons ou de remises sont encore debout, mais en jetant un coup d'œil par ce qui reste des fenêtres, il constate que ces baraques sont vides. Parmi les arbres, il distingue de vieux pommiers. Il a du mal à croire qu'ils portent encore des fruits, quand son pied écrase une pomme trop mûre.

C'est alors que le désir l'étreint de cultiver à nouveau cette terre. Planter des arbres, nettoyer tous ces taillis et reconstituer un vrai jardin. C'est son terrain. En tout cas, ça va le devenir et il n'a pas l'intention de le laisser se dégrader davantage. La carte qu'il tient dans sa main indique qu'il y a un lac avec un lieu de baignade à deux cents mètres de la maison. En chemin, il a noté la présence de plusieurs maisons de vacances, qui semblent avoir été construites dans les années 1960. Sans doute que ses enfants trouveront là des copains. Pourquoi sa mère lui a-t-elle caché tout ça ? Elle ne peut pas ignorer l'existence d'un terrain dont elle est propriétaire. Peu importe qu'il ait d'abord appartenu à son père et qu'elle-même n'y ait pas vécu, elle sait bien qu'il est là.

Il quitte les cabanons en ruine et l'ancien verger pour poursuivre sa découverte du lieu. Et soudain, il aperçoit la maison principale. Ou plutôt, le peu qu'il en reste : les fondations et, au beau milieu de ce qui était le bâtiment, les briques d'une ancienne cheminée. En résumé, pratiquement rien. Des buissons et des arbustes ont envahi l'intérieur de la bâtisse. Quelle tristesse de se dire que c'est tout ce qu'il reste de ce qui, autrefois, était la maison de quelqu'un, peut-être celle de son père ou de ses grands-parents paternels.

Sans savoir pourquoi, il sort le téléphone de sa poche et compose le numéro de sa mère.

— C'est Conny. Comment tu vas ?

— Comme d'habitude. Et toi ?

Ma mère est toujours si positive, se dit-il ironiquement. Il décide d'aller droit au but.

— Je suis sur le terrain. Notre terrain. Celui que tu prétends ne pas connaître. Björskogsnäs 4:14.

Silence à l'autre bout du fil.

— Maman ?

— Je t'entends, finit-elle par répliquer avec froideur.

— C'est beau ici, tu sais. Un grand et splendide terrain, situé sur une colline. En défrichant un peu, on pourrait dégager une belle vue sur les alentours.

Pas de réponse.

— On pourrait bâtir une nouvelle maison à la place de l'ancienne. Ce serait génial pour les enfants, avec un lac pour la baignade à proximité. Puisqu'il nous appartient, pourquoi ne pas faire quelque chose de ce terrain ?

Il patiente quelques secondes, sans que sa mère réagisse.

— Pourquoi tu ne réponds pas ?

— Parce que je ne sais pas de quoi tu parles.

— Je suis sûr que si, maman. J'essaie seulement de comprendre. Pourquoi tu ne veux pas m'aider ?

— Tu ne comprends rien.

— Exact. Mais pourquoi tu te montres si agressive envers moi ?

Sjöberg critique rarement sa mère. Il trouve que ça ne sert à rien. C'est quelqu'un de pessimiste, qui a toujours eu peur, mais au fond, elle a bon cœur. Elle est tendre avec ses petits-enfants, même si elle n'a pas le contact facile. Elle leur sourit peu, mais ils l'aiment quand même.

Elle a ses habitudes, comme de refuser de parler d'autre chose que du quotidien.

— Papa a habité ici ? Ou bien ses parents ? Il faut que tu me répondes.

Cette fois, il n'a pas l'intention d'abandonner si facilement.

— Je ne saurais pas dire…

La voilà qui recommence à se lamenter, et il bout d'agacement. Pour éviter de répondre au type de question directe et simple qu'il vient de poser, elle emploie toujours la même méthode : elle simule les jérémiades d'une vieille femme qui souffrirait de démence. Ce qui n'est pas son cas. Il décide donc d'aller jusqu'au bout de cette histoire une fois pour toutes. Il va trouver comment et pourquoi ce terrain est devenu la propriété de sa mère et pour quelles raisons elle n'en veut pas. Les histoires de famille ne l'ont jamais passionné mais, cette fois, il veut connaître la vérité. Il ne doit pas être si difficile de retracer la succession de ceux qui ont habité cette maison. Avec cette mère si avare de paroles, on ne parlait jamais de ces choses-là quand il était petit. Il n'a d'ailleurs presque aucun souvenir de son père, mort quand il avait trois ans.

— Et merde, laisse tomber ! hurle-t-il. Je trouverai la réponse moi-même.

Il raccroche, sans les phrases de politesse habituelles, sans les promesses convenues de rendre visite à sa vieille mère pour lui faire plaisir. Dans quelques secondes, pendant qu'il essaiera de se calmer, un sentiment de culpabilité l'assaillera. Il l'appellera plus tard dans la journée et comme si rien ne s'était passé, fidèle à l'éducation qu'il a reçue. Et l'épisode sera oublié. Sauf que cette fois, il n'en est pas question. Il va aller jusqu'au bout.

Il cherche son chemin entre les arbres pour repartir vers la voiture. Mais avant de quitter le terrain, il se retourne et contemple son bien une dernière fois. Il constate avec un enthousiasme retrouvé qu'il n'a nullement l'intention d'abandonner ses projets de défrichage et de reconstruction.

*

Assis à son volant, Sjöberg est sur le point de partir pour la clinique de Fellingsbro quand son téléphone sonne. Il est tout juste 11 heures. Voilà déjà Bella Hansson qui le rappelle.

— Je présume que l'enquête sur l'affaire Catherine Larsson avance bien, commence-t-elle.

— Non, j'en dirais pas tant.

Sjöberg devine le type d'information qu'elle s'apprête à lui livrer et nourrit des sentiments ambigus.

— Tout dépend de quel point de vue on se place, poursuit-il, sans détailler son état d'esprit, partagé entre l'espoir de découvrir l'assassin et la peur que cela coïncide avec la chute d'un collègue. Tu as reçu les résultats ?

— Oui. Le test de paternité a été analysé. Le père des enfants est Christer Larsson.

Sjöberg est soulagé de l'entendre.

— Très bien. C'est ce qu'on pensait. Quoi d'autre ?

— Le labo a trouvé des cheveux sur les deux pulls. Mais comme les racines n'étaient plus vivantes, il n'a pas été possible d'effectuer une recherche ADN conventionnelle. En revanche, on a pu faire l'analyse mitochondriale, mais tant qu'on n'a pas d'élément comparatif, on ne peut pas en tirer de conclusion. Si ce n'est que les deux pulls ont été portés par la même personne.

Sjöberg enregistre cette dernière information en silence. Il n'est pas surpris que les deux pulls appartiennent à Einar.

— Les empreintes digitales qui figurent sur les éléments que Sandén m'a envoyés il y a environ une heure coïncident avec celles qu'on a retrouvées dans l'appartement de Catherine Larsson. Elles existent aussi bien sur quelques objets trouvés sur le lieu du crime que sur la porte du réfrigérateur, par exemple. On peut donc en déduire que la personne en question s'est trouvée dans ce lieu.

Là encore, Sjöberg n'est pas étonné. Einar était tellement proche de Catherine Larsson et de ses enfants qu'il leur a naturellement rendu visite. Cela ne veut pas dire qu'il les a tués. À l'inverse, il aurait été inquiétant de ne *pas* retrouver ses empreintes dans l'appartement. On aurait pu y voir le signe qu'il avait cherché à les effacer pour dissimuler toute trace de sa présence aux techniciens de scène de crime, et pas seulement à sa femme ou autres curieux, à qui il a sans doute caché son implication financière.

— Bon, se contente de dire Sjöberg. Autre chose ?

— On en vient aux chaussures, répond Bella.

Sjöberg se raidit. Il espère de tout cœur que cette technicienne déterminée ne va pas lui apprendre une mauvaise nouvelle.

— Les semelles des baskets correspondent aux empreintes que nous avons relevées dans l'appartement et la cage d'escalier. Avec dessus les traces de sang d'une des victimes.

— Celui de Catherine Larsson ?

— Oui. Bonne ou mauvaise nouvelle ?

— Les deux. Ça dépend.

— C'est tout ce que j'ai pour l'instant.

— Merci, Bella.

Découragé, il met fin à la conversation, avant de se plonger dans ses réflexions. Tout en conduisant, il dresse une possible cartographie des événements. Comme chaque samedi matin tôt, Einar est parti en voiture pour Fellingsbro. Il a emprunté cette route sur laquelle il se trouve lui-même en ce moment. Ensuite, il a passé toute la journée auprès de sa femme et est reparti pour Stockholm le soir. Il y est arrivé vers 23 heures. Il a garé sa voiture devant chez lui et s'est rendu à pied chez Catherine Larsson, ou Kate, comme il l'appelait sans doute. Elle l'a laissé entrer sans se poser de questions. Une demi-heure plus tard, il lui a tranché la gorge dans la salle de bains et a fait subir le même sort à ses deux enfants qui dormaient dans la chambre. Ensuite, il a quitté l'appartement, est retourné chez lui, a changé de chaussures et a pris la fuite.

Einar Eriksson. Un policier au passé irréprochable. Son collègue depuis tant années. Un homme discret, un peu renfrogné, c'est sûr, mais qui n'a jamais fait de mal à qui que ce soit. Mais pourquoi s'est-il donné la peine de changer de chaussures avant de s'enfuir ? Et de surcroît, pourquoi laisser celles qui portent des traces de sang dans son appartement, comme pour donner à ses collègues la preuve irréfutable que c'est bien lui qui a commis ces meurtres atroces ? Peut-être n'a-t-il pas prévu qu'ils allaient faire le lien entre lui et Catherine Larsson ? Ce qui ne se serait peut-être jamais produit, si Jamal n'avait pas senti le pull accroché dans l'entrée. Mais malgré tout... Même si on trouve les empreintes digitales d'Einar un peu partout dans l'appartement de Catherine Larsson, on ne les décèle pas sur la poignée de la porte d'entrée, ni sur le robinet de la salle de bains, les deux seuls objets que l'assassin a manifestement touchés.

Quelque chose ne tourne pas rond dans cette histoire. L'élément clé de l'enquête est bien la disparition et le rôle joué par Einar. Pour autant, cela fait-il de lui l'assassin ? Sjöberg se dit que non. Que s'est-il passé ? Einar a-t-il, par un malheureux hasard, croisé le chemin de l'assassin ? Une personne qui aurait eu un compte à régler avec Catherine Larsson et qui aurait profité de cette occasion pour diriger les soupçons des policiers chargés de l'enquête sur l'un des leurs ?

Mais ce qui l'intrigue le plus, c'est le massacre de ces pauvres enfants. Qui peut s'attaquer avec une telle violence à deux petits de deux et quatre ans ? Ça lui paraît inconcevable, même de la part d'un toxicomane en état de démence qui détruit tout sur son passage, et encore moins de celle d'un policier chevronné comme Einar. Dans cette histoire, les enfants semblent avoir payé pour leur rôle éventuel de témoins. Non pas qu'ils aient assisté au meurtre de leur mère, puisque selon les éléments ils dormaient à ce moment-là, mais peut-être pour avoir vu l'assassin sur le lieu du crime le soir même, ou autre chose qui reste encore à déterminer.

À moins, bien sûr, que le mobile soit la vengeance. Une possibilité déjà évoquée à un stade antérieur de l'enquête. Dans ce cas, la vengeance se situerait par rapport aux parents. Or la mère est morte avant les enfants, ce qui fait que, la concernant, cette hypothèse n'a aucun sens. Quant au père, il ne s'est jamais intéressé à eux, ce qui n'a donc aucun sens non plus. Et si c'était Einar dont l'assassin voulait se venger ? Après tout, c'est lui qui a le plus à souffrir de ces meurtres barbares. Et attirer les soupçons de la police sur lui serait comme répandre du sel sur une plaie.

Sjöberg prend soudain conscience que c'est cette dernière hypothèse qu'il faut suivre. On n'égorge pas deux petits enfants avec une telle froideur si ce n'est par vengeance. Le crime a été exécuté sans excès de violence, sans trace d'emportement. Il est probable que l'assassin ne connaissait pas ses victimes et qu'il n'a pas agi sous l'effet de la colère. Il bouillait peut-être à l'intérieur, mais pas contre Catherine Larsson et ses enfants. Avec eux, il a juste fait ce qu'il avait à faire. S'il s'est livré à de tels actes, c'est contre la personne qui est le véritable objet de sa haine. En réalisant ce que doit traverser Einar, au cas où il serait encore vivant, Sjöberg est envahi de sueurs froides. Si Einar vit encore, il a sans doute été brutalisé et informé de ce qui est arrivé à Catherine et aux enfants. Sjöberg sent soudain l'angoisse monter en lui. Pressé de faire avancer l'enquête, il enfonce un peu plus l'accélérateur. Tout en conduisant, il compose d'une main le numéro de Sandén.

— C'est Conny. Vous avez trouvé quelque chose ?

— Pas vraiment. On n'a pas réussi à mettre la main sur son passeport, par exemple. Même s'il est censé en avoir un.

Sjöberg soupire.

— On a envoyé quelques paires de chaussures et d'autres trucs au labo, poursuit Sandén.

— Je sais. Bella m'a appelé.

— Et alors ?

— Ils ont trouvé les mêmes cheveux sur les deux pulls. Pareil pour ses empreintes digitales présentes aussi sur le lieu du crime.

— Et ses chaussures ? Du sang dessus ? interroge Sandén.

— Oui. Celui de Catherine Larsson. Tu as deux secondes, là ?

— Bien sûr. T'as parlé à l'ex-femme de Larsson ?

— Ça n'a rien donné. On peut définitivement la rayer de la liste. Elle est mourante. Ça fait trente ans qu'elle n'a pas été en contact avec Christer Larsson et n'a formulé aucun reproche contre lui. Au passage, le test de paternité confirme que c'est lui le père des deux enfants, donc pas la peine de faire plus de recherches de ce côté-là. Mais c'est pas de ça que je veux te parler.

— Je t'écoute.

— Je ne suis pas satisfait de la tournure que prend l'enquête. À mon avis, Einar est victime d'une sorte de complot. Toute cette histoire est une vengeance contre lui. Je le sens. Je refuse de le croire coupable.

— Qu'est-ce que t'as foutu de ton objectivité ?

— Je dis ça sérieusement. Il y a des choses dans cette affaire qui ne concordent pas, et je veux qu'on en discute.

— Vas-y, lâche-toi.

— Pourquoi Einar assassinerait une famille qu'il a pris tant de soin à aider sur tous les plans ?

— Je peux imaginer plusieurs raisons, réplique Sandén. Déception, vengeance, jalousie. Elle avait peut-être rencontré quelqu'un d'autre. Ou rompu avec lui. En tout cas, d'une manière ou d'une autre, abusé de sa confiance. Et de son argent. N'oublie pas qu'il a misé deux millions de couronnes sur cette femme, en parlant grossièrement. Si elle l'a trahi d'une façon ou d'une autre, il est normal que ça l'ait mis en furie.

— Mais la façon de tuer est tellement froide, quasi clinique, proteste Sjöberg. Si le mobile était de ceux que tu viens d'énumérer, ça se verrait. Il y aurait des traces de rage, de violence incontrôlée.

— Il ne ressentait peut-être plus rien pour elle.

— Alors, pourquoi l'assassiner ?

— Peut-être pour des raisons financières.

— De toute façon, il ne récupérera jamais cet argent. Arrête de finasser, Jens.

— Je me contente juste de rester objectif, répond Sandén, sans ironie cette fois.

— Et pourquoi tuer les petits ?

— Parce que, sinon, ils l'auraient dénoncé.

— Tu peux t'imaginer Einar en train de décapiter deux enfants ?

— Globalement, j'ai du mal à me figurer Einar faisant quoi que ce soit. Et le fait est que je n'arrive pas à imaginer qui que ce soit sur cette terre en train de trancher la gorge de deux mômes. Et pourtant, ça arrive tout le temps.

— Comment Einar a pu remettre ses chaussures ensanglantées dans sa propre penderie ? insiste Sjöberg. Il n'est pas con, quand même. Tu crois qu'il cherche à orienter les soupçons sur lui-même ?

— On a déjà vu des cas similaires.

À contrecœur, Sjöberg doit lui donner raison sur ce point.

— Mais puisqu'il a assassiné les témoins, poursuit Sandén, rien ne dit qu'on aurait découvert le lien entre lui et Catherine Larsson.

— Si. On l'aurait fait, affirme Sjöberg avec conviction. Même si le pull de l'entrée n'avait pas aussitôt éveillé des soupçons chez Jamal, on aurait forcément fait le lien entre les deux pulls à un moment ou à un autre. En plus, le personnel de la crèche le connaissait.

— S'il vit à l'étranger, personne ne viendra le dénoncer.

Sjöberg lâche un soupir de découragement. Il change de vitesse et quitte la nationale pour aborder les quatre derniers kilomètres qui mènent à la clinique de Solberga.

— Jens, tu te fais juste l'avocat du diable, ou tu ne crois pas du tout à mon hypothèse ?

— Je considère que les preuves parlent d'elles-mêmes. Si on trouve chez Einar des chaussures à lui avec du sang, c'est qu'il les a posées là.

— On est vraiment sûrs qu'elles appartiennent à Einar ? demande Sjöberg en gardant espoir.

— Oui, on a trouvé le ticket de caisse.

— Il serait très facile de les lui avoir subtilisées pour les porter le temps des meurtres et, ensuite, de les avoir reposées chez lui.

— Dans un polar d'Agatha Christie, oui, le coupe Sandén d'une voix sèche. Mais dans la vraie vie, ça ne se passe pas comme ça. Les tueurs agissent dans la précipitation, en plein stress et, surtout, très souvent, ils sont ivres ou drogués.

— Pas celui dont on parle, Jens ! Et c'est là que je veux en venir. Notre tueur est froid et méticuleux.

Les meurtres ont été exécutés de façon clinique, sans la moindre négligence.

— Bon. En tout cas, maintenant, je sais ce que tu penses.

Sjöberg a le sentiment désagréable qu'il n'y a pas que Sandén qui ne partage pas son opinion. Il est sans doute le seul à espérer encore qu'Einar soit innocent. Heureusement, c'est lui qui décide, et il compte bien en tirer parti.

*

Pontus Örstedt ne figure pas dans l'annuaire, mais le service de l'état civil a rapidement fourni ses coordonnées à Jamal. Il n'est pas encore 10 heures quand celui-ci sonne à la porte de l'appartement qu'il habite rue Surbrunnsgatan, dans le quartier de Vasastan. L'homme est manifestement sur ses gardes : il ne laisse pas entrer Jamal avant que ce dernier lui ait montré sa carte de police à travers le judas.

L'occupant des lieux a quelques années de moins que lui. Il le reçoit en slip et arbore un corps musclé. Il a les cheveux en bataille.

— Couche-tard ? suggère Jamal.

— Connard de flic, rétorque Örstedt. C'est quoi, cette histoire ?

— Ton site, amator6.nu. Je voudrais que tu en vires une ou deux saloperies qui déplaisent à certaines personnes.

Pontus Örstedt se passe la main dans les cheveux et éclate de rire.

— Ah, je vois. Je te promets qu'il y a beaucoup de monde qui s'éclate avec cette page.

— C'est possible. Mais peut-être pas spécialement les personnes qu'on voit dessus.

— Tu as remarqué le nom du site. Il indique qu'il s'agit d'amateurs. Des amateurs *heureux,* qui m'ont envoyé les films de leur plein gré, et qui souhaitent par-dessus tout se montrer.

— J'en connais au moins deux dont c'est pas le cas. Et je veux que tu les enlèves de là.

— Sinon ?

— Sinon, je ferai en sorte que tu aies des problèmes, répond Jamal. De gros problèmes.

— Au secours, j'ai peur ! ricane Örstedt. Tu me menaces ?

— Non, je m'en tiens aux faits.

— Et pour quelle charge tu as l'intention de me faire tomber ?

— Proxénétisme.

Le regard d'Örstedt s'assombrit, ce que Jamal considère plutôt comme un bon signe.

— Montre-moi le site, ordonne Jamal.

Örstedt referme la porte derrière eux et part vers la cuisine, le policier sur ses talons. L'ordinateur se trouve sur la table.

Jamal regarde autour de lui et constate que l'aménagement de l'appartement ne correspond pas à l'image du jeune homme en question.

— Sous-location ? lance-t-il. Jolis rideaux en dentelle !

Örstedt ne relève pas. La page d'accueil du site apparaît sur l'écran.

— Lesquels tu cherches ? demande-t-il d'un ton maussade.

— *Lucy in the Sky* et *Bad Cop, Good Cop.*

— Oh putain… C'est Jenny qui t'envoie ?

Örstedt redevient plus guilleret. Jamal laisse échapper un souffle de mépris.

— Ça ne te regarde pas. Tu l'as eu comment, le film *Bad Cop, Good Cop* ?

— Quelqu'un me l'a filé. Un inconnu. *Lucy*, c'est moi qui l'ai mis en ligne. Et ne me dis pas qu'elle n'aime pas ce qu'elle fait.

Il sourit à nouveau.

— Elle ne comprend pas ce qu'elle fait. Tu le sais aussi bien que moi. Tu en as d'autres d'elle ?

— Non.

— Alors retire-le. Si je tombe encore une fois sur des images comme ça de Jenny, je reviens te voir aussitôt. Et cette fois pas tout seul.

Örstedt s'exécute.

— Retire l'autre film aussi, poursuit Jamal. Et tu vas me trouver qui te l'a envoyé. C'est toi qui lui as donné ce titre ?

— Je crois pas. Comment je pouvais savoir que c'était une vraie flic ? On peut pas dire qu'on la voie beaucoup en uniforme.

Il part d'un rire moqueur. Jamal a envie de lui balancer un coup sur la nuque, mais se retient. Après quelques recherches dans la liste des messages reçus, Örstedt finit par retrouver le courriel en question et son fichier joint.

— Voilà, tu l'as, dit-il.

C'est en effet l'expéditeur qui a nommé le film *Bad Cop, Good Cop*.

Le bref message qui l'accompagne indique que ce couple à l'image souhaite offrir à la curiosité des spectateurs quelques bons moments en provenance de leur chambre à coucher. Jamal note la date et l'heure de l'envoi. Quant au nom de l'expéditeur, il n'aura aucun mal à s'en souvenir.

— Efface-moi ce mail et vide la corbeille, ordonne-t-il. Dans Outlook comme sur le bureau.

— Je crois que je commence à comprendre, ricane Örstedt pendant qu'il s'exécute docilement.

Jamal résiste à sa pulsion et quitte l'appartement sans avoir touché à un seul cheveu d'Örstedt.

JEUDI APRÈS-MIDI

Après avoir ingurgité un insipide plat de boulettes de viande avec une purée de pommes de terre dans un restaurant d'autoroute, tout en feuilletant distraitement un magazine, Sjöberg reprend le volant. Alors qu'il est presque arrivé à la clinique de Solberga, il s'engage sur une longue allée bordée d'arbres qui mène au manoir, une imposante bâtisse aux murs jaunes ornés de volutes blanches dans les angles et flanquée de deux ailes. L'ensemble est entouré de champs. Il imagine que le lac indiqué dans la brochure est situé à l'arrière de la demeure.

Il se gare sur le bas-côté et coupe le moteur. Avant de rejoindre la clinique, il souhaite faire le point avec Jamal. Il sort son téléphone portable et compose le numéro.

— Jamal à l'appareil.

— Tu as répondu avant que ça sonne.

— J'avais mis mon téléphone sur vibreur. Comment ça se passe ?

Sjöberg lui fait un rapide compte rendu de sa rencontre presque sans intérêt avec Ingegärd Rydin.

— Donc, elle, on peut l'oublier. Là, je viens d'arriver à la clinique de Solberga pour parler avec la femme d'Einar. Et toi, tu avances ?

— Une chose est sûre, Einar Eriksson n'a pas quitté le pays par avion. Ni réservé de billet de bateau ou de train à son nom. Donc, soit il l'a acheté directement sur place, soit il a utilisé la voiture, soit il a changé d'identité.

— Je te rappelle que notre hypothèse est qu'il se trouve dans le pays et qu'il est encore en vie, lui fait remarquer Sjöberg.

Jamal marmonne une réponse incompréhensible.

— Tu as des doutes sur la question ?

— Sachant que son passeport a disparu, je pense qu'il est parti pour l'étranger. Il est aussi possible qu'il se cache quelque part en Suède, mais ça serait à moitié cinglé de sa part. On finirait forcément par le prendre. Et le fait est qu'on retrouve ses empreintes partout. En plus du sang sur ses chaussures…

— Tu as parlé avec Sandén ?

— Oui.

Sjöberg sent pointer un certain agacement. Mais il le masque et essaie d'exposer son raisonnement à Jamal de façon objective.

— Je peux comprendre ce que tu dis, réplique Jamal, mais d'après mon expérience, les faits correspondent le plus souvent à ce qu'on en voit.

Ce commentaire dissuade Sjöberg de vouloir convaincre ses collègues. Il décide d'accepter leur scepticisme. De toute façon, c'est lui qui est en charge de l'enquête, ils devront bien suivre ses ordres. Il change donc de sujet.

— Et l'ordinateur ?

— Jusqu'ici rien d'intéressant. Mais j'ai pas encore fini.

— Je voudrais aussi que tu jettes un œil aux documents qui se trouvent sur le bureau d'Einar. Même chose pour ceux qui sont sur les étagères.

Vérifie les enquêtes sur lesquelles il bosse et celles qui sont classées. Cherche surtout à voir s'il y a quelqu'un qui aurait une raison de vouloir se venger de lui.

Jamal lâche un long soupir. Sjöberg fait comme si de rien n'était.

— D'accord ?

— D'accord. Et pour les interrogatoires prévus, je fais quoi ?

— Tu t'en occuperas une fois réglée cette histoire de papiers. Ce sera moins long que ça en a l'air. Bon courage.

— De même.

*

Sjöberg redémarre. Il se gare dans le parking situé devant l'une des ailes de l'imposant manoir, et se dirige ensuite vers l'entrée au gravier soigneusement ratissé. Sur les plates-bandes bien entretenues qui longent la façade, la neige a fondu, et il remarque la présence des premières perce-neige, signe annonciateur d'un temps plus clément. Pour les crocus qui se mêleront à elles, il est trop tôt. Ils viennent tout juste d'éclore et avec ce sol encore bien dur, leurs feuilles tendres hésitent à croire que le printemps est bien là.

Sjöberg monte l'escalier et sonne à l'interphone. Faute de réponse, il ouvre la porte et entre.

Le hall de la réception est tout ce qu'il y a d'ordinaire. Une femme âgée, vêtue d'une blouse blanche, se tient assise derrière le guichet d'accueil et sa vitre en Plexiglas. Ses lunettes sont suspendues à son cou. Elle lui sourit au moment où il s'approche.

— Bonjour, dit Sjöberg. Je viens voir Solveig Eriksson.

— Ah, oui ? répond-elle d'une voix plutôt étonnée. C'est la chambre 230. Montez jusqu'au deuxième étage. Sa chambre se trouve au fond à gauche du couloir de droite en sortant de l'ascenseur.

Sjöberg la remercie et se dirige vers l'ascenseur. En montant, il se dit qu'il aurait dû apporter quelque chose, des fleurs ou une boîte de chocolats. Mais après tout, il est venu pour le travail. D'ailleurs, il ne connaît pas les goûts de Solveig Eriksson, ni ses éventuelles allergies.

Le couloir, peint en blanc, se termine par une unique fenêtre. Des reproductions de tableaux célèbres ornent l'espace entre les portes des chambres et de grands ficus en pots sont posés çà et là. Sjöberg frotte une feuille entre ses doigts et constate qu'elle est en plastique. Aucune plante vivante ne pourrait survivre avec si peu de lumière. Il continue son chemin jusqu'à la dernière porte sur la gauche et frappe. Dans un premier temps, doucement et avec précaution. Mais comme il n'obtient pas de réponse, il recommence un peu plus fort. Toujours rien, tant et si bien qu'il baisse la poignée et entrouvre la porte.

Il a l'impression d'être dans un film : une femme assise de dos dans un fauteuil, face à la fenêtre, une couverture posée sur les genoux. Les bras calés sur les accoudoirs, elle ne bouge pas, pendant que lui pénètre dans cette chambre lumineuse qui, à son grand étonnement, est meublée avec des affaires personnelles. Elle est située à l'angle du bâtiment et bénéficie ainsi de deux fenêtres dont les rebords sont ornés de plantes, dans des pots aux formes variées. De vrais tableaux sont suspendus aux murs, sans doute pas d'une grande valeur, mais authentiques. Adossé au mur du couloir, le lit est soigneusement fait et recouvert d'un dessus en patchwork. Sur la table de chevet, il découvre la même photo de mariage que celle vue chez Einar, dans un joli cadre ancien en argent. De l'autre côté se trouve une commode d'époque, avec d'autres photos encadrées représentant le jeune couple Eriksson dans différentes situations. Au milieu de la pièce trône un petit ensemble canapé et fauteuils d'un gracieux style rococo. La table attenante est ornée d'une nappe en dentelle et d'un bégonia. La seule chose qui frappe Sjöberg est l'absence de livres et de poste de télévision. Comment peut-elle avoir passé tant d'années dans ce lieu sans lire ?

Il s'avance vers la fenêtre à pas lourds, afin qu'elle remarque sa présence, ou tout au moins la sente par les vibrations dans le sol. Mais elle ne bouge toujours pas.

— Bonjour, Solveig, tente Sjöberg, qui voit alors son visage.

Son regard vide est dirigé vers la cour. Elle ne répond pas à son salut. Il pose une main sur son épaule pour bien marquer sa présence.

— Je m'appelle Conny Sjöberg. Je suis un collègue de votre mari.

Pas de réaction.

— Einar, poursuit Sjöberg. Nous travaillons tous les deux dans la police.

Elle ne manifeste pas la moindre expression qui puisse signifier qu'elle l'ait entendu ou compris. Impossible de retrouver la belle jeune femme de la photo du mariage dans la créature voûtée et maigre qui se trouve devant lui. Les cheveux sont blancs et coupés court. Quant à ses yeux, ils ne possèdent aucune lueur de vie. Sjöberg se demande ce qui a pu lui arriver. Est-elle dans cet état depuis le milieu des années 1970 ? Un frisson le parcourt quand il pense au mal qu'Einar s'est donné durant toutes ces années, chaque samedi. Que faisait-il ? Lui parlait-il ? S'asseyait-il avec elle dans le canapé en l'entourant de son bras pour lui raconter sa semaine ?

Tout à coup, Sjöberg prend conscience à quel point Einar doit être une bonne personne. Un homme loyal. Quelqu'un qui s'est réellement engagé quand il a prononcé les paroles « pour le meilleur et pour le pire ». Il n'avait pas acheté cette maison pour y habiter seul. Bien sûr qu'il souhaitait que Solveig se rétablisse et revienne y vivre avec lui. Personne ne peut lui reprocher d'avoir engagé une histoire avec une autre femme. Lui-même aurait laissé tomber depuis longtemps. Mais Einar n'a jamais abandonné cette femme épousée jadis, même après sa rencontre avec Catherine Larsson. Sjöberg saisit la main de Mme Eriksson.

— Solveig. Indiquez-moi si vous m'entendez. Il suffit de bouger les doigts. Je suis un ami d'Einar, Solveig.

Les doigts mous dans sa main ne bougent pas. Son regard reste fixé sur un point au-delà de la fenêtre.

— Vous pensez qu'Einar serait capable de tuer quelqu'un, Solveig ? De tuer deux petits enfants ?

Elle ne réagit toujours pas. Si elle avait enregistré ce qu'il vient de dire, ne se montrerait-elle pas curieuse ? Il se demande comment elle réagirait s'il lui donnait une gifle. Il écarte vite cette idée et choisit d'adopter une attitude menaçante. La carotte et le bâton. Une méthode qui marche bien sur les enfants. Mais dans ce cas précis, il doute de son efficacité. Il retire sa main. Celle de Solveig retombe sur la couverture posée sur ses genoux.

— Solveig. Einar a disparu. Si vous ne m'aidez pas, il ne reviendra peut-être jamais vous voir.

Solveig Eriksson continue de regarder dans le vide. Sjöberg décide d'abandonner et quitte la chambre.

De retour dans le hall, il ne voit plus la personne de l'accueil. Il frappe sur la vitre. Un homme d'une trentaine d'années sort d'une pièce voisine et vient à lui.

— Je voudrais parler à quelqu'un qui connaît Solveig Eriksson.

— On la connaît tous, sourit l'infirmier.

— De préférence quelqu'un qui travaillait ici quand elle est arrivée. L'employée la plus ancienne de Solberga.

— Dans ce cas… Ça doit être Ann-Britt. Je vais l'appeler. C'est de la part de qui ?

— Conny Sjöberg. Inspecteur principal aux affaires criminelles de la police de Stockholm.

Étonné, l'infirmier hausse un sourcil avant de prendre le combiné.

Au bout de quelques tentatives, il parvient enfin à la joindre. Il propose alors à Sjöberg de s'asseoir pour l'attendre.

— Elle est occupée avec une patiente. Elle arrive dès qu'elle a fini.

Sjöberg s'installe dans un petit fauteuil dur et inconfortable. D'un air désabusé, il se met à feuilleter un magazine de décoration. Dix minutes plus tard, l'homme de l'accueil revient avec un verre de jus d'orange qu'il dépose sur la table devant lui.

— C'est plus long que prévu. Je suis désolé. Ann-Britt m'a dit qu'elle arrivait dès que possible.

Sjöberg lui adresse un sourire de reconnaissance. En repartant, l'infirmier laisse flotter une odeur de savon derrière lui. Brusquement, Sjöberg fait l'association avec Margit. Des attentions inattendues. Charmante. Désirable. Le doux claquement de ses sandales. Mais soudain, sans qu'il sache comment, il a l'impression de se trouver sur une table d'opération. Margit est penchée sur lui, le regard inquisiteur, le bas du visage masqué par une protection. Il est à sa merci. Elle porte des gants et tient un instrument en inox. Clinique. Menaçante.

L'image est si surprenante et écrasante qu'il en tremble encore au moment où il tente d'attraper le verre. Terrifié, il sent combien son inconscient met tout en œuvre pour anéantir cette... affaire. Pour détruire cette femme.

Vingt minutes et deux revues de décoration plus tard, Ann-Britt Berg apparaît enfin. Il la reconnaît. C'est la femme qui l'a accueilli tout à l'heure. Elle semble avoir une soixantaine d'années. Il se peut bien qu'elle ait commencé à travailler ici avant même l'arrivée de Solveig Eriksson.

— Ann-Britt Berg, dit-elle en lui tendant la main. Désolée de vous avoir fait attendre. J'ai dû aider une collègue à doucher l'un de nos résidents. Il est un peu difficile et il faut être deux.

Sjöberg la salue et se présente.

— C'est la première fois que je vous vois. Vous êtes de la famille ?

— Non, ma visite est professionnelle. Je souhaite parler à quelqu'un qui connaît Solveig depuis longtemps. Si je ne me trompe pas, ça fait un moment que vous êtes là. Peut-être même depuis son hospitalisation ?

— Ici, le terme est inapproprié, sourit l'infirmière. Solberga est une résidence. Solveig n'est pas tenue de rester alitée. Mais à part ça, vous avez raison. Je travaille ici depuis 1977, ça fait presque trente-six ans.

— De quoi souffre-t-elle ?

— Malheureusement je ne peux pas répondre à cette question. C'est confidentiel.

— Alors, disons-le autrement, tente Sjöberg. Je lui ai rendu visite et je crois deviner ce qui ne va pas. Elle est manifestement dans un état d'apathie, ce qui me pousse à dire qu'elle souffre d'un stress post-traumatique ou de quelque chose dans le genre. Est-ce qu'elle était déjà dans cet état à son arrivée ?

— Je suis vraiment désolée. Nous n'avons pas le droit de discuter de nos résidents avec d'autres personnes que leurs proches. Si j'en dis davantage, je risque d'en subir les conséquences. On peut même porter plainte contre moi.

Sjöberg prend sa mine d'inspecteur la plus sérieuse pour répliquer d'un ton amical et ferme :

— Il se trouve que son seul proche, son mari, Einar, a disparu depuis cinq jours. Je suis chargé de l'enquête et je suis persuadé que c'est dans l'intérêt de Solveig que nous le retrouvions. Certaines réponses me sont donc indispensables.

— Mais Solveig est incapable de vous dire quoi que ce soit. Elle ne parle à personne, même pas à Einar. Pourtant, il passe chaque samedi à ses côtés.

— C'est bien pour ça que j'essaie avec vous. Il vous suffira de répondre à mes questions par des signes de tête. Comme ça, on ne pourra pas vous accuser d'avoir trop parlé.

Elle ne répond pas et se contente de le regarder d'un air soucieux.

— Était-elle dans cet état à son arrivée ? reprend Sjöberg.

Ann-Britt Berg lance des regards inquiets autour d'elle avant de prudemment acquiescer. Sjöberg se sent soulagé. Après avoir, dans une même journée, interrogé trois personnes qui sont restées muettes (dont sa mère), voilà que la quatrième se décide peut-être à se montrer sensée. Il jette un œil vers le guichet de l'accueil, pour constater que la porte attenante est fermée et que personne ne peut les entendre.

— C'est la raison pour laquelle elle a été placée à Solberga ? poursuit-il.

L'infirmière lui fait de nouveau signe que oui.

— Elle ne souffre pas d'un autre type d'affection qui justifie son séjour ici ?

Elle secoue négativement la tête, un peu plus détendue à présent.

— Sa condition a-t-elle changé depuis toutes ces années ?

Non, elle n'a pas changé.

— Physiquement, est-elle en forme ? Peut-elle marcher ?

Oui.

— Côté hygiène, est-elle autonome ?

Après un moment de réflexion, qui semble plutôt tenir à son souhait de manifester son respect pour la personne plutôt qu'à la rigueur du secret médical, elle envoie un signal négatif.

— Peut-elle manger toute seule ?

Non.

— S'agit-il d'un stress post-traumatique ?

Elle hausse les épaules et lance encore un regard méfiant autour d'elle avant de répondre :

— Probablement. C'est le genre de cas difficile à diagnostiquer. Certains médecins parlent de mutisme généralisé.

— Et ça s'attrape comment ? C'est contagieux ? demande Sjöberg sur le ton de la plaisanterie pour détendre l'atmosphère.

Ann-Britt Berg lui adresse en retour un sourire de reconnaissance.

— Bien sûr que non, cela tient probablement au surmenage. Quand on a été exposé à un traumatisme, ou quand on se sent malheureux, il arrive parfois qu'on décide de s'isoler du monde.

— C'est donc un choix ?

— On peut dire ça, oui. Mais ça tient surtout au fait qu'on n'a plus la force d'affronter l'existence.

— Une sorte d'issue autre que le suicide ?

— C'est peut-être aller un peu loin. Je n'ai pas fait d'études de psychologie. Je suis infirmière. Pour discuter de ces choses, il vaut mieux vous adresser à un médecin ou à un psychologue.

— Et dans le cas de Solveig ?

— Je ne comprends pas la question.

— Quelle serait la raison de son stress post-traumatique ?

— La vérité, c'est que je n'en sais rien. Je crois que j'ai posé la question à Einar il y a longtemps, mais il ne m'a jamais répondu. Sans doute que certains ici étaient au courant, mais moi, à l'époque, je n'étais qu'une gamine et je me tenais à l'écart. Par contre je me souviens que c'était un peu un sujet tabou.

— Il est comment, Einar ? Vous le connaissez ?

— Bien sûr que je le connais ! Il est discret. Très gentil. Et adorable avec Solveig. Il est toujours là pour elle. Il sort avec elle faire de grandes balades. D'abord, il la laisse marcher pour qu'elle fasse un peu d'exercice, et ensuite, il la pousse dans sa chaise roulante. Souvent, je l'entends parler avec elle dans sa chambre. Elle ne lui répond jamais. Elle ne lui adresse même pas un regard. Malgré tout il reste présent, année après année.

— Qu'est-ce que vous savez de lui ? Là, au moins, vous ne pourrez pas invoquer le secret médical, ajoute-t-il avec un clin d'œil taquin.

— Mais si, ça concerne aussi la famille, répond-elle. Honnêtement, je ne sais pas grand-chose de lui. Je sais qu'il est de la police, qu'il a continué d'habiter Arboga les deux premières années, pour ensuite déménager à Stockholm. Il a peut-être réalisé que l'état de Solveig n'allait pas s'améliorer, et il a décidé de prendre un nouveau départ. Je veux dire d'un point de vue professionnel.

— Pas de nouvelle femme ?

— Je n'en sais rien. Il n'est pas très bavard, vous savez. Mais ces dernières années, je l'ai trouvé un peu plus gai.

— Vraiment ?

Sjöberg ne l'avait pas remarqué. Il faut dire qu'au commissariat, la réputation de bougon que traîne Einar est solidement établie. Et comme on le considère en permanence sous cet angle, il fait en sorte que les choses demeurent ainsi.

— Je dois quand même avouer qu'une fois, par hasard, je l'ai entendu parler de choses comme ça à Solveig, avoue-t-elle, un peu embarrassée. Il s'exprimait avec enthousiasme, lui racontant qu'il connaissait une femme et ses deux jeunes enfants, qu'il s'occupait d'eux quand elle travaillait, qu'il allait les chercher à la crèche et qu'il jouait avec eux. Il disait qu'ils étaient tous merveilleux et j'ai senti qu'il y avait là plus que de l'amitié. En même temps, il m'a semblé un peu curieux qu'il décrive avec lyrisme sa nouvelle famille à sa femme. Même si elle ne s'est

175

jamais intéressée à ce qu'il raconte. J'ai sûrement dû mal interpréter.

Sjöberg réfléchit à ce qu'il vient d'entendre. Peut-être que, pour Einar, sa femme est restée sa confidente, comme elle l'a toujours été. Einar Eriksson, cet être taciturne qui confie ses soucis et ses joies du quotidien à la femme qui, il y a longtemps, a choisi de les partager avec lui. A-t-il pensé qu'elle l'entendait ? Ou lui a-t-il tout dit parce qu'il savait que jamais elle n'abuserait de sa confiance ? A-t-il seulement voulu combler le silence avec ses paroles et mettre en mots des pensées ou des sentiments que jamais sinon il n'aurait su exprimer ? Ou bien, a-t-il considéré qu'une telle information pourrait la faire réagir ? A-t-il cru provoquer une réaction, qu'elle soit positive ou négative ? Peut-être a-t-il voulu la blesser, ou tout simplement la sortir de sa torpeur ?

— Reçoit-elle d'autres visites ? demande Sjöberg.

— Non. Jamais. Avant, ses parents venaient, mais ils sont morts tous les deux depuis des années. Désormais, Einar est le seul à lui rendre visite. Vous avez une idée de ce qui a pu lui arriver ?

— Pas du tout, ment Sjöberg.

Il ne voit aucune raison de dispenser une mauvaise image d'Einar auprès du personnel de Solberga. Il se contente de leur signaler sa disparition.

— Donc, samedi soir dernier, il a quitté Solberga vers 21 heures ? demande-t-il à la place.

— Exact. Il arrive vers 9 heures et repart vers 21 heures. Tous les samedis.

— Est-ce que, parfois, il apporte quelque chose à Solveig ?

— Oui, ça arrive. Des choses qui peuvent lui être utiles. Comme de nouveaux vêtements, par exemple.

— Et samedi dernier ?

— Rien ce jour-là. C'est moi qui l'ai accueilli.

— Pas de cadeau d'adieu, donc. Rien qui indique qu'il ait eu l'intention de partir, réfléchit Sjöberg à voix haute.

Ann-Britt secoue la tête, l'air soucieux. Sjöberg change de sujet.

— Elle ne lit rien ? Je n'ai vu ni livres, ni journaux dans sa chambre. Et pas de télévision.

— Non. Solveig ne s'intéresse pas au monde qui l'entoure. Il y a la télévision dans la salle commune, et parfois nous l'y emmenons. Mais elle ne regarde jamais l'écran. Elle a toujours le regard fixé ailleurs. Elle ne s'intéresse pas non plus aux autres résidents, ni au personnel, d'ailleurs. Elle vit isolée de tout et de tous.

— Ça ressemble à une vraie torture. Est-ce qu'elle s'est déjà blessée physiquement ? Est-ce qu'elle a tenté de se suicider ?

— Non, jamais. Globalement, elle manifeste peu son côté humain, si je puis dire. En général, ceux qui se font du mal veulent se rappeler qu'ils sont en vie. J'ai l'impression que Solveig… ne veut peut-être pas s'en souvenir.

— Et pourtant elle se maintient en vie, prisonnière de son propre corps, ajoute Sjöberg. Tout en se refusant le moindre plaisir. Elle pense peut-être qu'elle ne mérite pas de mourir.

Ann-Britt Berg ouvre ses paumes comme pour indiquer qu'elle est incapable d'ajouter quoi que ce soit à cela. Sjöberg n'a plus de questions et se lève du petit fauteuil inconfortable.

— Merci pour cette conversation, conclut-il en tendant la main vers l'infirmière.

Elle le salue avec un air légèrement honteux, comme si elle regrettait d'avoir trahi le secret médical, ou estimait n'avoir rien dit d'utile.

Il la laisse retourner à ses occupations, puis entend le bruit sourd de la lourde porte du manoir qui se referme et laisse derrière lui Solberga et Solveig Eriksson.

*

De temps en temps, il perçoit les effluves nauséabonds qui émanent de la créature misérable qu'il est devenu. Son odorat a fini par s'habituer. Depuis cinq jours de captivité, il vit pieds et mains liés, allongé sur le sol de cette cabane à outils, le pantalon trempé et souillé, dans un espace encore plus réduit que la superficie de l'abri, puisque limité à la longueur de la corde qui le maintient attaché au mur.

Il n'y a pas une seule bribe de son corps qui ne le fasse souffrir en raison des positions intenables, du froid, du manque d'hygiène, de la soif et de la faim. Le peu d'eau qu'il a réussi à laper dans l'écuelle pratiquement inaccessible n'a pas suffi à le désaltérer bien longtemps, et les quelques miettes éparpillées sur le sol qu'il est parvenu à avaler sont loin de lui avoir rempli l'estomac. Les deux premiers jours, il a réussi à ne pas faire ses besoins. Mais le troisième, il a attrapé la diarrhée. Désormais, il ne parvient pas à se contrôler et n'essaie même plus.

Quand on l'a jeté dans la remise et qu'il gisait au sol, inconscient, il a perdu deux dents par suite des coups de pied qu'on lui a balancés. L'un de ses yeux ne s'ouvre plus, la paupière est collée par le sang qui a coulé de sa blessure au front. Il a deux doigts cassés et sans doute aussi plusieurs côtes. Pourtant, c'est le froid mordant qui lui cause le plus de souffrances. Son corps tremble en permanence, même s'il essaie de se détendre pour économiser son énergie.

Cela fait longtemps qu'il a abandonné l'espoir qu'un passant puisse l'entendre, ou comprendre d'une autre manière qu'il se passe quelque chose d'étrange dans cette cabane. Son ultime chance, si mince soit-elle, tient aux cordes qui lui enserrent les poignets. S'il peut distendre suffisamment le lien, il parviendra à libérer ses mains. Il se remet donc à le triturer, malgré la douleur que lui infligent de tels mouvements. Il tire dessus en tous sens, dix fois, vingt fois… *Vingt minutes plus tard, il n'est toujours pas revenu à la voiture. Elle se demande où il a bien pu passer, ne comprend pas comment cela peut être si long chez le cordonnier. Peut-être qu'il y a beaucoup de monde, ou qu'il a rencontré quelqu'un qu'il connaît et que, par politesse, il s'est senti obligé d'engager la conversation.*

En réalité, il n'y avait que deux clients dans la boutique, lui et une femme enceinte d'une trentaine d'années. Soudain, elle s'est évanouie. Il s'est alors accroupi auprès d'elle et lui a tenu la tête entre ses mains tout en donnant des instructions au cordonnier. Il lui a d'abord demandé d'appeler une ambulance, puis l'a envoyé chercher une carafe d'eau. Le voilà maintenant qui tapote le visage de la jeune femme et tente du mieux possible de nettoyer la blessure qu'elle s'est faite à l'arrière du crâne. Il lui parle doucement pour la calmer et essaie en même temps de rassurer le cordonnier qui a l'air à moitié hystérique, tout en l'exhortant à maintenir hors de la boutique les curieux qui passent par là.

Sur le siège arrière, les garçons deviennent insupportables. Le soleil de mai tape fort et fait monter la chaleur à l'intérieur de l'habitacle. Elle leur propose un jeu de questions qui les occupe quelques minutes, jusqu'à ce que Tobias n'arrive plus à se concentrer.

Elle leur raconte alors une histoire, qu'ils trouvent très vite ennuyeuse. C'est alors qu'elle aperçoit un kiosque à bonbons à une centaine de mètres, là où la rivière fait un coude. Elle se dit qu'on est samedi, et qu'elle peut bien en profiter pour gâter les petits en leur offrant des sucreries pour les aider à patienter.

— Je sais ce qu'on va faire ! clame-t-elle en se tournant vers eux. On va aller au kiosque là-bas pour acheter des glaces.

— Oui ! Bonne idée ! crient les garçons en chœur.

— Mais moi je préfère une sucette, dit Andreas.

Elle accueille sa suggestion avec joie. Les sucettes feront beaucoup moins de saletés sur les sièges que les glaces. Et elle n'ose laisser ces deux petits démons sortir de la voiture si près de l'eau.

— Moi aussi, une sucette, décide Tobias. Et je peux conduire jusque là-bas ? C'est pas loin.

— Hors de question. Mais d'accord pour une sucette chacun.

— Mais toi, tu sais conduire ? lui demande Tobias d'un ton dubitatif.

— Eh oui, mon petit bonhomme. Je suis même celle de la famille qui conduit le mieux. Mais ne le répétez pas ! ajoute-t-elle en posant un doigt sur ses lèvres.

Les garçons se regardent et commencent à pouffer de rire. Elle ignore s'ils sont contents de la confidence qu'elle vient de leur faire ou s'ils pensent qu'elle raconte n'importe quoi. Toujours est-il qu'ils se calment et l'observent avec des grands yeux, tandis qu'elle passe d'un siège à l'autre pour s'installer au volant. Elle met le contact et desserre le frein à main. Les garçons contrôlent du regard chacun de ses gestes. Elle en ressent un certain malaise, mais décide d'en faire abstraction. Elle roule jusqu'au kiosque, avant de réaliser une marche arrière pour se garer dans la pente située à côté, le capot pointé vers le haut. Puis, elle serre le frein à main.

— C'est vrai que tu sais conduire ! hurle Tobias, impressionné.

Son regard croise celui de la conductrice dans le rétroviseur. Ses yeux verts brillent d'enthousiasme sur son petit visage couvert de taches de rousseur.

— On peut venir avec toi pour choisir ? demande Andreas.

— Non. Vous restez ici. Qu'est-ce qui vous ferait plaisir ?

Elle se tourne vers les garçons.

— Je veux une grande sucette, répond Andreas.

— Et moi, une rouge, enchaîne Tobias.

— Une grande et une rouge, répète-t-elle. Andreas, tu veux un parfum en particulier ?

— N'importe, sauf à la réglisse.

— Moi, je la veux rouge, mais grande aussi, précise Tobias. Mais s'il n'y en a pas, une petite, ça va aussi.

— Du moment qu'elle est rouge, rit-elle. Je crois que j'ai compris.

Sous un soleil printanier, elle ouvre la portière et sort. Un petit vent frais et agréable souffle de la rivière, et elle hume le parfum délicat d'un merisier situé de l'autre côté de la route.

— Soyez sages, les garçons. Ne vous entre-tuez pas. Sinon, pas de sucettes.

Par la fenêtre de la portière, elle leur adresse un clin d'œil et un sourire.

*

Johan Bråsjö vient d'avoir dix ans et sa première carte d'autobus.

Depuis le mois de janvier, il a le droit d'aller seul à l'école. Chaque matin, ses parents accompagnent encore à tour de rôle sa petite sœur Sanna, élève de cours préparatoire. Mais lui peut maintenant passer chercher en vitesse son meilleur copain Max, qui habite l'immeuble d'à côté. Sur le chemin de l'école, tous deux profitent de ce nouveau privilège acquis pour explorer les rues de la ville en toute liberté. Après coup, sa mère lui a avoué les avoir quelquefois suivis au début, pour s'assurer qu'ils traversaient bien en respectant les passages cloutés.

À force d'insister et de souligner son comportement exemplaire dans la rue, il a également imposé l'idée de se rendre seul à son cours de guitare. Tous les mardis après-midi, son instrument sanglé sur l'épaule et accompagné de son copain de classe Ivan, il prend désormais le bus numéro 4 à la station de Skanstull, présente sa carte d'autobus tant convoitée et traverse la ville pour se rendre à l'école de Gärde dans le quartier d'Östermalm, où le cours a lieu.

Même si aujourd'hui c'est jeudi, les deux garçons se trouvent quand même dans un bus. Johan a obtenu la permission de passer chez Ivan après l'école. Et comme les parents de son copain n'étaient pas à la maison, il s'est finalement laissé convaincre d'en profiter pour aller au cinéma place Hötorget, aux frais d'Ivan. Johan sait que ses propres parents n'approuveraient pas ce genre d'initiative, mais d'un autre côté, ils n'ont pas besoin d'en être informés. Les voilà sur le chemin du retour, et Johan se sent un peu plus serein en retrouvant la partie de la ville qu'il a l'autorisation d'arpenter.

— T'avais un peu peur, je l'ai bien vu, affirme Ivan.

— Non, pas peur, j'étais juste pris par le film, répond Johan. Vraiment super. Merci. Et aussi pour le pop-corn.

— Pas de problème. En plus, c'était pas mon argent.

— Ah bon ?

— Non, c'était celui de ma mère.

Johan jette un regard inquiet à son copain, qui est bien plus grand que lui.

— J'ai le droit de lui prendre de l'argent si j'en ai besoin. Ne va pas croire que je lui ai piqué.

— Ah d'accord, commente Johan, soulagé. Moi, j'ai juste mon argent de poche chaque semaine.

— Normalement, moi aussi, explique Ivan. Sauf que ma mère oubliait souvent de me donner l'argent. Donc maintenant, je peux en avoir quand j'en ai besoin.

— Mmm…

Johan n'est pas tout à fait satisfait de la réponse, mais choisit de ne pas prolonger la discussion. D'un œil distrait, il regarde les autres passagers du bus. Soudain, il repère une silhouette familière, de dos, quelques sièges devant lui.

— Regarde ! C'est celui qui est devant nous au cours de guitare !

— Pas la peine de crier, lui lance Ivan, tout en s'enfonçant un peu dans son siège.

— Mais je crie pas, se défend Johan. Je parle tout doucement. T'as peur de lui ou quoi ?

— Non. Toi, oui ?

Johan lit bien une certaine frayeur dans les yeux de son copain, mais choisit de ne pas en parler.

— Non. Mais il a une tête horrible. Tu trouves pas ?

— Si, il est super moche, ajoute Ivan, une main devant la bouche pour que personne ne l'entende.

— C'est pas qu'il est moche. C'est plutôt qu'il est... balèze. Et vieux.

— Mais qu'est-ce qu'il fout au cours de guitare, ce vieux con ? renchérit Ivan.

— Attends, il n'a pas cent ans non plus. Peut-être qu'il veut juste apprendre à jouer de la guitare, suggère Johan sur le ton de la plaisanterie.

Ivan le fusille du regard, pour bien lui faire comprendre qu'il n'est pas d'humeur à rire.

— Tous les élèves sont des enfants ou des ados, réplique Ivan. Lui, c'est un adulte.

Le commentaire a pour but de discréditer l'homme assis devant eux, mais Johan pense alors à son oncle Danne.

— J'ai un oncle qui prend des cours de guitare et c'est pas bizarre. Pourquoi ça serait que pour les enfants ?

Ivan manifeste son refus d'entrer dans un tel débat en tournant les yeux vers la fenêtre. Johan tente de rétablir le lien.

— C'est vraiment un type horrible. Jamais il dit bonjour. Et même si on est là tous les mardis, il nous voit pas.

Ivan se retourne vers Johan, les yeux brillants de malice :

— Et putain, t'as vu comme il est grand ? Il pourrait nous étrangler tous les deux en même temps. Un dans chaque main.

Johan observe son imposante stature et imagine la scène, Ivan et lui pris dans ses épais battoirs et qui se débattent en agitant les jambes.

Le bus freine, c'est pour eux le moment de descendre. L'homme du cours de guitare se lève aussi. Une femme accompagnée d'un enfant en bas âge vient s'intercaler entre eux et lui. En passant devant le siège où l'homme était assis, Johan remarque que celui-ci a oublié sa paire de gants. Il s'en saisit et s'adresse spontanément à lui.

— Monsieur, vous avez oublié vos gants !

L'homme est déjà en train de descendre et ne réagit pas. En revanche, la femme à l'enfant se retourne et l'interroge du regard. Johan lui répond d'un haussement d'épaules, avant de s'adresser à Ivan.

— Il a oublié ses gants. Je voulais juste…

— Cool, répond Ivan. Ça nous donne un prétexte.

— Pour faire quoi ?

— Pour le suivre.

— Pourquoi ?

— Pour voir quel genre de type bizarre il est.

— Et s'il s'en aperçoit… ?

— On lui rend ses gants !

À la fois terrifié et ravi, Johan accepte la proposition, et les deux garçons se lancent à sa poursuite.

Protégés par la foule de la station de métro de Skanstull, ils restent à proximité de lui. En revanche lorsqu'il pénètre dans le supermarché d'Ica Ringen, ils s'abstiennent de le suivre. Mais ils n'ont pas longtemps à attendre. Au bout de quelques minutes, il réapparaît, un sac plastique à la main.

Quand ils atteignent le quartier de Tjurberget, la population se fait moins dense. Les garçons doivent laisser une bonne distance entre eux et leur cible. Ils le filent un bon bout de chemin jusqu'à la rue de Ringvägen, en passant devant l'hôpital de Rosenlund. Mais au moment où il traverse la rue pour gagner le secteur des jardins ouvriers de Tantolunden, ils se retrouvent si loin qu'ils doivent se mettre à courir pour ne pas le perdre de vue dans les petites rues bordées de cabanons. À mesure qu'ils avancent parmi les jardins et les maisonnettes, il leur est plus facile de le garder à l'œil. En cette saison, la plupart des petites maisons sont fermées. Les garçons n'hésitent pas à sauter par-dessus les grilles et à se cacher au coin des cabanons ou derrière des buttes de terre encore gelée.

Leur homme est vraiment imposant. Johan a du mal à quitter des yeux ses grandes mains qui se balancent le long de son corps tandis qu'il progresse d'un pas rapide et déterminé au cœur du lotissement désert. De temps à autre, il se retourne et jette un rapide regard autour de lui, comme s'il avait l'impression d'être suivi. Les garçons s'accroupissent alors derrière une poubelle ou quelque buisson, le cœur battant, de crainte d'être découverts par un individu qui, au fil de la traque, paraît de plus en plus terrifiant.

Il semble enfin avoir atteint sa destination. Alors que, trois jardins en arrière, les garçons l'épient, dissimulés derrière les branchages touffus d'une haie, l'homme manipule un cadenas et ouvre la grille en mauvais état donnant sur un jardin et une petite maison délabrée. Dès qu'il a pris soin de refermer la grille derrière lui et disparu de leur vue, les garçons se ruent jusqu'à la haie qui entoure la parcelle en question. Impossible d'approcher davantage sans risquer d'être repérés.

La respiration haletante, ils restent accroupis derrière les buissons à tenter d'écouter ce qui se passe à l'intérieur. Johan n'entend d'abord qu'un cliquetis, puis, alors que son rythme cardiaque se calme, celui d'une clé que l'on insère dans une serrure et le claquement métallique d'un cadenas qui s'ouvre.

Viennent ensuite les craquements d'un plancher et le bruit d'une porte qui se referme. Nouveau silence, avant que se fasse entendre une voix rageuse et perçante :

— Et te voilà couché là, sale petit porc, vautré dans ta propre merde. Mais putain, t'arrêtes pas de chier ! Peut-être que t'aimes pas ta bouffe ?

Il s'ensuit un bruit sourd, comme celui d'un boxeur frappant un sac de sable. C'est ce que se dit Johan, avant de se représenter le cochon et l'homme qui lui assène des coups de pied. Les garçons se regardent sans rien dire. Johan frissonne.

— De toute façon, t'auras rien d'autre, siffle à nouveau la voix. Pour un porc comme toi, pas question de dépenser plus. Pas de pommes de terre pour les cochons.

On entend le froissement d'un sac plastique, puis un liquide qui coule dans un récipient. Suivent ensuite de nouveaux bruits de pas sur le plancher et encore des coups de pied.

— C'est ton jour de chance. Le devoir m'appelle et je dois me tirer. Mais dès que j'aurai le temps, on va vraiment se causer. *Ciao*.

Épouvanté, Johan regarde Ivan.

— Il arrive, chuchote-t-il aussi bas que possible. Faut qu'on se tire.

Ivan acquiesce. Ils se sauvent en silence, courant à moitié sur le gravier boueux de neige fondue, jusqu'au virage à angle droit. Pas très loin derrière eux, ils entendent une porte claquer. Ils se mettent alors à courir à toute allure, le long des chemins qui serpentent entre les jardins, puis sur les pelouses, jusqu'à atteindre l'allée qui suit la baie d'Årstaviken. Là, ils finissent par ralentir, poursuivant d'un pas rapide jusqu'aux habitations d'Erikslunden, avant de se faufiler entre les bâtiments.

— Qu'est-ce qu'il fout avec ce cochon ? souffle Johan, reprenant haleine. Il s'entraîne à la boxe ou quoi ?

— Je t'avais dit qu'il était louche, répond Ivan. Il va peut-être le tuer et le manger.

— C'est pas en tapant dessus qu'il lui donnera meilleur goût, commente Johan. Putain de sadique !

Ivan lance un regard amusé vers Johan. Ce dernier sait pourquoi, mais fait comme si de rien n'était. Il n'a pas pour habitude de jurer, mais aujourd'hui, il a commis beaucoup de choses interdites. Pour mieux souligner son dégoût pour la maltraitance animale et peut-être aussi pour marquer qu'il s'émancipe un peu de ses parents, il balance un autre juron.

— Sale connard de merde. J'espère qu'il a froid aux mains. Je lui rendrai jamais ses gants.

— Il faut qu'on sauve le cochon, constate Ivan.

— Moi, en tout cas, j'y retourne pas, lui répond Johan.

— Pourquoi ? Il est parti au boulot. Il l'a dit lui-même.

— Et le cadenas sur la porte. On va l'ouvrir comment ?

— Il a pas d'outils, ton père ?

Johan n'en sait rien. Mais en tout cas, on n'a pas le droit d'entrer chez les gens comme ça, sans leur permission. C'est comme du cambriolage. Même s'il sait, pour l'avoir vu au journal télé, que torturer un animal est aussi un crime.

— C'est interdit de faire souffrir les animaux, dit-il. On peut porter plainte contre lui.

— Mais on sait pas comment il s'appelle.

— Non. Mais en tout cas, si on va à la police, ils pourront au moins sauver le cochon.

— Jamais j'irai aux flics ! Tu peux oublier tout de suite.

Johan regarde Ivan, interloqué.

— Pourquoi ? T'as fait quelque chose ?

— C'est bien possible, rétorque Ivan d'un ton énigmatique, avec un haussement d'épaules.

Ils ne s'en disent pas plus et leur conversation prend fin. Les deux garçons se séparent à la station de Skanstull. Plus il se rapproche de chez lui, plus Johan se sent coupable. Il réalise peu à peu que ses parents seraient très déçus d'apprendre ce qu'il a fait. Il n'y aurait même rien de bizarre à ce qu'ils décident de lui confisquer sa carte d'autobus. Ils pourraient tout simplement lui interdire de faire seul les trajets entre la maison et l'école. Il se jure d'avoir un comportement exemplaire à l'avenir et, à la suite de cette résolution, il décide qu'il ne sera pas nécessaire de leur raconter ce qu'il a fait cet après-midi. Ce qui veut dire qu'il ne pourra pas non plus leur parler du cochon. Mais alors, qu'est-ce qu'il va devenir ? De toute façon, tôt ou tard il finira par être mangé. Fort de sa décision, il grimpe les escaliers jusqu'à l'appartement, où son père et sa petite sœur l'attendent pour dîner.

Mais au moment d'appuyer sur la poignée de porte, il change d'avis. Aujourd'hui, une chose est sûre, il a fait de belles conneries. Raison de plus pour finir la journée par quelque chose de bien.

*

Jamal a passé la matinée à établir le fait qu'Einar Eriksson n'a pas fui le pays grâce à un titre de transport identifiable. Puis, suivant les ordres de Sjöberg, il a entamé l'après-midi en fouillant l'ordinateur et les papiers de son collègue. Mais il n'en a retiré aucune information utile à l'avancement de l'enquête. Eriksson ne conserve rien de bizarre dans son ordinateur. Il ne s'intéresse pas à la pornographie pédophile, il n'a pas envoyé ni reçu de message électronique douteux. Il n'a pas mené d'investigations personnelles, ne s'est pas acharné sur des dossiers classés. Il n'y a pas de raison de croire qu'il a pu, plus qu'un autre membre du service, être la cible d'anciens criminels ou victimes assoiffés de vengeance.

Jamal a éprouvé certaines difficultés à rester concentré. Son travail n'en a pas souffert, mais il a mis plus de temps. Plusieurs fois il est resté plongé dans ses pensées, avant de se secouer afin de mener à bien sa tâche. Le voilà finalement de retour dans son bureau et il feuillette de vieux agendas qu'il a cru bon de conserver dans un tiroir.

Deux dates l'intéressent en particulier. La première, il ne l'oubliera pas de sitôt : c'est celle à laquelle Lina et lui ont décidé de divorcer. Ce soir-là, après quelques semaines de réflexion, ils se sont assis à la table de la cuisine pour échanger leurs points de vue dans le calme. Avec bon sens, ils ont parlé de ce qu'ils auraient pu faire ensemble et de ce qu'ils devaient maintenant décider. Un moment pesant et triste, mais qui s'est déroulé sans drame. Ils sont tombés d'accord : en se séparant, la vie serait plus belle pour chacun d'eux. Ils se sont souhaité bon courage et ont mis fin à une relation de quatre ans en s'étreignant et en versant une larme. Un véritable échec dont la date, parmi quelques autres plus positives, restera à jamais gravée dans sa mémoire.

Avec cet événement comme point de repère, d'autres resurgissent de sa mémoire, ayant eu lieu la même nuit ou le lendemain. Il prend quand même la peine de vérifier. En effet, la date qui figure en bas du film porno dans lequel Petra apparaît indique bien qu'il a été réalisé ce même vendredi de novembre 2006.

Ils étaient alors en pleine enquête sur un tueur en série. Et ce soir-là, il est parvenu à convaincre Petra, plutôt réticente, de quitter le commissariat pour l'accompagner au bar du Clarion. Ils ont bu des bières et discuté. Il a réussi à lui faire oublier le boulot et, comme toujours, leurs discussions ont été animées, sur des sujets plus ou moins agréables. Le tout avec chaleur et un respect mutuel. Et quand il a quitté les lieux, ça n'était pas de gaieté de cœur, mais parce qu'il devait se rendre chez Lina pour clore un épisode de sa vie.

Les faits liés à la seconde date ne sont pas aussi clairs dans sa mémoire. Il s'agit également d'un vendredi, cette fois de septembre 2007, presque un an plus tard. Dans son agenda, la seule note qui corresponde à ce jour est l'intitulé d'un séminaire de travail auquel plusieurs membres de la brigade ont participé : « Faire le point sur le langage du corps ». Il se souvient du but de ce stage : identifier et analyser l'image que l'on donne aux autres en fonction de sa posture. Il se rappelle que Holgersson ou Malmberg avait réussi à faire dire à Petra, en jouant sur les mots à son grand déplaisir, que l'allure du commissaire principal avait quelque chose de sexy. Quand il y repense, Jamal ne peut s'empêcher de grogner son désaccord. Brandt sexy ? Il n'y croit pas lui-même.

Et ensuite ? Que s'est-il passé après le stage ? Mais oui, c'est bien la soirée qu'il a passée avec Petra au Pelikan. Ce qu'il considère comme les dernières minutes où le frisson passait entre eux, où ils avaient une relation normale. Le calme avant la tempête. Et c'est donc ce soir-là que quelqu'un a envoyé ce film porno amateur avec Petra à Pontus Örstedt. Depuis une adresse électronique qu'il ne connaît que trop bien.

Il referme violemment l'agenda, s'assoit, se prend le visage à deux mains et regarde par la fenêtre. Il soupire. À l'évidence, il existe un lien entre tout cela, mais lequel ? Essaie de te mettre à la place de Petra, s'exhorte-t-il. Comment a-t-elle réfléchi ? Quelqu'un l'informe de la présence de cette saleté de film sur amator6.nu. Est-ce qu'elle s'acharne à trouver le type qui l'a envoyé ou celui qui abuse d'elle sur les images ? Parce qu'il est bien question d'abus, non ? Contre son gré, il voit Petra devant lui, les yeux clos et la bouche entrouverte. Droguée ? Inconsciente ? Qu'est-ce qu'il en sait ? Il n'a aucune idée de la façon dont elle se comporte dans ce genre de situation.

Quand même. Il la connaît suffisamment pour écarter l'idée qu'elle publierait de telles images de son plein gré. Pas plus qu'elle ne se laisserait filmer dans un moment pareil. Ni qu'elle s'exposerait à vivre de telles choses. Sachant aussi qu'elle a dû avoir mal. Même si elle ne paraît pas réagir à la souffrance.

La plupart du temps, songe Jamal, *il faut se fier aux apparences*. C'est sa théorie fétiche. Qu'est-ce qui l'empêche de l'appliquer en la circonstance ? Rien, bien sûr.

Petra a l'air totalement absente. C'est donc sans aucun doute le cas. Inconsciente ou droguée ou bien les deux à la fois. *Droguée,* donc. Prise dans le mauvais lit, au mauvais endroit, par la mauvaise personne. Oui, puisque, de son côté, l'homme est loin d'être inconscient. *Violée* donc. En plus, il a un complice qui filme tout, pour ensuite le diffuser sur Internet. Donc, *outrage public*.

Rien d'étonnant à ce que Petra ait la haine.

Elle a donc été droguée et violée au cours de la nuit qui a suivi leur soirée au bar du Clarion. Elle peut en avoir conclu que Jamal y a participé, puisque c'est arrivé quelques heures après qu'ils se sont quittés. Mais pourquoi s'est-elle mise à le soupçonner un an après les faits ? Mais oui ! Parce que c'est le moment où le film a été diffusé, qu'il a été envoyé à amator6. nu. Tout de suite après qu'ils se sont séparés devant le Pelikan.

Et qu'il a été envoyé depuis son adresse mail.

Mais une question subsiste : comment Petra a-t-elle pu se forger cette opinion ? Comment en est-elle venue à considérer qu'il n'y avait aucun doute, que c'était bien lui qui avait envoyé ce film ? Comment en est-elle venue à conclure que c'est Jamal qui l'a filmée, ou violée, ou les deux ? Comment a-t-elle pu être mise au courant si rapidement de l'envoi du film ? Il n'arrive pas à comprendre.

Mais il y a d'autres questions, bien plus importantes, auxquelles il doit répondre. Qui a violé Petra et envoyé le film à Pontus Örstedt ? Qui peut posséder une telle maîtrise de la situation, au point d'être capable de diriger les soupçons sur quelqu'un d'autre ? Et enfin, comment pourra-t-il, lui Jamal, parvenir à se dédouaner de telles accusations pour rendre justice, à lui-même et à Petra ?

D'un coup il se rend compte qu'il peut au moins faire une chose : attirer l'attention de la police sur un de ces salopards qui pullulent. Il y aura bien une raison de le mettre au trou. S'il ne plonge pas pour proxénétisme, ce sera à coup sûr pour trafic de drogue ou escroquerie financière.

Jamal compose le numéro d'un ancien camarade de l'école de police. Il le renseigne sur Pontus Örstedt et savoure sa vengeance. Même si ce n'est pas la sienne, mais plutôt celle de Petra et de Jenny.

*

Johan Bråsjö fait ses premiers pas dans l'imposant hall d'entrée du commissariat d'Östgötagatan en tentant de se donner un air adulte. Il retire son bonnet et regarde autour de lui, comme pour s'assurer qu'il est au bon endroit. Le vaste espace en marbre avec ses sièges est bien différent de l'image qu'il se faisait d'un commissariat. Dans les films, on voit toujours plein de bureaux bruyants, avec des flopées de criminels qu'on balade en permanence entre les cellules et les salles d'interrogatoires. Alors qu'ici, tout est calme et silencieux, pas le moindre malfaiteur à l'horizon.

D'un pas décidé, il se dirige vers la réception et se retrouve face à deux paires d'yeux interrogateurs. Il ne sait à laquelle des deux femmes il doit s'adresser, tandis que l'une et l'autre lui sourient, juchées derrière leur guichet.

— Bonjour, lui lance celle aux lèvres roses et brillantes.

Ses cheveux blonds sont bouclés et son regard bleu est doux.

— Bonjour, répond Johan. Je voudrais signaler un crime.

— C'est bien de ta part de venir ici et de faire ça, remarque l'autre femme.

Elle aussi paraît gentille, un peu ronde, avec ses cheveux bruns attachés en queue-de-cheval.

— Comment t'appelles-tu ?

— Johan, réplique-t-il en le regrettant aussitôt.

Mais bon, ce n'est pas grave. Il n'est pas le seul à s'appeler Johan, et elles ne sauront rien de plus sur lui. D'ailleurs, elle se contente de son prénom, comme si elle comprenait son intention de ne pas en dire plus.

— Vas-y, petit, raconte-nous ce qui t'est arrivé.

Il n'est pas le plus grand de sa classe, mais de là à se faire traiter de « petit » ? Il va bien falloir qu'elles comprennent qu'il n'est plus un môme en âge d'aller à la crèche.

— À moi, il ne m'est rien arrivé. Mais j'ai été témoin d'un bonhomme qui maltraitait un cochon. Et pas qu'un peu !

— C'est vrai ? s'exclame la réceptionniste blonde.

— Tu l'as vu faire ? demande la brune, le visage sérieux.

— Non, je l'ai juste entendu. Avec un copain, on l'a vu entrer dans une sorte de cabane, et après, il a sorti des tonnes d'insultes tout en tapant sur le cochon.

Les deux femmes se regardent.

— C'est fou, cette histoire. Raconte-nous tout depuis le début, le prie la femme brune.

Johan fait un récit détaillé des événements, par chance sans avoir à préciser comment Ivan et lui se sont retrouvés à proximité de cette cabane.

— J'ai jamais entendu une chose aussi horrible ! lance la jeune femme blonde.

— Beaucoup de gens ne savent pas s'occuper de leurs animaux, dit l'autre. Mais là, on touche vraiment le fond. Et toi Johan, tu es très courageux d'être venu le dire à la police !

Avant qu'il puisse réagir, elle se penche et lui frotte gentiment les cheveux. Il aimerait bien s'éclipser d'ici, sauf que pour le bien du cochon, il lui faut endurer ça. Mais voilà que l'autre femme veut lui caresser la joue. Il fait un pas en arrière pour être hors de portée.

— Et est-ce que tu saurais retrouver l'endroit ? Ou bien te souviens-tu de l'adresse ? enchaîne la femme brune.

— « Le vilain petit canard », répond Johan, au moment même où la jeune femme blonde interpelle l'homme plus âgé qui vient de franchir la porte d'entrée.

— Papa, viens écouter ! Ce garçon veut déposer une plainte. Il faut que tu l'aides.

L'homme s'approche du guichet, et pendant quelques secondes terribles, Johan craint qu'il ne se jette aussi sur lui pour lui prodiguer des caresses. Mais le nouveau venu conserve les mains enfoncées dans les poches de son manteau et se contente de lui adresser un regard aussi amical qu'exténué.

— De quoi s'agit-il ?

Johan n'a pas le temps d'ouvrir la bouche que les réceptionnistes se chargent de répondre.

Bien qu'il soit clairement policier, le compte rendu que les deux femmes lui adressent en même temps le fatigue encore davantage. Et avant même qu'elles aient fini, il est déjà reparti. Si tant est qu'il ait saisi leurs paroles, il ne semble que modérément intéressé. Néanmoins, il souhaite se montrer quelque peu engageant :

— Bien joué, mon garçon. Lotten, prends tous les renseignements : nom, adresse, numéro de téléphone et tout le reste. On s'occupera de ça dès que possible. Il faut que j'y aille.

C'est logique. Johan va devoir leur donner le numéro de téléphone de chez lui. Pour qu'ils puissent contacter ses parents. En plus d'une belle engueulade, il va se retrouver privé de sa carte de bus et de la permission de rentrer seul de l'école. Non, il n'a pas besoin d'une leçon supplémentaire. Il quitte d'un pas vif le commissariat.

— Attends, Johan ! Ne pars pas !

Ce sont les dernières paroles qu'il entend avant que la porte se referme derrière lui.

*

Sjöberg vient juste de rejoindre sa chambre d'hôtel à Arboga. Il jette son sac sur le petit fauteuil placé dans un coin et s'assoit sur le bord du lit avant de saisir son téléphone portable. Il contacte les renseignements et demande à être mis en contact avec le service des registres paroissiaux de la commune.

— J'effectue des recherches sur deux personnes qui devraient figurer dans vos archives, explique Sjöberg. Pourriez-vous m'aider ?

— S'agit-il d'une démarche privée ?

— Oui. Il est question de mes grands-parents paternels, John et Signe Sjöberg. John Sjöberg devrait avoir pour date de naissance le 20 avril 1911, et Signe, née Gabrielsson, le 11 janvier 1913. Je veux juste savoir à quelle date ils sont décédés et où ils habitaient.

— Un instant, je vais voir ce que je trouve.

— Merci.

Sjöberg nourrit peu d'espoir d'obtenir une réponse rapide, mais l'employée revient vite vers lui avec toutes ces informations.

— Je les ai trouvés, affirme-t-elle. (Le pouls de Sjöberg s'accélère.) Voyons cela. Nous sommes dans des registres écrits à l'ancienne… John Emanuel

Sjöberg, né le 20 avril 1911 à la Ferme du Soldat, située sur la commune de Björskogsnäs.

« *La Ferme du Soldat* », se dit Sjöberg. *Voilà un nom qui va plaire aux enfants.*

— A épousé Signe Julia Maria Gabrielsson en mai 1932. En 1933, ils ont eu un fils, Christer Gunnar Sjöberg, qui est donc votre papa ?

— C'est exact, confirme Sjöberg.

— John et Signe ont résidé à la Ferme du Soldat jusqu'en 1954, date à laquelle ils se sont installés dans le centre d'Arboga.

— Est-ce que Christer a continué d'habiter la ferme ? l'interroge Sjöberg.

— On va voir ça. Il faut que je change de registre…

Il l'entend feuilleter et s'imagine de gros livres poussiéreux aux couvertures rigides.

— Oui, jusqu'à son décès, en 1961. Et vous qui aviez seulement trois ans. Ça a sans doute été dur.

— Oui, *a priori*, marmonne Sjöberg, qui se souvient à peine d'avoir eu un père. Et à quelle date John et Signe sont-ils morts ?

— John est décédé en 1967…

Le silence se fait sur la ligne.

— Et Signe ? finit par demander Sjöberg.

— Je ne vois rien d'écrit à ce sujet.

— Et qu'est-ce que ça signifie ?

— Eh bien… soit quelqu'un a mal fait son travail, soit son décès est postérieur au 1er juillet 1991, date de l'informatisation des données de l'état civil. Il faudra vérifier. Il y a bien sûr une dernière solution : qu'elle soit encore en vie.

Sjöberg remercie son interlocutrice et raccroche. La Ferme du Soldat, se répète-t-il. Y a-t-il donc lui-même vécu durant les trois premières années de sa vie ? Il peut sembler étrange qu'il n'ait pas gardé le moindre souvenir de cette époque, mais il faut bien dire que sa mère n'a jamais rien fait pour l'y aider. Ce qui l'étonne le plus, c'est qu'elle refuse de paraître avoir le moindre lien avec cette propriété et de lui raconter ce qu'elle y a vécu. Pour quelle raison ? Pourquoi ont-ils quitté la propriété familiale pour aller s'installer dans un appartement à Stockholm ? Sûrement parce que son père était tombé malade. Son état de santé a sans doute nécessité des soins qui ne pouvaient lui être prodigués que dans la capitale.

Il lui revient soudain à l'esprit que son grand-père John n'est mort qu'en 1967. Lui-même avait alors neuf ans. Il devrait en conserver un souvenir. Et comment se fait-il qu'il n'en ait pas gardé le moindre de sa grand-mère paternelle ? Sa mère ne lui a jamais parlé d'eux, aussi bien quand il grandissait à ses côtés que lorsqu'il est devenu adulte et qu'il a souhaité en savoir plus sur son histoire. Sjöberg s'est toujours demandé ce qui se cachait derrière tout ça. Un événement a dû se produire, qui a généré la rupture entre sa mère et les beaux-parents de celle-ci. De quel côté son propre père s'est-il alors placé ? À moins que la cassure ne se soit produite après sa mort, ou en lien avec elle ?

Sjöberg jette un coup d'œil à sa montre. Il est 17 h 05. Il n'y a pas de temps à perdre. Il doit appeler les services de l'état civil avant la fermeture. Mieux vaut détenir le maximum d'éléments avant de se confronter à sa mère sur un sujet pareil. Il repasse par les renseignements et se fait mettre en contact avec le service approprié.

— Bonsoir, je m'appelle Conny Sjöberg. J'aimerais obtenir quelques renseignements sur ma grand-mère paternelle. Elle s'appelait Signe Julia Maria Sjöberg, née Gabrielsson le 11 janvier 1913.

— Oui, et que désirez-vous savoir ?

La voix de son interlocutrice semble à la fois blasée et légèrement arrogante.

— Je voudrais connaître la date de son décès, réplique Sjöberg.

— C'est votre grand-mère, et vous ne savez pas quand elle est morte ?

— Non, apparemment pas, puisque je vous le demande, s'agace Sjöberg.

— Malheureusement, nous ne pouvons pas communiquer de telles informations par téléphone.

Sjöberg semble percevoir un soupçon de satisfaction dans sa voix. Il prend alors son ton le plus impérieux et se lance dans une nouvelle tentative.

— Je suis inspecteur principal à la section criminelle du commissariat d'Hammarby, à Stockholm. Je vous rappelle mon nom : Conny Sjöberg. Auriez-vous l'amabilité de me rappeler au plus vite ? C'est une affaire urgente.

À l'autre bout de la ligne, l'attitude change immédiatement.

— Conny Sjöberg, du commissariat d'Hammarby, c'est ça ? Je reviens vers vous aussi vite que possible.

Sjöberg sourit. En réalité, il n'a aucun droit de faire ça. Son affaire est bel et bien privée, et il ne devrait pas se servir du nom de la police pour le plaisir d'en remontrer à une petite employée. Mais qui pourrait le lui reprocher ? Pas elle, en tout cas. Le portable qu'il tient dans sa main se met à vibrer, puis émet une sonnerie stridente.

— Conny Sjöberg, annonce-t-il d'un ton sec.

— Salut, Conny, c'est Jenny.

— Salut, Jenny ! Tu sais quoi, j'attends un appel urgent et je ne peux absolument pas te parler. On se rappelle un peu plus tard ? Je te téléphone dans la soirée.

— OK. Au revoir.

— Salut.

Il coupe la communication et, une à deux minutes plus tard, c'est au tour de l'employée du service de l'état civil de le joindre. Comme il est plus de 17 heures, il a craint un moment qu'elle ne reporte sa réponse au lendemain pour le punir de ses brusqueries. Mais le respect de l'uniforme a été plus fort, et la voilà de retour, presque amicale :

— Vous voulez bien me répéter en quoi je pourrais vous être utile ?

Il lui répond de sa voix la plus aimable. En s'entendant réitérer sa requête, il se dit qu'il ressemble à un vieux notable de province.

— Vous connaissez son numéro d'identité ?

Il hausse les yeux au ciel.

— Non, je ne le connais pas. Je crois qu'elle est morte depuis de nombreuses années. Si vous pouviez mener une recherche informatique grâce à son nom et à sa date de naissance, vous devriez pouvoir me le confirmer. Vous avez bien accès à un moteur de recherche ?

Comme Sjöberg le supposait, elle n'est pas sensible à son ironie et se contente de s'exécuter.

— Et voilà, c'est bien elle.

Sjöberg plisse le front. Ce qu'elle lui dit ensuite n'est pas conforme à ce qu'il attendait :

— Signe Julia Maria Sjöberg, née Gabrielsson. Numéro d'identité 130111-1841. Domiciliée 6 Birgittagatan à Arboga.

— Et enregistrée à cette adresse jusqu'à quelle date ?

— Mais elle y est toujours. Elle est vivante.

Sjöberg est incapable de dire quoi que ce soit. Il demeure assis sur le bord du lit, pétrifié, vêtu de son manteau d'hiver, chaussures aux pieds. Il se sent comme un idiot.

— Félicitations, lui lance l'employée à l'autre bout du fil. Bravo, vous avez retrouvé votre grand-mère !

*

De sa propre initiative, Jamal sillonne la ville depuis quelques heures. Il s'est d'abord rendu sur le lieu de travail de Vida et Göran Johansson pour leur montrer une photographie d'Einar, mais aucun des deux ne l'a reconnu. Tout simplement parce qu'ils ne l'ont jamais rencontré. En revanche, en retournant à Trålgränd, où Catherine Larsson habitait, il a constaté que des voisins identifiaient Eriksson comme l'homme qu'ils croisaient de temps en temps dans les escaliers, parfois seul et d'autres fois en compagnie des enfants. Néanmoins, aucun d'entre eux ne l'a vu durant les jours qui ont précédé le meurtre ni ce fameux soir.

Jamal est sur le point de rencontrer Christer Larsson pour la première fois. Il est accompagné de Petra, mine renfrognée, qui a laissé Sandén accomplir seul leur dernière mission de la journée : examiner la voiture d'Einar. Après s'être salués devant la porte d'entrée de Larsson, sans que Petra manifeste une quelconque chaleur, Jamal décide de mettre temporairement de côté leurs liens personnels et de se concentrer sur la mission. Pour Petra aussi, c'est la première fois qu'elle rencontre l'ex-époux de Catherine Larsson, le père des enfants assassinés. Après les avoir invités à entrer, ils pénètrent chez lui avec autant de tension que d'espoir.

— Vous habitez un bel endroit, affirme Petra, pour lancer la conversation.

Christer Larsson marmonne en retour quelques paroles incompréhensibles, sans rencontrer ses yeux. Il s'assoit dans son fauteuil. Son regard est rivé au tapis et ses mains croisées pendent entre ses genoux. Elles sont particulièrement épaisses, mais les ongles sont soignés. Ses cheveux grisonnants sont propres, assez fraîchement coupés, tandis qu'il porte une barbe de plusieurs jours. De petite taille, son appartement est bien entretenu. Les plantes vertes qui ornent la fenêtre du séjour semblent s'y plaire.

— Vous pratiquez la voile ? lui demande Jamal, à la vue d'une photo encadrée suspendue au mur.

Un voilier, dont il ne saurait dire le type, trace sa route dans le bleu azur des flots, son spinnaker gonflé par le vent, à la lumière d'un soleil éclatant.

— Oui, j'en ai fait par le passé, répond Larsson à voix basse, sans relever les yeux.

Son débit est très lent et les deux policiers commentent cela d'un échange de regards. Jamal reprend la parole.

— Nous sommes vraiment désolés de ce qui s'est passé. Ça doit être dur pour vous.

Il se contente de hausser les épaules.

— Ça vous pèse en ce moment ? insiste Petra, pour le pousser à parler.

— On a ce qu'on mérite.

Ses yeux sont toujours braqués sur le tapis. Il plie ses doigts afin de les faire légèrement craquer.

— Qu'est-ce que vous voulez dire par là ? l'interroge Jamal.

D'instinct, il a envie de développer sa question, mais il se maîtrise et tente de se montrer patient. Après un moment de silence, Larsson répond :

— Je ne suis qu'un vieux raseur. Ils vivaient mieux sans moi.

— Et vous ? Ils ne vous ont pas manqué ?

— Bah…

Un silence.

— Pas suffisamment.

— Vous avez mauvaise conscience de ne pas vous être assez occupé de votre famille ? suggère Petra.

Tout à coup, Christer Larsson relève la tête et plonge son regard dans le sien. D'une voix lente, mais tranchante comme une lame, il délivre sa réponse :

— La culpabilité est comme un boulet accroché au pied qu'on traîne partout avec soi. Il devient comme une partie de son propre corps. Au bout d'un temps, on ne le remarque même plus.

— Que voulez-vous dire par là ?

— Rien de plus que ce que je viens de dire.

Jamal tente de traduire les mots de Larsson :

— Vous vous sentez coupable d'avoir été un mauvais père ?

— J'ai été un très mauvais père.

Jamal a l'impression que Larsson va poursuivre, mais non. L'inspecteur peine à s'adapter au lent tempo de la conversation et souhaite accélérer le rythme.

— Mauvais à un tel point que vous avez fini par ôter la vie à vos enfants ?

— Pas au sens juridique du terme.

— Est-ce que oui ou non, vous avez assassiné votre femme et vos enfants ? demande Jamal d'une voix acérée.

— Je n'ai assassiné personne, réplique Christer Larsson.

Petra change de sujet.

— Il est établi que Catherine avait un nouvel homme dans sa vie. C'est l'argent de cette personne qui a payé l'achat de l'appartement qu'elle et les enfants habitaient.

Larsson ne réagit pas, son regard triste toujours dirigé vers quelque endroit au loin à travers la fenêtre.

— Il s'appelle Erik. Ça vous dit quelque chose ?

Larsson ébauche un mouvement négatif de la tête.

— Vous n'avez jamais entendu Catherine évoquer un certain Erik ? tente-t-elle une nouvelle fois.

— Non.

Jamal prend le relais.

— En réalité, il ne s'appelle pas Erik mais Eriksson. Pour être précis, Einar Eriksson.

Christer Larsson tourne lentement son visage vers lui, avec dans le regard quelque chose de nouveau qu'aucun des deux policiers ne parvient vraiment à interpréter. Jamal pense y déceler de la surprise, ou peut-être de l'inquiétude. Quant à Petra, elle expliquera plus tard que c'était comme de voir jaillir une étincelle. Le phénomène disparaît aussi vite qu'il est apparu. Les yeux bruns se chargent à nouveau de tristesse et d'abattement. Mais durant ce moment infime, Jamal a l'impression qu'une autre image de Christer Larsson s'est fait jour. Il reste cet homme grand, au corps musculeux et aux poings massifs, mais il s'y ajoute cette flamme qui brûle à l'intérieur, enfouie sous une apparente indifférence. Et de l'avis de Jamal, la combinaison de tels éléments peut s'avérer funeste, si les circonstances s'en mêlent.

— J'ai une photo de lui que j'aimerais bien vous montrer, enchaîne Petra. Au cas où vous le reconnaîtriez.

Elle se lève du canapé qu'elle partageait avec Jamal et s'avance jusqu'au fauteuil.

— Vous le soupçonnez d'être l'assassin ? interroge Christer Larsson.

— Nous n'excluons rien, réplique Petra.

Larsson se redresse et se penche pour regarder la photographie. Depuis le canapé, Jamal le voit plisser les yeux et se reculer un peu à cause de sa presbytie. Durant quelques secondes, le silence est total. C'est alors qu'une chose inattendue se produit. Christer Larsson se lève brutalement de son fauteuil. Petra s'écarte et reste pétrifiée, la photo à la main, consternée de voir cet homme flegmatique pris soudain d'une bouffée de colère.

— Espèce de salaud ! Il a fallu que tu remettes ça, ignoble pervers ! Comme si c'était pas assez ! Mais putain, qu'est-ce que tu as dans ta petite tête de malade pour… ?

Les mots laissent soudain place à des grognements et à des cris plaintifs. Il se précipite vers le mur et s'y frappe la tête, de toutes ses forces. La photo du voilier tombe au sol et son verre se brise en mille morceaux. Mais Christer Larsson n'en a que faire. Il piétine les débris et se précipite de l'autre côté de la pièce pour frapper de ses poings le mur opposé.

Jamal bondit de sa place et se dirige avec détermination vers cet homme à la dérive. Il tente de couvrir ses cris et ses plaintes et de lui faire comprendre qu'il doit se calmer, mais rien n'y fait. Petra a repris ses esprits et arrive à la rescousse. Elle essaie de saisir Christer Larsson par la taille, mais il se libère de son emprise sans même s'en apercevoir, avant de tourner sur lui-même au milieu de la pièce, incapable d'échapper aux pensées vertigineuses qui assaillent son cerveau. Mais soudain, le voilà qui tombe la tête la première sur le côté, sans qu'il esquisse le moindre geste pour amortir sa chute. Son crâne heurte le sol dans un bruit inquiétant. Au même instant, ses membres se ramollissent et son énergie l'abandonne. Sans émettre un son, il demeure allongé sur le flanc. Un de ses bras forme un angle tellement inhabituel qu'il ne peut qu'être fracturé. Ses yeux sont grands ouverts et sa respiration reste rapide. Malgré son effroi, Jamal vient se placer à ses côtés et lui passe la main sur le front.

— Il faut qu'on le retourne, indique-t-il à Petra. Prends-le par les pieds.

Jamal entoure la poitrine de Christer Larsson et Petra lui saisit les chevilles. Malgré sa stature imposante, ils parviennent à l'allonger sur le dos, sans que son bras cassé en souffre davantage.

— Comment vous sentez-vous ? demande Jamal, la main posée sur le côté du visage de Larsson accroché dans la chute.

Bien qu'il ait toujours les yeux ouverts et qu'il respire, ce dernier ne manifeste aucun signe.

Et quand Jamal soulève avec précaution le membre brisé, il ne réagit toujours pas.

— Il faut faire quelque chose. Mets-lui un coussin sous la tête et va chercher une serviette imbibée d'eau froide. Moi, j'appelle une ambulance, indique Petra.

*

Quand les secours arrivent, un moment plus tard, Christer Larsson n'a toujours pas retrouvé ses esprits. Allongé sur le sol du séjour, il offre un visage presque paisible.

*

L'effondrement de Christer Larsson a bouleversé Jamal. Il a pris place dans l'ambulance pour informer les infirmiers de la tournure des événements. De retour au commissariat, il ressent le besoin de se remettre les idées au clair et décide d'aller s'entraîner. Après une rude séance de machines, il passe dans la salle de boxe située juste à côté pour venir s'étirer sur les tapis. Comme l'ensemble des locaux sportifs du commissariat, et selon la tendance, les murs sont en verre. Il préférerait pouvoir s'entraîner en paix, sans être un objet de curiosité pour ceux qui passent par là. Or, apparemment, il est de bon ton de s'exposer quand on fait souffrir son pauvre corps.

Au moment de rentrer, il découvre Petra de l'autre côté de la vitre. Le corps luisant de sueur et armée de gants de boxe, elle frappe de toutes ses forces sur un sac de sable. Une main sur la poignée de la porte, Jamal hésite à ouvrir. Mais il se convainc qu'il ne doit pas laisser les démons d'une autre gâcher sa vie. Et c'est peut-être là l'occasion de tenter un petit rapprochement stratégique. Il révise donc son projet d'étirements, ouvre la porte et entre.

— Salut, lance-t-il, sans espérer de réponse et sans en recevoir.

Il envoie valser sa bouteille d'eau et sa serviette dans un coin, tandis que Petra semble prise d'un regain d'énergie et qu'elle frappe le malheureux sac à un tempo d'enfer. Jamal se dirige vers les accessoires et s'empare de gants de protection qu'il enfile. Il inspire un grand coup, rassemble son courage et s'avance jusqu'à elle.

— Allez, arrête un peu. Laisse tomber le sac et tape-moi plutôt dessus.

Son offre semble recevable. Il a tout juste le temps de lever ses protections qu'une pluie de coups s'abat sur lui. Il doit impérativement mettre en place son jeu de jambes pour les parer avec le plus de souplesse possible. Il se sent à un doigt de faire marche arrière et de la prier de se calmer, mais il trouve le rythme, puis l'équilibre, juste à temps pour contenir ses paroles. Plus elle se défoule sur lui, plus elle transpire. Son regard est noir et fuyant. À gauche, à droite, en haut, en bas, elle cherche à trouver une faille dans sa garde.

Il ne l'a jamais vue si débordante d'énergie, si pleine de... Oui, c'est bien de la haine qu'il est question et qui assombrit ses yeux. Elle ne fait pas ça pour s'entraîner, mais frappe pour faire mal. Dès qu'il s'en aperçoit, Jamal veut arrêter. Il a sans doute une chance de la battre, même si elle porte de vrais gants de combat et lui de simples protections. Il fait une tête de plus qu'elle, et selon toute vraisemblance, c'est lui le plus fort. Mais il n'a pas l'énergie, ni surtout la volonté, de donner cette tournure à leur affrontement. Elle semble prête à le tuer, alors que de son côté, il n'est pas disposé à se faire massacrer et encore moins à répondre aux coups. Il doit arrêter cette locomotive fonçant sur lui, faire cesser ce marteau-piqueur frénétique.

— Qu'est-ce que tu fous, Petra ? Tu veux bien te calmer un peu ?

— Qu'est-ce que *moi* je fous ? Putain, t'es un vrai malade.

À ces mots, il relâche sa concentration un court instant et reçoit deux coups bien appuyés, l'un à la pommette, l'autre à l'estomac.

— Arrête, on pourrait peut-être se parler, plutôt ? tente-t-il en se recroquevillant, les mains au-dessus de la tête en guise de protection.

Avec une rare détermination, elle continue à le cogner : deux coups rapides sur les côtes, suivis d'un crochet au menton.

— Je sais ce que tu crois, gémit-il, mais tu as tout faux !

Elle réplique en le frappant plusieurs fois à la tête. Au beau milieu des halètements, des souffles, des coups, des pas légers sur le tapis, Jamal discerne brusquement le bruit de la porte qui s'ouvre et la mélodie d'une suite de Bach en sonnerie de portable. Il espère alors que son mauvais traitement touche à sa fin, mais ce n'est pas le cas. Pendant une bonne minute, Petra continue avec la même force à lui infliger une avalanche de coups. Quand son sauveur comprend ce qui se passe, il s'approche d'eux, agrippe par-derrière les bras glissants de sueur de Petra pour l'écarter de Jamal, avant que celui-ci tombe sur le tapis et se blottisse en position fœtale.

Une fois qu'il a recouvré ses esprits, Jamal aperçoit Holgersson penché au-dessus de lui, avec sa mine suffisante, qui lui passe une serviette humide sur le visage. Jamal dirige son regard vitreux vers la porte. Le commissaire en chef Roland Brandt se tient là. Il le regarde d'un air désolé, son téléphone portable à la main. Quant à Petra, il finit par distinguer sa présence au fond de la salle. Une vision dont il se souviendra longtemps.

Inclinée vers l'arrière comme si elle se tenait dans le coin d'un ring, elle arbore un sourire légèrement insolent et porte encore ses gants de boxe. Gunnar Malmberg, le commissaire principal adjoint, est penché face à elle, une main plaquée au mur de chaque côté de son visage. Il lui parle à voix basse. Apparemment, c'est lui qui a libéré Jamal des griffes de cette amazone surexcitée. Et voilà maintenant qu'il s'applique à savoir ce qui s'est passé et à lui faire entendre raison.

Jamal ne sait combien de temps il reste allongé là, avec ces pensées qui lui tourbillonnent dans la tête. L'étrange situation prend fin au moment où le téléphone de Malmberg se met à sonner. Les premières notes d'une chanson qu'il connaît bien, mais dont Jamal ne parvient pas à trouver le titre, dans son état brumeux. La sonnerie résonne dans la pièce, et tout redevient normal dans son esprit. Holgersson lui tend la main et l'aide à se remettre sur ses pieds. Brandt secoue la tête d'agacement, appuie sur le clavier de son portable, avant de porter l'appareil à son oreille et de quitter la salle. Au fond de la pièce, Malmberg fait un pas de côté pour laisser partir Petra qui garde le sourire aux lèvres, adresse en passant un regard neutre à Jamal et rejoint la sortie. Holgersson le gratifie alors d'une tape dans le dos, avant de prendre le même chemin. Jamal fait quelques pas chancelants, se plie pour ramasser sa serviette et sa bouteille d'eau, pendant que Malmberg continue de parler au téléphone :

— Ah bon ? Oui. Non, je ne sais pas.

Sur le point de franchir la porte, Jamal se retourne. Leurs yeux se croisent. Mais Malmberg, perdu dans ses pensées, poursuit sa conversation :

— Parle à Lu… la nouvelle nana. Jenny. C'est ça. Pas de problème.

Jamal se force à lui manifester une certaine reconnaissance et salue Malmberg d'un signe de tête avant de se rendre aux vestiaires.

*

Il passe un quart d'heure dans le sauna à détendre son corps raide et endolori. Après une dernière douche, il se sent dans une forme convenable et retourne à son bureau pour travailler un moment. Il semble qu'il s'en soit sorti sans traumatisme crânien ; quant aux quelques bleus, il peut faire avec. Mais sur le plan psychologique, c'est une autre affaire. Il est déjà assez humiliant de s'être laissé ridiculiser devant le commissaire principal et toute sa clique. Il souffre surtout de ne pas savoir comment arranger les choses avec Petra. Vont-ils pouvoir continuer à travailler ensemble quand, manifestement, elle est prête à le tuer dès que l'occasion se présente ?

Il n'attend pas d'excuses. Il n'en voit pas la nécessité. Ce qu'il lui faut, c'est une vraie occasion de lui parler, de pouvoir la convaincre de lui faire à nouveau confiance. Et ceci le plus vite possible. Après tout, ils sont au beau milieu d'une enquête compliquée. Le travail exige que chacun fasse de son mieux et que ça ne parte pas dans tous les sens. Et s'il demandait à Sjöberg de jouer les médiateurs ? Non, il a assez d'ennuis comme ça. L'un de ses subalternes est suspecté d'un triple meurtre, et son fidèle Sandén ne travaille plus qu'à mi-temps. Avec Petra, ils sont assez grands pour gérer eux-mêmes leurs histoires. De manière mature et professionnelle. Ce qui n'a pas vraiment été l'attitude de Petra jusqu'ici, qui l'a traité comme un punching-ball et qui commence à le rendre passablement furieux.

C'est donc avec une certaine colère qu'il passe près de la réception.

— Jamal ! Tu ne connais pas la dernière ?

Tandis qu'il pose son pied sur le marbre de l'escalier, la voix de Lotten résonne dans le hall. D'habitude, ses paroles le mettent en joie, mais là, ça ne marche pas. Il a envie de rejoindre son bureau et de se consacrer au plus urgent.

— Désolé, pas le temps. On voit ça demain ?

— Mais c'est important ! insiste Jenny. Un jeune garçon est passé ici pour nous avertir d'un cas de maltraitance animale. C'était horrible !

— Rédige un rapport et confie-le à quelqu'un qui a moins de travail que moi. Je suis débordé.

— « Le vilain petit canard », ajoute Lotten. On dirait le nom d'un café ou de quelque chose dans le genre. Tu en as déjà entendu parler ?

Jamal fait non de la tête et accélère le pas.

— Un pauvre cochon ! tente Lotten. Un abruti qui s'amuse à tuer un cochon à coups de pied. On ne peut quand même pas laisser passer ça ? C'est un mammifère, bordel !

Mais voilà que Lotten change brusquement de ton et adopte une nouvelle fois son attitude de maman grondant son enfant :

— Mais, mon pauvre petit ! Qu'est-ce que tu t'es fait ? Tu as le visage tout rouge !

Jamal ne s'est pas rendu compte qu'il porte les marques du combat. Il s'est juste recoiffé d'un geste de la main, sans même se regarder dans le miroir.

— C'est exactement comme ça que je me sens, murmure-t-il assez bas pour que Lotten ne l'entende pas. Comme un cochon criblé de coups.

— Alors ? Qu'est-ce qui s'est passé ? insiste-t-elle.

— J'ai juste fait un sauna, réplique-t-il, avant de s'élancer à l'assaut de l'escalier.

*

À peine est-il arrivé dans son bureau que Malmberg frappe à la porte. Décidément, cette histoire fait pas mal de remous.

— Entre, dit-il en soupirant tandis qu'il l'invite à s'asseoir en face de lui.

Malmberg referme la porte derrière lui – mauvais signe – et boit une gorgée d'eau minérale avant de prendre place.

— Dis donc, tu viens de passer un sale quart d'heure, constate-t-il avec un regard sollicitant une réaction immédiate de Jamal.

Il souhaite sans doute une explication, sauf que Jamal n'a aucune intention de la lui donner. En tout cas pas la vraie. Il se sent tout nu. Comme un novice sous les yeux inquisiteurs de son supérieur.

— C'est bien mon avis, répond-il avec un petit sourire en biais.

Ne raconte que le strict minimum, se dit-il. *Protège tes arrières*. Malmberg vide sa bouteille d'eau minérale et la pose sur le bureau.

— Tu m'as l'air mal en point. T'es sûr que ça va aller ?

D'instinct, Jamal porte la main à sa joue, avec l'espoir qu'il n'y a qu'une simple petite rougeur.

— Pas de souci. C'est à cause du sauna.

— Mais en réalité, qu'est-ce qui s'est passé ?

— Bah, on s'entraînait. Et comme Petra est une sacrée compétitrice, elle en a rajouté un peu. Ce qui fait que ça a légèrement dégénéré.

Il tente un nouveau sourire.

— En effet, souligne Malmberg.

Jamal aurait aimé le faire rire, mais l'autre conserve un air grave.

— Et toi, t'es pas un compétiteur ?

— Non, ment Jamal.

— Tu comptes faire quoi à propos de ces sévices ? Parce qu'il est bien question de ça.

Est-ce là où Malmberg veut en venir ? Ou est-il en train de tester sa loyauté ? Peu importe, sa réponse est toute trouvée. C'est au tour de Jamal d'employer un ton sérieux.

— Rien à voir avec ça. Comme je te l'ai dit, c'est juste un entraînement de boxe qui a un peu dégénéré. C'est déjà oublié.

— Pas de plainte ?

— Tu plaisantes ou quoi ?

— Est-ce que j'ai l'air de plaisanter ?

— Jamais je ne porterai plainte contre un collègue.

Jamal ment encore. Bien sûr qu'il n'hésiterait pas à dénoncer un flic corrompu ou qui aurait abusé de sa position. Mais là, il s'agit d'autre chose.

— Même s'il est clair que tu as été brutalisé ?

— En langage officiel, je considère la chose comme un accident de travail, répond Jamal sans l'ombre d'un sourire.

— Et pour ce qui est de votre collaboration future ? poursuit Malmberg.

— Elle sera excellente. Comme toujours, répond Jamal sans hésiter. Le boulot passe en premier, ajoute-t-il comme s'il s'agissait d'une considération sur le travail d'équipe.

Fait-il cela avant tout pour Petra ? Pourquoi est-il si important de souligner son professionnalisme ? Parce qu'elle est une femme, comprend-il d'un coup. C'est pour cette raison que ses actes sont scrutés à la loupe. Comme lui-même tend à le faire, et il se déteste pour ça.

— Petra est un modèle. Elle est toujours parfaitement concentrée et professionnelle, affirme-t-il.

Il se rend compte qu'il est en train de gérer cet interrogatoire avec brio : il slalome entre les mines avec une habileté surprenante.

— Alors, on fait quoi ?

Jamal n'aime pas ce « on ». Il lui faut au plus vite se démarquer de Malmberg et des autres mafieux de la direction pour que Petra et lui puissent gérer cette affaire de la meilleure des façons.

— Je vais lui parler. La prochaine fois qu'on se voit, tout sera réglé. Je te le promets.

— Il faut l'espérer. Mais j'attends toujours une explication de ta part, insiste Malmberg d'un ton sec.

Plus hargneux qu'un terrier, se dit Jamal, qui hésite un peu avant de répondre. Il fait alors un grand sourire et écarte les mains, paumes ouvertes, comme pour montrer une certaine résignation.

— Qu'est-ce que tu veux que je te dise ? Tu connais les femmes et leurs petits soucis une fois par mois…

Bingo ! Le visage figé de Malmberg se fend d'un grand sourire. C'est ce qui s'appelle vivre un moment de complicité partagée entre hommes. Jamal est parvenu à se la jouer copain-copain avec le commissaire principal adjoint. On peut espérer que cette affaire vient de devenir banale. Malmberg quitte la pièce dans un gloussement que l'on entend se prolonger tout au long du couloir.

Jamal s'approche de la fenêtre et contemple le canal d'Hammarby dans le crépuscule naissant. Il est pris de nausées.

JEUDI SOIR

— Selon les médecins, son état demeure critique mais stable. Il respire sans assistance, mais sa tension reste très élevée. J'ai d'abord cru qu'il était mort, déclare Petra. Il regardait fixement devant lui. Mais je me suis aperçue que ses paupières réagissaient. En dépit de ses plantes de pieds en sang à cause du verre brisé, d'un coude abîmé en défonçant le mur et d'un bras cassé dans la chute, il n'a pas manifesté la moindre sensation de douleur. Ce qui fait dire au corps médical qu'il est catatonique.

— De manière passagère ? s'enquiert Sjöberg.

— Ça dépend des cas, réplique Petra. Dans le sien, soit il s'agit d'une lésion cérébrale occasionnée par sa chute ou son choc à la tête, soit on est face à une sorte de traumatisme survenu en voyant la photographie. Ils ont aussi parlé d'une éventuelle crise d'épilepsie. Je ne saurais pas te dire si la cause en est psychique ou physique. Quoi qu'il en soit, il va recevoir un électrochoc et être placé sous perfusion. Avec une possibilité qu'il s'en tire bien.

— Raconte-moi ce qui s'est passé.

— Mais je viens juste de le faire.

— Alors, répète-moi les choses sous un angle psychologique.

Petra se racle la gorge avant de reprendre.

— Il s'est montré précisément comme vous l'aviez décrit : taciturne. J'ai interprété ça comme de la tristesse. Il parlait d'une voix traînante, ce que Jens a sûrement dû trouver insupportable. Il n'a pas commenté la mort de sa femme et des enfants. Comme une personne qui n'est pas directement concernée. Ou qui ne considère pas l'être, si tu vois ce que je veux dire.

— Ou qui estimerait être dépossédé du droit de les pleurer ?

— Exactement. Et ensuite, de manière totalement inattendue, il s'est mis à parler de culpabilité.

— Dans quel sens ?

— Quelque chose du style : la culpabilité est comme un boulet qu'on trimbale derrière soi et auquel on s'habitue.

— Il a dit ça dans quel contexte ?

— Au moment où Jamal l'a interrogé sur son éventuelle mauvaise conscience de ne pas avoir assumé ses responsabilités vis-à-vis des enfants. Il en est venu à se qualifier de mauvais père. Et il a ajouté une phrase surprenante. Il a dit ne pas avoir ôté la vie à ses enfants au sens juridique du terme.

— Ce qui signifie qu'il considère quand même avoir un lien avec la mort des enfants ? Qu'il se sent moralement responsable ?

— C'est comme ça que je l'ai compris.

— On pourrait donc en déduire qu'il sait quelque chose au sujet de ces meurtres, continue Sjöberg, pensif. Sans pour autant les avoir commis lui-même.

— Il a nié les avoir tués. Il a répondu à la question par un non catégorique.

— Et ensuite, vous lui avez montré la photographie ?

— On lui a d'abord demandé s'il était au courant que Catherine avait un nouvel homme dans sa vie prénommé Erik. Il a affirmé que non. Ensuite, on l'a informé que l'homme en question s'appelait en fait Einar Eriksson, et c'est là que ses yeux ont soudain flamboyé. J'ai eu l'impression que la simple évocation de ce nom touchait une corde sensible. Mais sa réaction s'est éteinte aussi vite qu'elle était apparue.

— Il s'est peut-être simplement calmé en se disant que le prénom était commun, suggère Sjöberg.

— C'est possible. Tout comme le fait qu'il a tenté de masquer sa réaction. Toujours est-il qu'avant que Jamal lui montre la photo, il lui a demandé si nous soupçonnions Einar d'être le meurtrier. Ce à quoi Jamal a bien sûr répondu de manière évasive, en disant que nous ne voulions écarter aucune hypothèse. Tu connais la chanson.

— Et ensuite, quand il a vu la photo…

— … ça a été l'enfer. Après, tu connais le reste.

— Toi, Petra, qu'est-ce que tu en penses ? Tu crois que Christer Larsson est notre homme ?

— Absolument pas. Notre homme, c'est Einar Eriksson. Si Larsson retrouve ses esprits, il va pouvoir nous expliquer pourquoi. Et j'ai même l'impression qu'il serait prêt à tuer.

— À tuer Einar, tu veux dire ?

— Oui.

— Il l'a peut-être déjà fait.

— Mais alors, Conny, comment tu expliques sa réaction face à la photo ?

— Il est possible que Christer Larsson soit un bon acteur.

— Tu n'y crois pas toi-même, rétorque Petra.

Il doit bien admettre que, sur ce point, elle a raison.

Sjöberg évoque ses rencontres du jour avec Ingegärd Rydin, Solveig Eriksson et Ann-Britt Berg. Petra l'informe que la visite du petit appartement d'Einar Eriksson pour tenter de découvrir la raison de sa disparition s'est révélée infructueuse. L'interrogatoire de ses voisins de l'immeuble n'a rien donné non plus.

— Bon, je sors m'envoyer une entrecôte béarnaise avec une grande bière, s'exclame Sjöberg en guise de conclusion.

Ce n'est pas tout à fait ce qui se produit, puisque dès qu'il raccroche le téléphone, il s'allonge sur le lit, croise les mains sous sa nuque et repense à ce qui s'est passé avec Christer Larsson. C'est un sacré regret de ne pas avoir vécu ça en personne. Bien sûr, Petra lui en a fait un récit vivant et très détaillé, mais il aurait donné cher pour voir de ses propres yeux la réaction de Larsson.

En tout cas, voilà de nouvelles perspectives pour l'enquête. Il est évident que Christer Larsson et Einar Eriksson ont un bout de passé commun. Et lui-même se trouve actuellement à Arboga, la ville où Einar Eriksson a effectué ses premières années de service, lors de son entrée en fonction dans la police. La ville dans laquelle Christer Larsson et Ingegärd Rydin ont vécu ensemble, à la même époque. Sjöberg est de plus en plus persuadé qu'il y a une histoire très ancienne derrière le meurtre de Catherine Larsson et des deux enfants. Ce soir, il est malheureusement trop tard pour approfondir le sujet. Mais demain, il se promet d'aller fouiller le passé d'Einar Eriksson au niveau local.

Un coup de fil d'Åsa le tire de ses pensées.

— J'ai été voir le terrain, dit Sjöberg.

— Quel terrain ?

— Tu ne te souviens pas que j'avais trouvé le certificat de propriété d'un terrain chez ma mère ? Je me suis renseigné pour savoir où il était situé, et j'ai appris qu'il se trouvait du côté d'Arboga. Comme je passais dans le coin, j'en ai profité pour aller voir de quoi il avait l'air.

— Qu'est-ce que c'est que cette histoire ? Comment se fait-il que ta mère ait ce papier ? lui demande Åsa.

— Attends, écoute ça, répond Sjöberg, qui lui fait un descriptif détaillé de la propriété en question et de ses grands projets la concernant.

— Mais enfin, Conny, ce n'est pas notre terrain.

— Ça va le devenir. Il appartient à maman et, manifestement, il ne l'intéresse pas le moins du monde. L'endroit est très beau, tu vas adorer. Le lieu s'appelle La Ferme du Soldat, un nom sympa.

— Mais pourquoi n'en a-t-elle jamais parlé ?

— J'ai effectué quelques recherches, et tu n'as pas idée de ce que j'ai découvert. Pour commencer, que j'ai vécu là-bas les premières années de ma vie.

— Je croyais que tu étais né à Stockholm ?

— Oui, c'est exact, mais il doit y avoir une raison à tout ça. Je ne sais pas, moi : grossesse à risque, accouchement difficile, ou le simple fait que maman se trouvait à Stockholm le jour de ma naissance. En tout cas, mes grands-parents paternels habitaient cet endroit jusqu'à ce que papa et maman se marient et qu'ils viennent s'y installer. Ensuite, on y a vécu toute la période avant que papa tombe malade et qu'on déménage à Stockholm. C'est donc la maison de mon enfance. Bien sûr qu'on va la remettre en état !

— C'est vraiment une histoire incroyable ! Mais pourquoi elle n'en a jamais dit un mot ?

— Je pense qu'il y a quelque chose derrière tout ça. Pour maman, ce lieu semble ne rien évoquer de positif. Il s'avère que mon grand-père paternel est mort en 1967, quand j'avais neuf ans. Je ne me souviens pas l'avoir rencontré, ni que le nom de ma grand-mère paternelle ait même été évoqué chez nous. Tu ne crois pas que ça signifie que ma mère ne s'entendait pas avec eux ?

— Du vivant de ton papa, ça devait aller entre eux, puisque tes parents se sont installés à la ferme.

— Oui, mais au fil des années, ils ont dû se brouiller pour de bon.

— Et ta grand-mère paternelle, elle était déjà morte à ta naissance ?

— Elle est encore vivante.

— Tu plaisantes ?

— Non, c'est vrai. Elle a quatre-vingt-quinze ans, mais elle vit toujours.

— Incroyable ! Et tu ne l'as jamais rencontrée ?

— Pas depuis ma toute petite enfance. Je la croyais morte depuis un demi-siècle.

— Mais il faut que tu ailles la voir !

— J'y vais demain. J'ai réussi à trouver son adresse et j'y passerai tôt le matin.

— Quelle histoire ! Tu as parlé à Eivor ?

— Je l'ai appelée dans la matinée depuis le terrain, et je lui ai raconté où j'étais. Mais elle n'a fait aucun commentaire. C'était avant que je découvre que ma grand-mère paternelle était encore vivante. J'irai voir maman le week-end prochain et je compte bien la mettre au pied du mur. Faut qu'on se parle, bordel !

— Essaie toujours...

— Embrasse les enfants pour moi, conclut Sjöberg. Je serai de retour demain soir. Je t'aime.

— Moi aussi. Je t'embrasse.

Sjöberg vient juste de terminer sa pièce de viande trop cuite avec sa garniture, et d'attaquer sa deuxième bière de la soirée, en principe la dernière en raison de son programme du lendemain. Il prend son portable et appelle Sandén.

— D'après ce que j'entends, la vie nocturne d'Arboga a l'air au top niveau. Tu es en boîte ou quoi ?

— Pas vraiment, répond Sjöberg. C'est juste qu'il y a un bruit d'enfer dans le boui-boui où je me trouve. Je viens juste de finir ce qu'on va appeler un dîner.

— Aïe, c'est dur la vie d'un inspecteur de la Criminelle. Dis donc, j'ai déniché le passeport d'Einar. Il était dans la boîte à gants de sa voiture.

— Bien. Mais pour moi ça ne change rien. Je n'ai jamais douté qu'il était encore dans le pays.

— J'ai aussi mis Bella sur le coup pour qu'elle passe le véhicule d'Eriksson au peigne fin.

— Et alors, quelque chose d'intéressant ? demande Sjöberg.

— Des indices prouvant que quelqu'un s'est assis sur le siège passager, répond Sandén. Je me suis dit que ce serait intéressant de savoir qui.

— Des traces de chaussures ?

— Dans le meilleur des cas, oui. Il y avait un peu de terre et d'autres trucs sur le tapis de sol.

Soudain, Sjöberg se dit qu'il aurait dû demander à Ann-Britt Berg si elle se souvenait des chaussures que portait Einar lors de sa visite à Solberga samedi dernier. Bien sûr, il est peu probable qu'elle ait remarqué ce détail, mais il note quand même la question dans son carnet tout en poursuivant la conversation.

— C'est peut-être Einar lui-même qui s'est retrouvé assis du côté passager, suggère Sjöberg.

— Tu restes accroché à ta théorie de la conspiration, commente Sandén en riant. Tu veux dire qu'il aurait été transporté dans sa propre voiture ?

— Pourquoi pas ? réplique Sjöberg, sérieux. Et si c'est le cas, je préfère même pas penser à ce qu'il traverse en ce moment.

— Mais par qui, Conny ?

— Par Christer Larsson, éventuellement. Apparemment, il existe un contentieux entre eux.

— Je te l'accorde, ça a l'air d'être une sacrée histoire. Mais ce Larsson ne semble pas vraiment en état de…

— On n'en sait rien, le coupe Sjöberg. Il paraît quand même avoir une bonne dose de colère refoulée en lui.

— S'il pense qu'Eriksson a tué sa femme et ses enfants, il est plutôt normal qu'il devienne fou furieux.

— J'aurais vraiment aimé être là, soupire Sjöberg avant de boire une gorgée. Je ne peux pas me contenter d'entendre ce qui s'est passé. Je n'arrive pas à me faire mon opinion.

— Voyons ce que demain nous réserve, lâche Sandén, faussement poétique.

— En tout cas, pas du tennis, rétorque Sjöberg en référence aux parties que Sandén et lui jouent chaque vendredi matin à 7 heures.

— C'est bien ce que je soupçonnais. Surtout quand tu passes la veille du match en discothèque au lieu de te préparer. C'est donc moi qui gagne le match.

— Pas d'accord.

— Victoire par forfait ! C'est la sanction quand le joueur au mental défaillant se trouve des excuses bidon pour ne pas jouer la partie. Qu'est-ce que tu dois faire demain ?

— D'abord, je dois aller saluer ma grand-mère paternelle.

— Tu vois ! lance Sandén d'une voix triomphante. C'est le type même de baratin irrecevable qu'on utilise pour s'éviter un match de tennis. Au passage, je ne savais pas que tu avais une grand-mère paternelle.

— Pour dire la vérité, moi non plus, réplique Sjöberg.

— Comment ça ?

— Je l'ai appris il y a deux heures à peine. Elle habite Arboga, et je me suis dit que j'allais profiter de mon passage ici pour lui rendre visite.

— Et tu as obtenu cette information comme ça par hasard, alors que tu menais une traque intense pour retrouver Einar Eriksson ?

— Quelque chose dans le genre. Je te raconterai ça en détail quand on se verra. J'ai aussi l'intention de faire un tour au commissariat du coin et de me renseigner sur Einar. Il y a travaillé il y a une trentaine d'années.

— Ça devrait se révéler utile, lance Sandén avec sa pointe de sarcasme habituelle.

— On verra bien. À demain.

— Bien le bonjour à ta grand-mère.

NUIT DE JEUDI À VENDREDI

Sous ses pieds nus, le gazon est froid, humide de la rosée de la nuit. Il ne veut pas, ou plutôt n'ose pas, lever le regard vers la maison. Sa tête lui semble si lourde qu'il a presque du mal à la maintenir droite. Au prix d'un énorme effort, il réussit enfin à tourner son visage vers la lumière, vers la bâtisse. Malgré la fraîcheur de la nuit, ses joues s'embrasent. Sa tête s'incline vers l'arrière, épaules tendues. Il faut maintenant qu'il ait le courage d'ouvrir les yeux, mais quelque chose l'empêche de la contempler. Nimbé d'obscurité, il se balance d'avant en arrière au risque de perdre l'équilibre, tandis que ses yeux s'ouvrent comme par réflexe. Soudain, la voilà qui apparaît dans l'embrasure de la fenêtre ouverte située à l'étage. Margit, tentation au teint rose, dont la chevelure d'un roux éclatant sert d'écrin à son doux visage. Elle se met à danser pour lui. Quelques mouvements esquissés, avant qu'elle l'invite du regard à la rejoindre. Il lui répond en tendant les mains dans sa direction, mais le poids anormal de sa tête l'entraîne vers l'arrière. Son regard s'assombrit et il chute lourdement, disparaissant dans l'obscurité de cette nuit d'août.

*

Il se redresse dans son lit en étouffant un cri. Il a vécu ce rêve tant de fois qu'il n'en peut plus de somatiser. Le lit est trempé et il passe le dos de sa main sur son front avant de la sécher à même la couette. Une sensation de froid l'envahit. Tendu, il se redresse en tremblant pour s'asseoir. Il frotte ses bras contre son torse nu, sans pouvoir contrôler un interminable gémissement. Voilà une semaine qu'il n'a pas fait ce rêve, mais ça fait longtemps qu'il ne lui a pas paru aussi réel. Plusieurs minutes passent avant qu'il cesse d'entendre le sang cogner dans ses tempes. Il allume alors la lampe de chevet et attrape son téléphone sur la table de nuit. Il compose le numéro de portable de Margit Olofsson.

— Conny, qu'est-ce que tu fais debout à cette heure ?

— Quelle heure est-il ?

— Trois heures passées. Qu'est-ce qui t'arrive ? Tu as l'air essoufflé.

— D'un seul coup, je me suis mis à paniquer.

— Ça a quelque chose à voir avec moi ?

— Tu es au boulot ?

— Oui, sinon, je n'aurais pas répondu. Et toi, tu es où ?

— Je suis… en déplacement pour mon travail. Excuse-moi d'avoir appelé.

— Tu peux m'appeler quand tu veux. Tu me manques.

— Toi aussi. J'étais inquiet…

— Je suis au travail, Conny. Il n'y a aucune raison de s'inquiéter.

— D'accord. Pardonne-moi… Je te rappelle plus tard.

Il coupe la communication et se recroqueville sous la couette, le téléphone encore à la main. Il ne sait pas pourquoi il l'a appelée. Une idée subite, une sorte d'envie irrépressible… Mais l'envie de quoi ? Il ferme les yeux et tente d'évacuer l'horrible sensation laissée par ce rêve, ainsi que le poids de toutes ces questions sans réponse.

Il veut que tout redevienne comme avant, aimerait ne jamais avoir rencontré Margit. Être au moins assez intègre pour en finir avec cette relation. C'est Åsa qu'il aime, pas Margit. Même si elle possède quelque chose dont il a besoin, sans pouvoir toucher du doigt ce dont il s'agit. Il sait qu'il lui faut mettre un point final à cette histoire. Mais il continue d'avancer dans la mauvaise direction. Il n'ose même pas penser à la façon dont réagirait sa femme s'il lui apprenait ses frasques répétées. Depuis septembre dernier, il a vu Margit à quatre reprises en tout et pour tout. Mais quatre fois, ce n'est plus une fredaine, c'est une relation. Une relation sordide, destructrice, et qui ne peut mener qu'à la catastrophe.

Pour être sincère, ils se sont rencontrés uniquement à son initiative. Elle ne l'a jamais appelé, n'a jamais cherché à le voir. C'est lui qui veut avoir une liaison, alors que, de son côté, elle lit dans ses pensées et ne cherche jamais à évoquer le sujet. Cet aspect des choses aussi finit par lui causer une certaine honte. Il utilise Margit pour satisfaire ses envies, sans trop savoir ce qu'elles signifient. Pourtant, il ne souhaite pas être quelqu'un qui profite des femmes, ou des gens en règle générale. Il n'est pas comme ça et ne l'a jamais été. Mais ce maudit rêve a mis au jour une part de lui-même dont il n'avait pas conscience auparavant, quelque chose de pourri. Il sent qu'il est en train de se détacher de sa vraie nature, de devenir plus froid, de faire preuve de moins d'empathie.

Il reprend conscience dans un sursaut, sans savoir s'il sommeillait ou gambergeait. Son portable sonne, alors qu'il le tient toujours entre ses mains sous la couette. Grâce à la lumière restée allumée, il jette un œil sur le radio-réveil placé sur la table de nuit. Il est 3 h 30.

— Salut, Conny, c'est Jenny.

Mais oui ! Elle lui a téléphoné quelques heures plus tôt et il a promis de la rappeler. Or comme il a oublié, la sanction tombe, à l'heure du loup. Sjöberg connaît les filles de Sandén depuis qu'elles sont nées. Il ne se considère pas comme le papa de substitution de Jenny, dont elle n'a d'ailleurs pas besoin. Mais il incarne sans aucun doute l'adulte qu'elle connaît le mieux en dehors de ses parents. Pour autant, il ne peut s'imaginer ce qu'elle a en tête au beau milieu de la nuit. C'est la première fois qu'elle l'appelle à une heure pareille.

— Mais, ma petite chérie, qu'est-ce que tu fais debout si tard ?

— Je n'arrive pas à dormir.

— Tu n'as pas dormi du tout ?

— Peut-être un peu, mais je ne crois pas.

— Qu'est-ce qui te tracasse ? Il est arrivé quelque chose ?

— On est bien d'accord que la cruauté envers les animaux est un crime ?

En réalisant de quoi il est question, Sjöberg se met à sourire. Micke et Lotten, surtout cette dernière, lui ont fait tourner la tête. Depuis qu'elle est l'heureuse propriétaire de la petite Modesty, Jenny est devenue elle aussi folle des chiens. Comme une éponge, elle s'est imprégnée de toutes les folies de ces deux-là.

— Oui, ça peut être condamnable. Mais ça dépend naturellement de quelle bête il s'agit et de ce qu'on lui a fait, précise-t-il pour rester objectif.

— Hier, un gamin est venu au commissariat et nous a raconté une histoire horrible.

— Mince alors. Et tu en as parlé à ton papa ?

— Oui, mais il s'en fout. Ou peut-être qu'il n'a pas le temps, rectifie-t-elle. Le garçon nous a expliqué qu'un bonhomme gardait un cochon enfermé et le forçait à se vautrer dans sa propre merde.

— C'est ce que font les cochons.

— Mais là, il lui criait dessus et le frappait de toutes ses forces.

— Et le gamin l'a vu faire ?

— Non, mais lui et son copain étaient cachés pas loin et ils ont tout entendu. Tu ne trouves pas bizarre d'avoir un cochon en ville ?

— J'admets que ce n'est pas très courant, mais je ne crois pas que la loi l'interdise. Et d'ailleurs, peut-être qu'il ne s'agissait pas d'un cochon ordinaire, mais plutôt d'un de ces cochons nains vietnamiens. Ils sont très à la mode en ce moment.

— En tout cas, il l'a frappé extrêmement fort et plein de fois. Et il refuse de lui donner ce qu'il faut à manger, comme des pommes de terre ou quelque chose dans le genre.

— Qu'est-ce qui te fait dire ça ?

— Le bonhomme s'est moqué du cochon parce qu'il avait vomi son repas.

— Oui, mais sur la question des pommes de terre, dit Sjöberg, étonné, ça te vient d'où ?

— Mais je sais plus, moi. C'est ce qu'a dit le gamin.

Sjöberg ne peut s'empêcher d'esquisser un sourire.

— Il vaut mieux qu'il garde ses distances avec cet homme. Ça a l'air d'être un sale type.

— Conny, il faut qu'on sauve le cochon ! Si la cruauté envers les animaux est un crime et que toi tu es un policier, tu dois bien pouvoir faire quelque chose ?

— Ah bon, parce qu'il est question de déposer une plainte ? demande Sjöberg sur un ton un peu amusé.

— Oui, et ni papa ni Jamal ne veulent m'aider.

— C'est parce qu'ils ont beaucoup à faire en ce moment.

— Mais c'est important ! Et c'est aussi ce que pense Lotten !

— Oui, je m'en doute. On va faire comme ça, Jenny : à mon retour, on rédige un dépôt de plainte. Mais maintenant, il faut qu'on dorme, toi et moi. OK ?

— OK, répond Jenny. (Il l'entend qui bâille.) Alors, bonne nuit.

— Bonne nuit, ma petite chérie. Dors bien.

MATINÉE DE VENDREDI

Conny Sjöberg, bientôt cinquante ans, se retrouve pour la première fois face à sa grand-mère paternelle. Il voit immédiatement la ressemblance avec sa propre image dans le miroir : des pommettes saillantes et la longue arête du nez. Signe Sjöberg est une femme au port de tête altier, qui se tient dans l'embrasure de sa porte d'entrée, le dos bien droit, vêtue d'une robe simple mais élégante, et portant des chaussures à talons qui lui épousent bien le pied. Elle le dévisage d'un regard méfiant, ses yeux d'un bleu intense munis de lunettes à monture d'acier.

— Qu'est-ce que je peux faire pour vous ? s'enquiert-elle auprès de lui, qui reste occupé à étudier ses traits.

— Je m'appelle Conny Sjöberg et je crois que vous... que tu, rectifie-t-il dès l'instant où il est convaincu de leur parenté, es ma grand-mère paternelle.

Elle le dévisage, impassible.

— Est-ce que je peux entrer pour qu'on se parle ?

Elle l'examine attentivement de la tête aux pieds. Après avoir semblé prendre acte de leur ressemblance physique, elle recule un peu pour le laisser pénétrer dans l'appartement. Il se sent gêné, debout dans la petite entrée, les mains croisées devant lui comme un écolier timide. Elle referme la porte, se retourne vers lui, avant de se diriger vers la salle de séjour d'un pas étonnamment rapide pour une personne de quatre-vingt-quinze ans.

Elle s'assoit sur la seule chaise qui n'est pas rangée sous la table. L'inspecteur remarque un journal grand ouvert, ainsi qu'un crayon et une gomme placés tout près. Il en déduit qu'il l'a interrompue au beau milieu de ses mots croisés. Ce qui, il en convient, est très agaçant. Peut-on y voir un trait de caractère héréditaire ? Il tire une chaise et s'installe à son tour.

Elle étudie chacun de ses mouvements avec défiance. Le petit appartement déborde d'une atmosphère peu accueillante, et il est bien déterminé à comprendre pourquoi.

— Tu es bien ma grand-mère ? commence-t-il, un sourire aux lèvres.

Elle retarde un peu sa réponse, mais lorsque celle-ci tombe, concise, le ton est plus tranchant qu'attendu :

— Ce n'est pas inconcevable.

— Excuse-moi de dire ça, mais tu ne sembles pas particulièrement heureuse de me voir.

— Pourquoi, je devrais ?

Il rit et comprend qu'il se retrouve entraîné dans une sorte de lutte psychologique dont il ne saisit pas la raison. Il choisit de faire son possible pour éviter un éventuel affrontement et de jouer cartes sur table.

— J'ai grandi en croyant que mes grands-parents paternels étaient morts avant ma naissance. Hier, j'ai découvert que mon grand-père a quitté ce monde quand j'avais neuf ans et que tu vivais encore. Comme tu peux le comprendre, j'en ai été très surpris. Mais surtout, j'ai été très content de me retrouver d'un coup avec une grand-mère. On n'a pas l'impression que tu ressentes la même chose en me voyant.

Elle ne répond rien et se contente de le fixer d'un regard glacial. Après une première impression positive qui l'a conduit à être surpris par la vitalité de cette femme au regard transparent comme du verre, il trouverait plus simple qu'elle ait un peu perdu la tête.

— Tu veux bien m'expliquer pourquoi ? enchaîne-t-il.

— Ta mère peut bien s'en charger.

Ça y est, c'est nous contre eux, se dit-il. Comment peut-il continuer à parler de sa mère sans lui faire du tort ?

— Elle n'est pas du genre bavard. Tu peux me croire, j'ai essayé de poser des questions, mais elle évite de parler du passé. En revanche, elle n'a jamais prononcé une parole méchante à propos de toi ou de grand-père.

— Elle n'a aucune raison de le faire. Nous ne lui avons jamais rien fait de mal.

Elle plante ses yeux dans ceux de Conny et s'en tient à ce qu'elle vient de dire. Il a bien des difficultés à ne pas baisser le regard.

— Mais toi, tu considères qu'elle t'a fait quelque chose ? Ou bien à vous ? J'aimerais bien comprendre de quoi il s'agit.

— Elle a pris la vie de mon fils, rétorque Signe Sjöberg.

Conny se glace. Qu'est-ce que ça peut bien vouloir dire ? Il conserve néanmoins un ton objectif et continue d'aborder sa grand-mère en douceur, afin d'avoir accès aux pièces manquantes du puzzle de son existence.

— S'il te plaît, tu peux préciser ? Je n'ai aucune idée de ce que tu essaies de me dire.

— Je n'essaie rien du tout. C'est toi qui m'obliges à parler de choses qui auraient dû finir dans l'oubli depuis bien longtemps.

— Finir dans l'oubli ? Grand-mère, j'ai l'impression que c'est toi qui refuses d'oublier tout ça.

Elle tressaille. Apparemment, ces dernières paroles ne sont pas de son goût.

— Je croyais que papa était tombé malade, poursuit Conny. Dans mon souvenir, il est resté un bon moment à l'hôpital avant de mourir. Et comme je n'ai jamais eu le droit de lui rendre visite, je n'ai jamais compris de quelle maladie il avait souffert.

— Une maladie ? s'emporte-t-elle. Ce n'était pas une maladie. Avant de rendre l'âme, il a passé des mois aux soins intensifs à cause de ses brûlures.

— Mais quelles brûlures ? interroge Conny dans un frisson. S'il te plaît, raconte-moi ce qui s'est passé.

— C'est ta mère qui aurait dû le faire. Pourquoi faut-il que je me retrouve ici à ressasser le passé ?

— Parce que je te prie de le faire, répond Conny en lui présentant la paume de ses mains pour signifier qu'il n'a pas d'intentions cachées. Parce que ton fils était mon père. Parce que j'ai le droit de savoir.

— Par votre faute, ta mère et toi avez perdu vos droits. Je ne te dois rien.

Elle ne le lâche pas du regard une seule seconde. Signe Sjöberg est quelqu'un de fort, qu'il vaut mieux avoir de son côté que contre soi. Mais Conny préfère se confronter à ce genre de personne plutôt qu'à un individu sur la réserve et fuyant comme sa mère. Il fait le choix d'en appeler à la raison de sa grand-mère et de se blinder face à ce regard aussi glacial qu'inquisiteur.

— J'avais trois ans. Je crois comprendre que tu me considères comme partie prenante dans un acte qui a fait du mal à papa, mais je n'ai aucun souvenir de cette période de ma vie. Je ne peux donc en tirer une quelconque culpabilité. Pourtant, j'ai l'impression que cette question-là est très importante pour toi, et donc, je te le redemande : raconte-moi ce qui est arrivé.

Ses yeux ne dévoilent rien de ce qu'elle pense. Conny remarque que ses lèvres se crispent. Il attend en silence, jusqu'à ce qu'elle se mette à parler.

— La maison a commencé à brûler. Vous étiez tous couchés dans la même pièce, en train de dormir. Elle s'est réveillée et t'a emporté avec elle dans la cour. Seulement toi. Elle a laissé Christian au milieu des flammes. Quand les hommes ont réussi à le tirer de là, il était déjà trop tard. Il a survécu quelques mois, mais pour quelle existence ?

Pas de larmes. La voix et le regard demeurent durs, à mesure que la rancœur envahit la pièce. Cette amertume est dirigée contre sa mère. Et, en apparence, contre lui aussi. Parce qu'il a eu la chance de survivre à un incendie qui a eu lieu lorsqu'il avait à peine trois ans. Parce que sa mère s'est d'abord attachée à faire sortir son enfant des flammes et non son mari. Conny sent une boule se former dans sa gorge. Tel est le destin de sa mère : après avoir perdu son époux et sa maison, elle a dû affronter la culpabilité pour cette perte irrémédiable, jusqu'à être répudiée par ses beaux-parents.

Conny ressent un besoin urgent de quitter l'appartement. Il n'en peut plus de demeurer assis près d'une grand-mère inhumaine, sorte de statue de pierre, et de servir de cible à ses accusations absurdes. Néanmoins, il se lève de sa chaise avec un calme faussement cordial.

— Je suis désolé de ce qui s'est passé, dit-il. Je suppose que nous ne nous reverrons plus. Prends soin de toi, grand-mère.

Elle lui renvoie un regard impénétrable. Il reste quelques instants à l'observer, avant de tourner calmement les talons et de partir.

*

Aux environs de 9 heures, Petra se trouve déjà assise à son bureau quand Jamal passe dans le coin. Entre la veille au soir et ce matin, il se sent suffisamment confiant pour avoir la force de l'affronter et exprimer ce qu'il a sur le cœur. Il s'en veut de ne pas l'avoir fait plus tôt. Mais tant qu'il n'avait pas la moindre idée de la nature du problème, c'était difficile. Pourtant, ça ne fait jamais de mal de vouloir éclaircir les choses.

Il retire rapidement son blouson et le balance sur sa table de travail. Puis il repart d'un pas décidé vers le bureau de Petra et entre sans frapper. Depuis son siège, elle lève les yeux vers lui, mais son regard n'exprime rien. Il referme la porte derrière lui et s'installe dans le fauteuil visiteur sans lui demander l'autorisation. Il se penche en arrière, mains posées sur les accoudoirs, jambes croisées. Petra continue de lui manifester la même indifférence.

— Il faut qu'on parle, lance-t-il.

— Ah bon.

Du mépris.

— Je répète ce que je t'ai dit : je sais ce que tu crois, mais tu es à côté de la plaque. Pour mon bien, pour le tien, pour celui de l'équipe, il faut qu'on éclaircisse tout ça.

— Quel bien de l'équipe ?

— Les mecs de la direction menacent de disloquer notre groupe si on ne parvient plus à collaborer.

— Oh, comme j'ai peur ! Ça sera sûrement à moi de partir.

Et voilà l'ironie. Mais comment peut-elle être si certaine d'être la première visée ?

— Tu n'as pas la moindre putain d'idée de ce que je crois, ajoute-t-elle.

Il rassemble ses forces, tente de paraître sûr de lui malgré ses mains qui tremblent comme un vieil alcoolique, et se risque à lâcher les accoudoirs.

— Évidemment que si. Tu crois que je passe mes nuits à droguer et à violer des nanas. Et qu'en plus je filme toute cette merde.

Il a voulu se montrer froid. Pourtant, ses joues sont en feu et il n'est pas impossible que sa voix ait aussi légèrement tremblé. Il craint qu'elle n'explose une nouvelle fois. Qu'elle le roue de coups. Mais elle reste assise. Elle se contente de relever un sourcil et de laisser échapper un rire condescendant.

— C'est ce que je crois ? Je crois surtout que tes paroles viennent d'apporter la preuve que c'est la vérité. Je les prends comme un aveu.

— Tu as tort. Je peux démontrer que je suis innocent.

— Oui, bien sûr. Il est parfaitement crédible que tu en saches autant sur tout ça sans que tu aies rien à y voir. Si je comprends bien, c'est juste que la rumeur s'est répandue dans tout le commissariat.

Nouvelle marque d'ironie.

— Ce soir de novembre, quand je t'ai laissée au bar du Clarion, je suis rentré chez moi et j'ai rompu avec Lina. On a passé presque toute la nuit à discuter. Le lendemain matin, on a partagé les affaires et je l'ai conduite chez ses parents. Tu peux l'appeler et vérifier.

Petra l'écoute. Elle continue de ne pas manifester le moindre intérêt pour ce qu'il dit, mais elle ne l'interrompt pas.

— Et après le stage d'expression corporelle, quand on s'est quittés à la sortie du Pelikan, Bella était dans le coin pour me prendre en voiture. On est allés chez elle et j'y ai passé la nuit. On a eu une histoire pendant un certain temps. Chose qui ne regarde personne. Si je t'en parle, c'est parce que j'y suis contraint. Interroge-la et tu verras.

Il constate la présence d'un élément nouveau dans le regard de Petra. Elle persiste à ne rien dire, mais elle réfléchit. Jamal croit savoir ce qu'elle pense : *S'il est innocent, comment peut-il connaître les dates déterminantes dans cette affaire ?*

— J'ai découvert des saloperies *via* mon ordinateur, explique-t-il.

Il considère qu'elle n'a pas besoin de savoir qu'il n'est pas la seule personne ayant pu voir ces images dérangeantes et avilissantes.

— C'est arrivé l'autre jour, enchaîne-t-il. Je n'ai pas regardé en détail… un truc misérable. Mais j'en ai vu suffisamment pour comprendre ce qui s'était passé. Et la date figurait dans un coin.

Petra plisse le front, soupçonneuse.

— Et pour l'autre date, sur quoi tu t'es basé ?

Ça y est, elle le questionne. Il ne va pas pouvoir lui cacher longtemps que le film a été vu par d'autres. Mais il y a de l'espoir. Il a réussi à l'intéresser.

— Quelqu'un a envoyé ces images depuis mon adresse mail, précise-t-il.

— Comment ça *des* images ?

— Celles du film.

— Tu parles d'un film ? Pas d'une simple photo ?

— Non, c'était un extrait de film. Que je n'ai pas regardé en détail.

— Tu mens, affirme Petra. C'est une photographie que j'ai trouvée dans ton ordinateur, pas un film. Et je l'ai effacée. Une image qui venait de mon adresse mail.

— Alors comme ça, tu es rentrée dans mon ordinateur ?

— Il me fallait bien la confirmation que c'était toi le coupable.

D'un coup, les voilà qui dialoguent et exposent de façon objective leurs arguments. Un bon début.

— Ce qui n'est pas le cas, réplique Jamal.

— En tout cas, ce que tu racontes ne correspond pas.

— Écoute-moi, Petra. Quelqu'un a envoyé une photographie depuis ton adresse et un film depuis la mienne. En vérité, pour ce qui est du film, c'est sur l'ordinateur du destinataire que je l'ai vu, et c'est de lui que j'ai appris qu'il avait été envoyé depuis mon adresse. Je voulais te ménager. Je pensais que ce serait mieux pour toi que tu ne saches pas.

— De ne pas savoir quoi ?

— Que d'autres personnes ont vu le film.

— Et qui sont ces personnes ? interroge Petra.

Elle semble plus attristée qu'en colère. Jamal sent que le but est proche et que la tension diminue. Ses mâchoires se décrispent, la pression artérielle, qu'il endure au niveau des tempes depuis six mois, commence à s'apaiser. Il aimerait plus que tout la serrer fort dans ses bras. Elle a l'air d'en avoir besoin.

— Je n'ai pas l'intention de te le dire. Mais rassure-toi. Il n'a plus le film. Fais-moi confiance. Tu en es capable ?

Durant quelques secondes, Petra le scrute en ruminant ses pensées. Elle s'est affaissée sur son siège, anéantie.

— Comment as-tu mis la main sur la personne en possession du film ? demande-t-elle. Et comment tu as su qu'elle l'avait reçu depuis ton adresse ?

— Travail d'investigation, sourit Jamal. Comme tu le sais peut-être, je suis policier.

— C'est grâce à Conny ?

Surpris, il fait non de la tête.

— Hadar ?

Son étonnement grandit encore. Est-il le seul de la brigade à ne pas être au courant de l'affaire ?

Mais là, il ne peut plus se retenir. Il a attendu ce moment pendant des mois, même si l'envie ne s'est jamais manifestée aussi clairement que maintenant. Il se lève, fait le tour du bureau, la lève prudemment de son siège et l'enlace.

— Ça fait longtemps que je veux le faire, soupire-t-il, le visage plongé dans sa chevelure. Et maintenant, raconte-moi ce qui s'est passé.

Il la sent qui se détend. Elle vient blottir sa tête contre son épaule.

— J'ai confiance en toi, souffle-t-elle.

Puis elle commence son récit.

*

Quelques heures plus tard, lorsqu'il la quitte, il est partagé entre plusieurs sentiments. Un énorme soulagement que le malaise entre eux ait disparu. Et une farouche détermination à coincer celui que Petra appelle le *deuxième homme*. Sans oublier le goût amer instillé par ce qu'il a appris au beau milieu de ce moment d'intimité tant désiré, quand Petra, avec un large sourire, a laissé échapper que ces derniers temps, elle était enfin parvenue à concrétiser quelque chose sur le front de l'amour. Mais elle a précisé que ça ne deviendrait pas une vraie histoire. Que ça ne *pouvait* pas l'être. Il se demande pourquoi. En général, quand on dit qu'on ne *peut* pas, on veut dire que son cœur est déjà pris. Une éventualité qui lui déplaît. Ou peut-être qu'il n'apprécie pas la simple idée de la savoir avec quelqu'un.

D'un rire insouciant, elle a écarté toute discussion prolongée sur le sujet. Et lui a regretté de lui avoir posé la question.

*

Au sixième jour, son courage commence à s'étioler. Désormais, il se sent si faible qu'il ne se préoccupe plus de choisir quand dormir ou rester éveillé. D'ailleurs, il n'est plus sûr de savoir si son sommeil est réel. Il glisse par intermittence dans un état léthargique qui peut s'apparenter à une perte de conscience. De même, il ne se préoccupe plus vraiment du froid, ce qu'il interprète comme le début de la fin. Néanmoins, il ne renonce pas à ce qu'il a décelé comme l'unique et mince possibilité de s'en sortir : dès qu'il parvient à mobiliser assez d'énergie, il s'obstine, par de petites secousses, à distendre la corde qui lui lie les poignets.

La veille, le petit tas constitué de miettes de pain a pris de l'ampleur. Malgré son estomac affamé qui se tord de douleur, il ne peut se résoudre à manger. Sa bouche n'en manifeste pas l'envie. De plus, il refuse d'accomplir l'interminable et douloureux trajet qui consiste à ramper jusqu'aux miettes de pain pour en happer quelques-unes. En revanche, allongé à proximité du récipient d'eau, il s'oblige parfois à en laper quelques gouttes. Il demeure couché là, immobile, perclus de douleurs, les membres engourdis, ne changeant de position qu'en cas de véritable nécessité.

Les pensées et les rêves alternent, se confondent, le menant à une totale confusion, sans qu'il puisse dire où il se trouve. Plus que la douleur physique permanente, sa souffrance est avant tout mentale. Néanmoins, ses rêves lui permettent parfois de s'en échapper. Mais à chaque réveil, il se retrouve face au même constat, permanent et douloureux : une fois encore, sa vie se résume à grimacer de douleur et à subir le rappel incessant d'une culpabilité qui lui pèsera jusqu'à son dernier souffle. Avec en plus, les souvenirs qui le poursuivent pour lui rappeler ce qu'a été son existence. Une petite vie, insignifiante et pitoyable, qui l'a englouti *un jour de mai, il y a bien longtemps, avec l'odeur de l'herbe fraîchement coupée qui emplit ses narines, mêlée à celle d'une terre où va croître une nouvelle vie, et au parfum du merisier en fleur de l'autre côté de la rue. Une journée de mai au cours de laquelle le vent espiègle ride l'eau de la rivière et joue avec les cheveux blonds de sa femme. Elle fait la queue devant le kiosque où elle s'apprête à acheter deux sucettes. Bientôt, elle va perdre la faculté de parler.*

Quelques moineaux sautillent sous la corbeille à papier située près d'elle, occupés à picorer les restes d'un cornet de glace. Par petits bonds, ils dansent autour de leur appétissant butin, et quand elle jette un œil vers la voiture, elle s'aperçoit que là-bas aussi les choses s'agitent. L'un des garçons, Tobias, le plus jeune des deux, est sur le point d'enjamber les sièges pour rejoindre la place du conducteur. Elle jette un œil à sa montre et se dit qu'Einar devrait bientôt être de retour. Au même moment, le client qui la précède, une fois servi, lui cède sa place.

— Vous avez des sucettes ? demande-t-elle à l'homme derrière le comptoir, tout en lançant de nouveau un regard en direction de la voiture. Elle constate, soulagée, que Tobias est suspendu entre les deux sièges, la tête en bas. Image qu'elle interprète comme le signe qu'il est en train de regagner sa place à l'arrière.

— Bien sûr, répond le vendeur en lui présentant une boîte dans laquelle elle peut choisir des sucettes de tailles et de couleurs différentes.

Pour une raison inconnue, elle en saisit une noire et, la tenant dans sa main, se dirige d'un pas hésitant vers la voiture qui vient de commencer à rouler lentement. Elle se met à courir, par petites foulées nerveuses, puis plus grandes, maladroites à cause de ses talons. Pendant ce temps, la voiture accélère sa marche arrière en direction de la rivière étincelante.

Elle arrive à hauteur du véhicule avant que les roues aient franchi le bord du quai. Elle tente d'ouvrir la portière côté passager, mais ses gestes sont gauches et la prise lui échappe. Elle hurle, et ses yeux effrayés croisent ceux de l'un des garçons – sans qu'elle sache dire lequel –, écarquillés de surprise. Au même moment, la voiture bascule, quitte la chaussée pavée, et fend l'air pour rejoindre les eaux sombres. Tétanisée, elle reste à regarder l'habitacle se remplir d'eau par la vitre côté conducteur. Dans un cri si strident qu'il pénètre jusqu'à la moelle l'employé du kiosque et les autres personnes – dont le mari – présentes à proximité, elle se jette dans l'eau glacée, avant de prendre une grande inspiration et de disparaître sous la surface. Tandis qu'elle mène son impossible combat, elle est bientôt rejointe par le *mari et deux hommes qui passaient par là. La voiture coule jusqu'au fond. Une profondeur et des courants qu'aucun d'entre eux ne parviendra à maîtriser, faute d'équipements et de forces.*

Leurs gestes montrent le désespoir et l'épuisement qui les accablent, et ils doivent se résigner à remonter. Entre cris et halètements, ils retrouvent la terre ferme. Mais désormais, le monde se dérobe sous leurs pas. Tout près du quai, une sucette noire flotte à la surface de l'eau.

*

Sjöberg s'assoit dans sa voiture et tente de calmer sa respiration, le cœur battant, en proie à une colère qui fait s'embraser ses oreilles. Tout son être se rassemble pour repousser l'impression laissée par cette personne amère, égocentrique, censée être sa grand-mère. En même temps, un flot de chaleur lui parcourt le corps. Le moteur est encore à l'arrêt. Penché sur son volant, il tente de reprendre ses esprits. Il remarque que la vague de chaleur gagne de plus en plus de place. Pour finir, toute sa colère contre une grand-mère sans cœur cède la place à un sentiment d'admiration pour sa propre mère.

Il voit soudain l'image de sa maman telle qu'elle a dû être jeune, avant son veuvage. En se remémorant de vieilles photos, il se fait une nouvelle image d'elle. Celle d'une femme pleine de vie, au sourire chaleureux. Une vision différente de celle qu'il avait jusque-là. Une jeune femme solide et confiante, avec la vie devant elle, heureuse d'être mariée, qui habite une petite maison en pleine campagne et qui tient son fils encore tout petit dans ses bras. Une jeune femme dont l'existence, une nuit, se brise en mille morceaux, à cause d'un incendie. Elle se retrouve seule dans la banlieue hostile d'une ville qu'elle ne connaît pas, avec un triple fardeau sur les épaules : un fils en bas âge qu'elle doit élever seule, la douleur d'avoir perdu son homme, et la grande culpabilité que ses beaux-parents lui ont mise sur le dos.

Si elle a gardé le silence, c'était pour lui. Pour le ménager face à l'indescriptible : le chagrin lié au destin de son père et les souvenirs de l'incendie. Aujourd'hui, ce n'est pas la façon dont on gérerait une telle catastrophe, mais c'est la manière qu'elle a utilisée pour permettre à son fils de grandir, de devenir une personne autonome et équilibrée. Et elle y est plutôt bien parvenue. Si on fait abstraction de ce qui se passe dans sa tête ces derniers temps, quand il sent son cerveau bouillonner au fil d'élucubrations passagères. Mais ça peut arriver à tout le monde. C'est peut-être la crise de la cinquantaine ? Si une telle chose existe.

Sjöberg soupire et tourne la clé de contact. Une nouvelle page de l'histoire de sa mère vient de s'écrire. Et également de la sienne. Il va faire son possible pour que cette découverte constitue un élément positif dans sa relation avec sa mère. Mais ce sera pour plus tard. Pour l'instant, c'est au passé d'Einar Eriksson qu'il entend s'attaquer.

*

Sjöberg se trouve à la réception du commissariat d'Arboga pour y rencontrer les plus anciens des fonctionnaires de police qui travaillent là. Le jeune homme en uniforme chargé de l'accueil lui indique un bureau situé au troisième étage.

Les deux inspecteurs qui le partagent se nomment Möller et Edin, tous deux âgés d'une soixantaine d'années. Möller est un type grand et noueux, qui s'exprime avec un accent typique du sud de la Suède. Quant à Edin, de taille moyenne, il a une belle carrure, mais plus de cheveux.

Sjöberg se présente et ils l'invitent à prendre place dans l'un des fauteuils. Möller lui propose de boire quelque chose, puis sort de la pièce pour aller chercher la commande. Edin s'approche de Sjöberg en faisant rouler sa chaise de bureau. Ils échangent quelques paroles sur le bruit dû aux réparations en cours, quelques pièces plus loin, à la suite d'un dégât des eaux. Möller revient avec une coupe de fruits et des bouteilles d'eau gazeuse, qu'il pose sur une table basse avant de s'installer dans son siège. Sjöberg en vient alors à sa requête.

— Je travaille sur le meurtre d'une femme et de ses deux enfants, tous les trois retrouvés la gorge tranchée. Vous en avez peut-être entendu parler ?

Les deux inspecteurs acquiescent.

— Deux hommes liés à l'enquête sont originaires d'Arboga, et je suis venu ici pour entendre leurs proches. Pour diverses raisons, ces interrogatoires n'ont rien donné de concluant, mais il s'avère que l'un des hommes en question a été policier ici. Je me suis dit que vous alliez peut-être pouvoir m'apprendre quelque chose. J'ai cru comprendre que vous travaillez ici depuis le début des années 1970 ?

— Exact, répond Edin, tandis que Möller confirme d'un hochement de tête.

— Est-ce qu'il est soupçonné de meurtre ? demande Möller.

— Non, réplique Sjöberg. Mais il a un rôle central dans l'affaire, et pour le moment, il a disparu.

— Et l'autre homme, il s'est aussi évaporé ? interroge Edin.

— Non, mais il est à l'hôpital, et pas en état de nous aider.

— Et le policier, comment s'appelle-t-il ? demande Möller.

— Il a travaillé ici entre 1975 et 1980. Son nom est Einar Eriksson.

Les deux inspecteurs échangent un regard que Sjöberg ne parvient pas à interpréter.

— Vous le connaissez ?

Edin se penche, pose les coudes sur ses genoux et les mains à hauteur de sa bouche, avant d'acquiescer d'un air grave. Quant à Möller, il inspire un grand coup avant de répondre :

— Oui, on le connaissait très bien. C'est horrible ce qui lui est arrivé. Pour Einar, ça a été dur.

— Le pauvre vieux, complète Edin qui secoue la tête d'un air désolé.

Sjöberg plisse le front, interloqué. Est-ce qu'ils parlent d'une chose qu'il est censé connaître ?

— Je ne vous suis plus. Il s'est passé quoi avec Einar ?

— Excusez-moi. Je croyais que vous saviez, dit Möller. Bon, par où commencer ?

— Voilà en bref ce qui s'est passé, lance Edin. Einar et Solveig, sa femme, avaient la garde des enfants de leurs voisins. Deux garçons d'à peu près trois et cinq ans. Ils devaient ensuite les ramener à leur mère, qui travaillait dans un salon de coiffure de la ville. En route, Einar, qui conduisait, s'est arrêté pour faire une course. Comme ça durait un peu, Solveig a pris le volant pour se rapprocher du kiosque qui ne se trouvait pas loin afin d'acheter des bonbons aux gamins. Elle s'est garée l'avant du véhicule tourné vers la route et l'arrière vers la rivière toute proche. À l'époque, il n'y avait pas de parapet et, à cet endroit, la berge est légèrement en pente. Pendant qu'elle achetait les friandises, la voiture s'est mise à rouler et…

Edin s'arrête net. D'un regard, il encourage son collègue à poursuivre. Sjöberg se tend, par crainte de la suite, même s'il pense déjà savoir comment les choses se sont terminées. Möller prend le relais.

— Solveig a couru vers la voiture, mais elle n'a pas pu l'empêcher de tomber à l'eau. Comme une des vitres était entrouverte, l'auto s'est rapidement remplie et a coulé au fond de la rivière. Avec les enfants à l'intérieur. Solveig s'est jetée à l'eau pour essayer d'ouvrir les portières. Einar est arrivé sur place et a tenté de l'aider avec d'autres personnes. Mais quand le véhicule est entièrement immergé, c'est très difficile. Après une telle tragédie, il n'a pas été facile de se retrouver face aux pauvres parents. Bordel de Dieu, quel malheur !

Sjöberg ressent un vertige. Depuis trente ans, Einar a fait en sorte que tout cela reste enterré : les souvenirs, les angoisses, le sentiment de culpabilité, tout ce qu'un tel événement génère.

— Est-ce que Solveig a été sanctionnée ?

Edin laisse échapper un court et sourd éclat de rire.

— Elle l'a été, sans aucun doute. Mais pas au sens juridique du terme.

Une dernière phrase qui frappe l'esprit de Sjöberg.

— Elle n'a jamais plus été la même, poursuit Edin, attristé. Dans les premiers jours, elle a tenté d'expliquer, de se justifier, de demander pardon, de crier sa culpabilité ou son innocence. Et ensuite, elle s'est tue. Elle a d'abord été hospitalisée, assez longtemps, si je me souviens bien. Mais après, Einar l'a placée dans un établissement. Il est resté ici encore trois ans. Tu peux t'imaginer quel genre d'existence ça a été pour lui. Les messes basses, la pitié, les accusations. Mais il a assumé. Pour Solveig.

— Il est venu au boulot chaque jour, enchaîne Möller avec une voix pleine d'admiration. Sa joie de vivre avait disparu, mais il se battait. Il passait tout son temps libre auprès de Solveig, d'abord à l'hôpital, ensuite dans cet établissement. Au bout de trois ans, il a abandonné l'espoir qu'elle se remette et il est parti à Stockholm.

— Non, il n'a pas cessé d'y croire, rectifie Sjöberg. Il a acheté une maison dans un lotissement, pour qu'ils y habitent lorsque Solveig serait rétablie. Et encore aujourd'hui, il lui rend visite chaque samedi. Il reste à ses côtés pendant douze heures, lui parle, la promène. Il vient la voir à son anniversaire, à Noël, au Nouvel An.

— Conclusion : Einar aussi a suffisamment été puni, souligne Edin. Surtout que Solveig n'a rien fait de mal. L'un des gamins était fou de voitures et désobéissant. Il a desserré le frein à main, même si elle lui avait dit de ne toucher à rien. Bien sûr, elle n'aurait pas dû les laisser seuls.

— Elle aurait pu se garer un peu plus intelligemment, ajoute Möller. Mais bordel, on fait tous des petites erreurs. Et dans la majorité des cas, ça se passe bien quand même. Après l'accident, ils ont installé un parapet le long de la rivière, pour que ça ne se reproduise plus.

Sjöberg jette un œil à la coupe de fruits, mais ça ne lui dit rien. Il est secoué par le récit du sort d'Einar et de sa femme. Bouleversé, mais aussi admiratif de son camarade de travail, qui n'a jamais laissé tomber Solveig.

— En arrivant, vous avez aussi mentionné un autre homme, reprend Edin. Comment s'appelle-t-il ?

— Christer Larsson, répond Sjöberg.

Les deux inspecteurs se regardent à nouveau. Sjöberg se fige sur son siège en entendant Edin :

— Christer Larsson était le papa des deux gamins.

Les pensées voltigent dans sa tête. Sjöberg maudit son manque d'intuition et se demande pourquoi l'idée ne l'a pas même effleuré. Accablé par le poids de cette dernière information, il clôt rapidement l'entretien et remercie ses collègues.

— Je vais devoir mettre un peu d'ordre dans mes pensées, conclut-il, en les laissant à leur travail.

*

Dans les heures difficiles qui suivent l'incroyable catastrophe, et maintenant que sa femme adorée se trouve à l'hôpital, il va s'atteler à une tâche épouvantable : se rendre au salon de coiffure. Avant cela, pendant que les plongeurs recherchaient les enfants, il s'est tenu aux côtés de son épouse, lui entourant par moments les épaules de son bras. Dès que Christer est arrivé sur place, escorté par un policier en uniforme, la fracture s'est amorcée.

Ils errent tous les quatre dans le sombre labyrinthe du chagrin, mais pas tous ensemble. Lui seul a la force de côtoyer Solveig. Elle hurle de désespoir, et d'une voix de plus en plus cassée, elle raconte en boucle comment l'accident s'est produit. Il la caresse et tente de la consoler, de partager la faute avec elle. Mais plus le temps passe, moins elle veut partager quoi que ce soit avec lui. Pour finir, elle renonce aux tentatives désespérées de s'agripper à ce qui a fait leur existence commune. Elle s'attribue l'entière responsabilité du drame et se referme. Face à elle-même, le plus sévère des juges, aucun mot ne peut laver sa faute. Elle finit donc par se taire.

Sous forme de harangues écumantes, Ingegärd déverse sur Christer la part de blâme qu'elle ne crache pas au visage d'Einar. Car c'est à Christer qu'elle a confié la responsabilité des enfants en partant au travail. C'est Christer qui, avec insouciance, a transmis à Einar le soin de s'occuper des gamins. Un homme qui ne possède aucune expérience des enfants, et qui, en individu totalement irresponsable, les a laissés en pleine rue à l'intérieur d'une voiture surchauffée. Sous la garde d'une femme encore plus légère, sans intuition, qui ne sait pas que les enfants sont aussi étourdis qu'imprévisibles.

Christer essaie désespérément de se libérer du fardeau placé sur ses épaules en le transmettant tout entier à Einar. Il lui siffle aux oreilles une logorrhée de paroles : « confiance trahie », « déloyauté » et « égoïsme ». Puis il finit par l'accuser bassement d'avoir choisi la mauvaise épouse, dont il dépeint la faiblesse de caractère.

*

Le silence s'installe entre eux quatre. Ils se sont tellement éloignés les uns des autres qu'ils n'ont plus rien à se dire. Chacun d'entre eux adopte sa façon d'être seul. Ingegärd et Christer ne peuvent supporter le silence de leur appartement, pas plus que la présence de l'autre qui ne fait que rappeler les enfants disparus. Ils rassemblent leurs affaires, et chacun part dans sa direction. Quant à Einar, il reste trois ans de plus dans l'appartement qu'il habitait avec Solveig. Trois années à se reprocher les *choses ou à se les voir reprochées, avec pour seule idée d'aider son épouse à retrouver une vie normale.*

Finalement, il renonce à cette ville. Il ne supporte plus les regards lourds qu'on lui jette dans la rue ou les souvenirs qui l'assaillent partout où il va. Il part donc pour la capitale, son tumulte et son anonymat. Il achète une maison dans un lotissement pour Solveig et lui, dans son refus de renoncer à son rêve de revivre aux côtés de la femme merveilleuse qu'il a connue.

Jusqu'à ce qu'un jour, il rencontre Kate. Une femme asiatique, seule au milieu d'un groupe de crânes rasés en bombers. Une bande de petits salopards qui détalent dès qu'il hausse la voix. Il n'a même pas besoin de leur montrer sa carte de police pour qu'ils se dispersent. Mais Kate est marquée. Il pose un bras paternel sur ses épaules et l'invite à venir boire un soda et manger un gâteau dans une pâtisserie du coin. Elle lui demande quel est son nom et il répond Eriksson. Il est possible qu'elle ne comprenne pas bien, ou que ça lui semble compliqué, ou juste ennuyeux. Toujours est-il qu'elle se met à l'appeler Erik et que c'est sans importance. Il trouve même ça agréable. Ils parlent de sa vie dans ce pays un peu austère, et de son envie de retourner aux Philippines, mais également des avantages que la Suède lui procure, et de ses deux jeunes enfants qui se plaisent tellement ici.

Elle lui montre une photo d'elle et de sa famille, et son cœur bondit quand il comprend que son mari n'est autre que Christer. Il prend un coup à l'estomac. Tout resurgit en lui avec une force renouvelée : la terreur, le chagrin, la culpabilité.

Il essaie de la freiner. Il ne veut pas empiéter sur le territoire de Christer. Il ne souhaite pas, pour ce dernier comme pour lui-même, ranimer de vieux sentiments. Mais il est difficile de contenir Kate, désarmante de charme et d'ouverture d'esprit. Elle sent qu'elle vient de rencontrer une personne qui l'écoute, quelqu'un qui sait la voir comme une petite Philippine égarée dans ces contrées glacées et qui a le mal du pays. Alors elle ouvre son cœur et lui raconte son histoire. Sa vie de couple avec un homme dépressif, réservé, hanté par des cauchemars, et sujet à des changements d'humeur. Il se rend compte qu'il est le mieux placé pour comprendre ce que cette femme vit avec Christer, et lui apporter le soutien dont elle a besoin pour parvenir à aller plus loin.

Ils continuent à se voir. Elle ne veut pas le perdre et il ne peut pas la lâcher. À croire que la Providence a voulu que leurs routes se croisent. Pour lui, le sens de leur rencontre devient clair le jour où Christer et elle finissent par décider de prendre des chemins différents. Soulagée, avec une touche de désolation dans ses yeux sombres, c'est là qu'elle lui apprend son intention de louer un appartement à Fittja. Il est temps pour lui d'abandonner l'espoir de vivre une vie de famille normale dans sa maison de Huddinge. Et il se voit offrir la chance de rembourser une partie de son immense dette envers Christer Larsson. Voilà pourquoi il s'engage, en offrant à Kate une solution nettement plus plaisante.

*

Il en bave, et il ne reste pas grand-chose pour lui-même. Mais rien ne peut lui procurer plus de joie que d'entretenir une proximité avec ces petits bouts de chou aux yeux bruns et à la peau douce comme de la soie, de les voir heureux au milieu de leurs copains *de la crèche ou dans leur appartement confortable et lumineux donnant sur l'eau. Il ne peut pas être plus proche du bonheur et, pour la première fois depuis longtemps, il sert à quelque chose.*

Avec Kate, il a trouvé une amie. Leur relation n'implique aucune exigence, et sa nature spontanée, ouverte, laisse place au rire. Néanmoins, il a un peu honte des cachotteries qu'il lui impose. Mais elle s'en accommode, sans poser de questions sur le fait qu'il ne lui laisse pas son numéro de téléphone ou qu'il ne lui révèle pas son identité. Elle se contente d'un prénom, de leur amitié et de l'amour qu'il offre à ses enfants. Les choses se doivent d'être comme ça. Pour lui, c'est avant tout une façon d'équilibrer les comptes vis-à-vis de Christer.

*

Sjöberg reste longtemps assis dans sa voiture, à regarder devant lui. Il sent que la solution est à portée de main, pourtant, il ne comprend rien. Qu'est-ce qu'il n'arrive pas à voir ? Ils ont établi un lien clair entre Christer Larsson et Einar Eriksson. Aux yeux du premier, Einar est responsable de la mort de ses garçons. C'est un mobile qui se tient pour commettre un meurtre. Mais il est loin d'être établi qu'Einar soit mort. Et pourquoi aujourd'hui, plus de trente ans après les faits ? Surtout, cela ne constitue pas une raison d'assassiner de sang-froid sa propre femme et ses enfants. Néanmoins, il semble que le meurtre des deux petits vienne en écho de ce tragique accident qui appartient à un passé lointain.

Quand Christer Larsson a vu Einar en photo, il a craqué d'un coup. Chose compréhensible si l'on considère qu'il a appris du même coup qu'Einar vivait avec sa femme et ses enfants, mais encore plus s'il a compris qu'Einar était soupçonné d'être le meurtrier. À l'inverse, un tel comportement ne tend pas à prouver qu'il est mêlé à la disparition d'Einar. Quant à la pâle réaction de Larsson à l'annonce des meurtres, ou bien elle montre qu'il est encore marqué par la tragédie d'Arboga et l'état dépressif qui est le sien depuis, ou elle indique qu'il a lui-même tué sa famille. La phrase « pas au sens juridique du terme » revient à l'esprit de Sjöberg. Elle signifie donc que, d'une certaine manière, Larsson se considère responsable de la mort des enfants. Fait-il allusion à celle de ses deux fils, survenue tant d'années auparavant ? Il est probable qu'il se blâme d'avoir laissé la garde des garçons à Einar et à sa femme. Il est certain qu'Ingegärd Rydin l'a tenu en partie pour responsable de la catastrophe et que les reproches ont plu sur lui, comme l'a mentionné Edin.

Sjöberg réfléchit à un autre sujet. Que se passe-t-il dans la tête d'Einar ? À la lumière des dernières informations, son implication dans la vie de Catherine et des enfants apparaît sous un tout autre jour. Est-il question d'amour ? Est-ce un simple hasard que la nouvelle femme présente dans sa vie soit mariée à son ancien voisin, le père des enfants qui ont péri quand il en avait la garde ? Non, c'est impossible. Peu à peu, conforté par ce qu'il vient d'apprendre du caractère d'Einar, il parvient à comprendre les intentions de son collègue. Même en admettant que la rencontre entre Einar et Catherine Larsson ait été une coïncidence, ce qu'il a fait par la suite est bien le fruit d'une réflexion minutieuse de sa part. Il ne s'agit pas d'amour, et ce que Catherine a dit à son amie est exact : Einar et elle n'entretenaient pas de relation amoureuse.

En réalité, il est question de culpabilité. Voilà qu'un incroyable concours de circonstances offre à Einar une possibilité qu'il a ardemment souhaitée depuis le tragique accident survenu il y a trente ans à Arboga : celle de faire quelque chose pour Christer Larsson et ses enfants. Einar peut ainsi se consacrer tout entier à procurer une existence agréable aux nouveaux enfants de Christer Larsson et à la femme avec qui il les a conçus. En agissant ainsi, Einar parvient à lui rendre service, même si ce dernier doit l'ignorer. Pour Einar, c'est une façon de soulager un peu son fardeau, d'instiller de la joie dans une existence plombée par le chagrin. Depuis la tragédie, la vie d'Einar Eriksson n'a eu qu'un but : expier sa faute en aidant les personnes qu'il a entraînées dans le malheur.

Sjöberg est désormais certain d'une chose : Einar Eriksson n'a pas tué Tom, Linn et Catherine Larsson. En revanche, il s'est retrouvé face à une situation très périlleuse. Dans le pire des cas, il est déjà mort. Toujours est-il que Sjöberg ne ressent pas le besoin d'appeler Ann-Britt Berg, l'infirmière de Solberga, pour l'interroger à propos des chaussures retrouvées chez Einar. Sans doute les portait-il samedi dernier lors de sa visite. Mais pour autant, pas au moment du meurtre, puisque Einar Eriksson n'est pas un meurtrier. Ce que d'ailleurs la femme d'Einar n'est pas non plus, même si sa punition est bien pire que celle que l'on inflige à la plupart des meurtriers.

Ses pensées se tournent vers sa mère. Il vient d'entendre que sa grand-mère paternelle la répudie, jusqu'à la considérer comme une meurtrière alors même qu'elle est parvenue à sauver son enfant des flammes. « Vous étiez tous couchés dans la même pièce, en train de dormir. Elle s'est réveillée et t'a emporté avec elle dans la cour. » Comment se fait-il que son père, lui, ne se soit pas réveillé ? Il est vraisemblable que la fumée l'avait déjà intoxiqué, l'empêchant de reprendre ses esprits. Sa mère avait sûrement l'intention de retourner en courant dans la maison pour le traîner dehors lui aussi. Mais elle n'y est pas arrivée. Pour telle ou telle raison, elle n'est pas parvenue à sortir son mari à temps des flammes. « *Tous couchés* », repense Sjöberg. Mais combien étaient-ils ?

Pris d'une soudaine impulsion, il sort son téléphone de sa poche et consulte la liste des numéros appelés. Puis il compose une nouvelle fois celui du service de l'état civil de la commune d'Arboga.

— Nous nous sommes parlé hier, explique Sjöberg. Pour en revenir à Christian Gunnar Sjöberg, né le 22 août 1933, j'aimerais que vous me fournissiez d'autres renseignements.

— Bien sûr, répond la femme avec obligeance. Que désirez-vous savoir ?

— Je souhaite connaître le nombre de membres que comportait sa famille en 1961.

Il serre convulsivement l'appareil contre son oreille, avec l'étrange sentiment que la réponse va remettre les choses d'aplomb.

— Voyons… Le voilà… La famille typique : une mère, un père et deux enfants.

Un court instant, Sjöberg a l'impression que son cœur s'arrête.

— Moi et… ?

— Alice Eleonor, née le 3 octobre 1955.

— Morte… ?

— Il faut que je change de registre. Un moment, s'il vous plaît…

Elle reprend rapidement la parole.

— Morte le 20 août 1961.

— Merci beaucoup de votre aide, je ne vous dérangerai plus, conclut Sjöberg qui raccroche avant que son interlocutrice puisse ajouter quoi que ce soit.

C'est plus qu'il n'a jamais pu envisager. Il a eu une sœur de trois ans son aînée qui, comme son père, est morte dans l'incendie. Sa grand-mère paternelle ne l'a même pas mentionnée. Son chagrin ne concerne que son fils. Sa mère a dû tenter de réveiller son mari et sa fille, pensant qu'ils réussiraient à s'en sortir par eux-mêmes. Dans une situation d'urgence comme celle-là, il est tout à fait évident que l'on s'occupe d'abord de sauver le plus jeune enfant, et que l'on compte sur la capacité à s'en sortir du plus âgé.

Sjöberg tente de s'imaginer à la place de sa mère, de concevoir la détresse incroyable qui s'est abattue sur elle. Mais une chose en lui s'y refuse et l'empêche d'aller au cœur de cette lointaine tragédie. Ce qu'il vient d'apprendre concernant sa sœur et sa mort épouvantable est au-dessus de ses forces. Il ne parvient pas à trouver l'énergie nécessaire pour digérer la nouvelle. Il se sent impuissant et décide de mettre temporairement de côté ses préoccupations personnelles, afin de se consacrer tout entier à la tragédie d'Einar Eriksson.

Il se remet à penser aux quatre personnes si durement affectées par l'accident survenu à la rivière. *À la place des Larsson, quel aurait été son refuge pour continuer à vivre ? Avoir d'autres enfants ?* Impossible de répondre. Les enfants ne sont pas interchangeables, mais il est vraisemblable que l'arrivée d'un nouveau petit peut aider à cesser de penser aux gamins disparus, au moins un temps. Finalement, Christer Larsson est redevenu père en deux occasions. Est-ce que ça l'a aidé ? Manifestement, il n'a pas établi de liens avec ses derniers enfants. Avec lui, l'idée n'a pas fonctionné. Et en dehors du fait qu'il vient aussi de les perdre dans un contexte dramatique, ces paternités n'ont pas été couronnées de succès.

Sjöberg pense à sa mère, qui elle aussi a perdu un enfant. Malgré ses efforts, il reste focalisé sur le sujet. Dans son cas, elle s'est contentée de l'enfant encore à charge. Mais sa situation n'est pas comparable à celle d'une mère qui perd son unique enfant, ou la totalité d'entre eux.

Ingegärd Rydin ? Sjöberg se dit que les mères en deuil doivent choisir entre en accepter la perte, ou tenter au plus vite de combler le manque avec la venue d'un nouvel enfant. Ingegärd Rydin semble avoir renoncé à l'idée de se remettre en couple et de faire un autre enfant. Mais comment peut-il en être si sûr ? Tout d'un coup, il s'aperçoit qu'il a bâclé son enquête la concernant. Il a pris note de son nom et de son adresse, de son mariage avec Christer Larsson, et du fait qu'elle est restée célibataire depuis leur divorce. Tout ce qu'il sait sur Ingegärd Rydin, il le tient de ce qu'il a constaté de ses propres yeux, ajouté à ce que les inspecteurs Möller et Edin lui ont dit à son sujet. Mais il ne s'est pas donné la peine de collecter plus de renseignements, étant donné qu'il l'a tout de suite éliminée de la liste des suspects pour cause de santé fragile. Il ne sait donc pas si elle a eu d'autres enfants après la mort de ses deux fils. Sjöberg se maudit de posséder un esprit si enclin aux préjugés. Il ressort son téléphone de sa poche et joint le service de l'état civil. Quatre minutes plus tard, on le recontacte avec la réponse. Huit minutes après, Sjöberg apprend que Ingegärd Rydin est mère d'un fils. Mikael Rydin aura trente ans au début du mois d'avril.

*

— En tout cas, il n'est pas chez lui, affirme Sandén. Il ne répond ni au téléphone ni quand on frappe à sa porte.

— Il habite où ? demande Sjöberg.

— À Gärdet. Dans une chambre d'étudiant. Mais il n'a pas l'air de se consacrer à ses études : il a validé très peu de matières au cours des dernières années.

— Il est supposé faire des études de quoi ?

— Ce semestre, c'est histoire de la musique. Le précédent, c'était droit.

— Avec si peu de réussite, il ne bénéficie sans doute pas d'une grosse bourse d'études. Il doit avoir un travail.

— Oui, un mi-temps. Cinq heures par jour, du lundi au jeudi, dans une société de nettoyage.

— Une société de nettoyage ? reprend Sjöberg, pensif. Peut-il avoir établi un contact avec Catherine Larsson *via* le boulot ?

— C'est possible, répond Sandén, mais ils n'ont jamais été employés dans la même entreprise. On a parlé à d'autres étudiants qui habitent le même couloir. Mikael Rydin est quelqu'un de solitaire. Il ne participe pas aux fêtes et mange toujours seul dans la cuisine commune. Il ne reçoit aucune visite, à part une fille ou une autre de temps en temps, genre jeune, qui reste parfois dormir, mais jamais plus d'une nuit.

— Plus jeune que lui ?

— Du type adolescente.

— Qu'est-ce qu'il fait durant la journée, en dehors de ses études et de son boulot ?

— Apparemment, il fait pas mal de musculation. Personne n'a su dire où, mais il se balade souvent avec un sac de sport. Et selon ses voisins, il joue également de la guitare. Mais on peut aussi considérer que c'est une mitraillette qu'il transporte dans son étui à guitare. Peut-être qu'il dévalise des banques.

— Est-ce qu'il a un casier judiciaire ? s'enquiert Sjöberg, plein d'espoir.

— Non.

— D'autres commentaires sur lui ? Est-ce qu'il est apprécié ?

— Bien sûr que non. En tout état de cause, il répond à peine quand on lui adresse la parole. Mais bon, il ne s'est jamais grillé non plus. Il donne l'impression de vouloir la jouer profil bas, mais selon ceux qui le croisent, il dégage quelque chose d'antipathique.

— Il habite là depuis combien de temps ?

— Quatre ans.

— On peut donc vivre dans une résidence universitaire sans suivre son cursus ? Je croyais qu'il y avait pénurie de logements étudiants, commente Sjöberg.

— Je suppose que tant qu'il a le droit de s'inscrire, il peut continuer à habiter là, estime Sandén. C'est peut-être la raison pour laquelle il passe d'une matière à l'autre. Et le fait est qu'il a réussi à en valider quelques-unes. Mais durant la dernière année, on ne l'a pas beaucoup vu assister aux cours. Il est donc possible qu'il soit bientôt renvoyé.

— Et est-ce qu'on sait qui est son père ?

— Père inconnu, réplique sèchement Sandén. Tu penses que Mikael Rydin est notre homme ?

— Toutes les autres hypothèses ont abouti à une impasse. Ce type ouvre de nouvelles perspectives.

— Et quel serait son mobile ?

— Bof, souffle Sjöberg, fatigué par ces continuelles spéculations. J'aurais tendance à choisir la vengeance, mais là, je n'ai pas la force de développer. Je vais retourner faire un brin de causette avec Ingegärd Rydin. La fois où je l'ai rencontrée, rien dans sa maison ou son discours n'indiquait qu'elle avait un fils. Je veux savoir pourquoi. Après ça, je rentre chez moi. Et en attendant, essayez de trouver ce type.

— Tôt ou tard, il va bien remettre les pieds dans son logement. Et là, on l'embarque pour l'interroger.

— On peut aussi le coincer à son boulot, suggère Sjöberg.

— Je viens de te dire qu'il ne travaille pas le vendredi. Tu dors ou quoi, Conny ? ironise Sandén.

— Tacle interdit, proteste faiblement Sjöberg.

Il ne se sent pas d'humeur à plaisanter. Il faut retrouver Einar et ce soi-disant étudiant représente peut-être leur meilleure chance.

— Attendre qu'il apparaisse n'est pas la solution. Mets le paquet pour retrouver ce mec.

— Ça va jusqu'à s'introduire dans sa chambre ? interroge Sandén d'un ton prudent.

— Absolument pas. Nous n'avons rien de concret contre lui, et il faut que ça soit fait dans les règles.

— Ça te va bien de dire ça.

— Il y a quand même une différence. Ce que j'ai fait, c'est par sollicitude envers un collègue disparu, et non dans l'intention de le coincer pour meurtre.

— Selon ma modeste compréhension des choses, Einar reste le suspect numéro un dans cette affaire. Est-ce que c'est le procureur qui te fait peur et...

— Arrête ton délire, le coupe Sjöberg, mi-figue, mi-raisin. Va interroger les gens qui travaillent avec Rydin, là où ils sont. Trouve-le.

*

— Qui est-ce ? demande Ingegärd Rydin à Sjöberg, depuis l'intérieur de son appartement.

Il s'accroupit et tente de se faire entendre en parlant dans la fente de la porte prévue pour le courrier :

— Conny Sjöberg, je suis de la police. Nous nous sommes parlé hier. Je peux entrer ?

Pas vraiment sûr de la réponse, il se redresse et ouvre néanmoins la porte. Il la voit installée dans un fauteuil du salon. Elle lui fait signe d'entrer.

— Comment allez-vous ? demande-t-il, sans trop se soucier de la réponse.

— Je n'ai pas la force de me lever pour ouvrir la porte, articule-t-elle du bout des lèvres.

Une réponse suffisante pour que Sjöberg ait toutes les peines du monde à éliminer l'image qui lui est venue en tête, celle des lambeaux de poumons noircis dont elle dispose encore pour respirer.

Il tend la main pour la saluer, avant de prendre place dans le même fauteuil que la dernière fois. Elle respire grâce à un tuyau au prix de gros efforts. Impossible d'échapper à l'odeur de tabac de l'appartement.

— Vous avez un fils, lance Sjöberg. Mais, hier, vous ne m'en avez rien dit.

L'espace d'un instant, elle retire le tuyau de sa bouche et lui adresse un sourire surpris.

— Ce n'est pas le type de sujet qu'on a abordé…

Sur ce point, Sjöberg doit admettre qu'elle a raison. La veille, quand ils se sont parlé, il ne savait rien du passé commun entre les familles Eriksson et Larsson. La question de savoir si elle avait eu un fils après son divorce n'avait aucune pertinence au regard de leur conversation.

— Il a trente ans, constate Sjöberg.

— Oui, bientôt. Il est né en avril, répond Ingegärd Rydin, qui ne comprend toujours pas où il veut en venir.

— Il est donc né peu de temps après votre divorce avec Christer. Et qui est son père ?

— Je n'en sais rien. C'était une période un peu chaotique. Avec le divorce et le reste, ajoute-t-elle.

Sjöberg croit voir une légère gêne sur son visage.

— Depuis notre dernière rencontre, j'ai appris ce qui s'était passé, enchaîne Sjöberg d'une voix grave.

Elle ne répond rien, mais il constate que son corps fluet se raidit. Elle semble aussi respirer plus fort dans son embout, et le regarde d'un air méfiant. Bien qu'il le souhaite, il ne peut pas la ménager.

— Je suis terriblement désolé, mais je dois aborder le sujet. Même si je comprends qu'il vous est pénible d'en parler, je voudrais savoir comment s'est déroulée la période qui a suivi l'accident.

Elle garde le silence quelques instants, se demandant peut-être ce qu'elle va dire, ce qu'elle peut révéler. Sjöberg s'aperçoit qu'elle change. La créature fragile, alimentée en oxygène par un tuyau qu'elle tient dans sa bouche, se montre désormais guerrière, le dos presque anormalement droit pour se blinder face à toutes les difficultés. Cette Ingegärd Rydin, qui a perdu deux fils dans un accident dramatique survenu il y a bien des années, est une femme forte qui n'a pas l'intention de se laisser briser. C'est une personne qui refuse qu'on la plaigne et qui fait ce qu'il faut pour maintenir à distance ce qui la relie à l'horreur. Contrairement à Solveig ou à Christer, elle n'a pas autorisé le chagrin et la culpabilité à l'anéantir, pas plus qu'elle n'a imité Einar dans sa lutte permanente contre les vents contraires. Ingegärd Rydin garde sa douleur enfouie au fond d'elle-même, sans jamais la laisser paraître. Elle combat tout ce qui rappelle l'innommable malheur comme autant de bêtes nuisibles. L'intention de Sjöberg est de forcer ces défenses.

— C'est la raison de votre retour ? Vous pensez que vos meurtres ont un rapport avec la mort de mes garçons ? questionne-t-elle avec une hésitation dans le regard.

— L'accident inclut des données que nous découvrons et dont nous nous devons de tenir compte dans notre enquête.

Mais il se presse de revenir à ce qui l'intéresse en priorité.

— Comment décririez-vous la période qui a suivi l'accident ? insiste-t-il.

— C'était évidemment pénible, réplique-t-elle d'une voix tendue. À l'époque, les cellules de crise n'existaient pas. On devait faire face au problème soi-même.

— Et comment avez-vous réagi ?

— Je me suis séparée de Christer, rétorque-t-elle avec un sourire en biais. Après ce qui s'était passé, on ne pouvait pas continuer à être ensemble. Il n'y avait plus rien entre nous. Il a pris ses cliques et ses claques, et il est parti habiter à Stockholm. On ne s'est jamais reparlé depuis. Moi, j'ai déménagé ici. Il était impossible de continuer à vivre dans le même appartement.

— Vous le tenez pour responsable de l'accident ?

Elle le sonde du regard avant de répondre :

— Sur le moment, oui. Je dois bien l'avouer. Un matin, je suis partie travailler, et quelques heures plus tard… ma famille n'existait plus. Il a abandonné les garçons. À des gens qui, eux-mêmes, n'avaient pas d'enfants. Il aurait dû s'en occuper. Il ne l'a pas fait.

— Et aujourd'hui ? Vous le blâmez encore pour ça ?

— Non, sans doute plus. Je pense rarement à lui. Mais quand vous avez mentionné ses…

— Ses dépressions ? complète Sjöberg.

Elle acquiesce.

— Là, j'ai vraiment eu de la peine pour lui. Le fait est que ce n'était pas sa faute. C'était bel et bien la leur.

— La leur ? Celle de qui ?

Sjöberg veut l'entendre les nommer. Mais elle n'a pas l'intention de le faire.

— Sa faute à elle, corrige-t-elle. Elle connaissait mes enfants. Elle savait comment ils étaient.

— Il semble bien que Solveig a vite endossé la culpabilité de ce qui s'est passé. Ou diriez-vous que ce n'est pas le cas ?

— Ce n'est pas pour autant que tout est pardonné, rétorque Ingegärd Rydin, les lèvres crispées sur l'embout. Il y a des choses qu'on ne peut pas pardonner, même si on le souhaite.

— Dans son cas précis, ce n'est pas tellement de votre pardon qu'il s'agit. C'est plutôt qu'elle n'a jamais réussi à se pardonner. Vous savez la façon dont elle vit ?

Ingegärd Rydin secoue négativement la tête et tourne son visage vers la fenêtre.

— Et Einar, avez-vous été en contact avec lui après l'accident ?

Elle fixe de nouveau son regard sur lui et répond sans retirer l'embout de sa bouche :

— Les premiers temps, il s'est montré opiniâtre. Il ne nous laissait pas tranquilles. Il implorait notre pardon et voulait nous dédommager par tous les moyens possibles et imaginables. Mais nous, on ne voulait pas en entendre parler. Il a fini par abandonner. Après mon déménagement, je n'ai plus jamais entendu parler de lui.

— Ressentez-vous encore de la rancœur à son égard ? lui demande Sjöberg, conscient de s'aventurer dans des eaux un peu troubles.

Elle répond sans hésiter :

— Ils ont accepté la responsabilité temporaire de nos enfants, et ils ne l'ont pas assumée. Comme je l'ai déjà dit, tout ne s'efface pas parce qu'on demande pardon.

— Et Mikael ? lance Sjöberg, comme une provocation. Il a été élevé dans cet esprit d'impossible réconciliation ?

Ingegärd Rydin semble surprise.

— Mikael a été élevé en ignorant tout de ces personnes. Sans même savoir alors ce qui était arrivé à ses frères.

Sa voix exprime une sorte de fierté à répondre ainsi.

Sjöberg réagit aussitôt à un mot de la dernière phrase :

— « Alors » ?

— Oui, jusqu'à ce que je lui parle de ses frères et de l'accident. Ce que j'ai fait quand il est devenu adulte.

— C'était quand ?

— Il y a quelques années. Trois ou quatre ans, peut-être. Au moment où je suis tombée malade. J'ai considéré qu'il avait le droit de connaître cette partie de son histoire. Comme vous pouvez le comprendre, je n'en ai plus pour longtemps.

— Vous êtes en train de me dire qu'il n'a appris l'existence de ses frères qu'à ce moment-là ?

Elle acquiesce.

— Je lui ai montré des photos d'eux. Ou plutôt des photos de nous tous, parents et enfants. Moi-même, je ne les regarde jamais. Mais j'ai pensé qu'il était temps pour lui de connaître… l'histoire.

— Lui avez-vous aussi appris qui était son père ? reprend Sjöberg avec un regard qu'il espère pénétrant.

Elle s'apprête à dire quelque chose, mais se ravise. Elle le questionne du regard, avant de finir par répondre.

— Non, ça devra attendre encore un peu. Je ne veux plus causer de désarroi de mon vivant.

— Vous vous protégez, affirme Sjöberg d'un ton adouci. Vous n'avez pas la force de raviver le passé. Avez-vous peur de devoir vous confronter de nouveau à Christer ?

Elle soupire et se recroqueville dans son fauteuil.

— On peut le dire comme ça, se contente-t-elle de répondre.

Il est parvenu à fendre l'armure. Sjöberg sent qu'elle se détend. Mais avant de pouvoir laisser cette femme malade en paix, il doit encore poursuivre.

— Vous pouvez me parler de Mikael ? propose-t-il avec prudence. Quel genre de personne est-il ?

— C'est un bon garçon. Qui n'a jamais posé de difficulté. Plein d'égards, dévoué.

— Dévoué ?

Sjöberg a l'impression d'entendre parler d'un chien.

— Oui, gentil et attentionné. Serviable.

Qu'aurait-il aimé entendre ? Sjöberg ne parvient pas à mettre le doigt dessus, mais il y a quelque chose d'impersonnel dans la façon dont Ingegärd Rydin décrit son fils. Il pense alors à Christer Larsson. De la même manière, il a deux enfants avec Catherine sans éprouver de gêne de redevenir père.

— J'imagine qu'il doit être difficile de s'attacher à un nouvel enfant quand on vient juste d'en perdre deux, se risque-t-il à dire.

— Je n'ai jamais été une bonne mère pour Mikael, avoue Ingegärd Rydin sans se montrer embarrassée. J'aurais dû avorter, mais… ça n'aurait pas été bien. Je n'ai pas pu m'y résoudre. Quand il était petit, il devait souvent se débrouiller seul. Mais il ne s'en est jamais plaint. Au contraire… il a pour moi tant d'attentions que j'en étouffe presque. Ça peut paraître un peu dur, mais quand on est mère célibataire… parfois, on a juste besoin qu'on nous laisse en paix.

Sjöberg s'empresse d'atténuer la pression. Cette femme si malheureuse ne mérite pas qu'on l'enfonce davantage.

— C'est comme ça pour toutes les mères. Et pour les pères aussi. Je suis moi-même papa, précise-t-il avec un petit rire amical.

Son visage change vite d'expression.

— Comment a réagi Mikael quand il a appris pour l'accident ?

— Il a été bouleversé. Quand je lui ai parlé de ses frères, il ne m'a pas crue tout de suite. Des petits frères nés avant lui, ajoute-t-elle en souriant tristement. Ensuite, très peiné pour moi, il a voulu me réconforter. Mais c'est le genre de choses que je ne supporte pas. Je ne tolère pas que quelqu'un ait pitié de moi, même si c'est Mikael. Il l'a sans doute compris, et s'est donc mis à me questionner sur les détails de l'accident. Comme vous l'avez remarqué, je n'aime pas parler de ce qui s'est passé ce jour-là.

Mais je me suis dit que c'était l'occasion de le faire une fois pour toutes et donc, je lui ai raconté.

— Vous lui avez montré des photos ?

— Oui. Il avait très envie de se faire une image précise de toutes les personnes impliquées.

— Je suppose donc que ça inclut également Einar et Solveig ?

— Oui, il a insisté.

— Est-ce que je pourrais voir le cliché en question ?

— Dans le deuxième tiroir en partant du haut.

Elle pointe du doigt la bibliothèque derrière lui. Sjöberg se lève et va ouvrir.

— Sous les nappes, précise-t-elle avant qu'il ait le temps de demander.

Il sort du tiroir une épaisse pile de photographies entourée d'un élastique, avant de se rasseoir dans le fauteuil et de les éparpiller sur la table basse.

— Mikael est du genre sportif ? interroge Sjöberg tout en étudiant les images.

— Oui, il l'est devenu. Enfant, il n'était pas intéressé par le football ou ce genre d'activités qui plaisent aux garçons. Mais dans les dernières années, il s'est beaucoup entraîné.

— Entraîné à quoi ?

— Je crois qu'il s'agit de culturisme. Et il s'est beaucoup développé. Auparavant, Mikael était plutôt petit et chétif. Mais c'est devenu un grand costaud.

— Vous avez une photo de lui ?

— Peut-être parmi celles qui se trouvent dans le tiroir de la table.

Sjöberg termine d'abord de passer en revue celles étalées devant lui, avant de les remettre en pile à portée de main de la femme.

— Vous les avez toutes montrées à Mikael ? demande-t-il.

Elle acquiesce, sans chercher à les prendre.

— Montrez-moi celles avec Einar Eriksson.

À contrecœur, elle s'empare de la pile qu'elle pose sur ses genoux. Elle se donne quelques minutes pour bien observer les photos.

— Elles ne sont pas là, avoue-t-elle avec surprise. Mikael a dû les prendre. Il en manque aussi quelques-unes des petits.

Son visage change d'expression. Une ride d'inquiétude se creuse entre ses sourcils, et Sjöberg a l'impression de voir poindre un léger trouble dans ses yeux.

— Mais en réalité, pourquoi êtes-vous ici ? Comment se fait-il que Mikael vous intéresse tant ?

— Il y a une chose que je ne vous ai pas racontée, admet Sjöberg. Quand Catherine s'est séparée de Christer, les enfants et elle se sont installés dans un appartement trop cher pour ses moyens. Après le meurtre, nous avons découvert que c'est Einar qui l'avait payé.

Ingegärd Rydin pose sur lui un regard épouvanté, et Sjöberg constate qu'elle respire de plus en plus fort. Il espère ne pas écourter sa vie en poursuivant son récit.

— Au départ, nous avons supposé que lui et Catherine entretenaient une liaison intime, mais c'était d'un tout autre ordre. Einar a fait la connaissance de Catherine par hasard, et quand il a compris qui elle était, ou plutôt qui était le mari dont elle était sur le point de se séparer, il a décidé de lui proposer son aide. Une femme philippine sans argent et ses deux petits en bas âge, qui s'apprêtent à emménager dans une banlieue peu sympathique de Stockholm :

Einar s'est dit que les enfants et la femme de Christer Larsson méritaient un meilleur sort.

— Mais Christer lui-même, il n'a rien fait pour les aider ? le coupe-t-elle.

— Christer est une personne diminuée psychiquement et déprimée, explique Sjöberg. Il ne s'est jamais remis de la catastrophe qui a emporté vos enfants. Il n'est pas parvenu à mener une vie de famille auprès de Catherine et à tisser de vrais liens avec les enfants. Selon moi, quand Einar a découvert la situation, il y a vu la chance de sa vie de faire quelque chose pour Christer. Et pour ses enfants. Même si Christer lui-même n'en saurait jamais rien. Einar n'a jamais révélé son identité à Catherine. Il considérait vraiment important de ne pas réveiller de vieux sentiments. Il voulait bien faire. Et le voilà disparu.

— Disparu ? Qu'est-ce que vous voulez dire ?

— La disparition d'Einar a eu lieu aux mêmes heures que le meurtre de Catherine et des enfants. À mon avis, soit l'auteur de ces crimes l'a également tué, soit il le retient prisonnier. Nous devons rentrer en contact avec Mikael.

Ingegärd Rydin adopte soudain une attitude défensive.

— Comment pouvez-vous savoir qu'Einar n'est pas le meurtrier ?

— C'est évidemment possible, concède Sjöberg. Mais étant donné ce que je viens de vous raconter, je ne trouve pas ça très crédible. Einar voulait du bien à Christer. Et le meurtre brutal de sa femme et de ses enfants ne s'inscrit pas dans une telle démarche.

Sjöberg marque une pause avant de poursuivre.

— Par contre, pour ce qui est de Mikael, je peux voir le mobile.

Elle lui décoche un regard glacé et retire le tuyau de sa bouche d'un geste maîtrisé.

— Mikael n'a rien à voir avec tout ça. C'est quelqu'un de bien. Il me téléphone plusieurs fois par semaine, m'aide dès que j'en ai besoin. Il ferait n'importe quoi pour moi.

— C'est peut-être la clé de toute cette histoire, glisse Sjöberg, calme et amical. Il est possible qu'il ait fait acte de vengeance pour vous, pour ses frères.

— En tuant d'autres demi-frères et la nouvelle femme de son père ? s'écrie-t-elle avant de replacer l'embout dans la précipitation.

— D'après ce que vous m'avez dit, il ignore tout de son géniteur, poursuit Sjöberg sur le même ton. Si Mikael est l'auteur des meurtres, il les commet par pure vengeance contre Einar. Contre celui qu'il peut considérer à l'origine de son enfance malheureuse. Peut-il y avoir meilleure vengeance que d'ôter la vie à la femme et aux enfants qui partagent aujourd'hui l'existence d'Einar ?

— Mais ce n'était pas la réalité !

— Exact, mais ça en avait tout l'air.

— Sauf que si on admet l'hypothèse de ce type de vengeance, elle aurait dû cibler en priorité… sa première femme.

— Mais comme vous l'avez sûrement raconté à Mikael, Solveig a déjà subi son châtiment. Je vous en prie, aidez-nous à trouver Mikael. Dans le meilleur des cas, ça peut nous permettre de le retirer de la liste des suspects. Autre possibilité : c'est une question de vie ou de mort pour Einar.

Sjöberg ne nourrit aucun espoir concernant le fait que sa requête puisse toucher une corde sensible chez Ingegärd Rydin. Il se penche et ouvre le tiroir où se trouvent les photographies qui n'ont pas besoin d'être dissimulées. Il n'y en a guère qu'une poignée ; il les sort pour les observer.

— De toute façon, je n'ai aucune idée d'où il est, réplique-t-elle d'une voix tranchante. S'il n'est pas chez lui, c'est qu'il travaille.

— Pas le vendredi, rétorque Sjöberg tout en posant deux photos sur la table.

— Alors il doit sûrement être à l'entraînement. Mais je ne sais pas où ça se trouve.

— Il a l'air de beaucoup s'entraîner, constate Sjöberg qui compare les deux photos posées devant lui.

La première montre un jeune homme fluet, les cheveux en bataille. Sur l'autre, le même a le crâne rasé et parade avec un torse d'un tout autre calibre. Il porte un tee-shirt moulant et le bas d'un bras est orné d'un tatouage dont la partie visible représente la queue d'un monstre.

— Il y a combien d'années entre les deux photos ?

Sjöberg lève les clichés vers elle pour qu'elle n'ait pas à changer de position.

— Celle-ci date de Noël dernier, répond-elle en pointant le doigt vers le tatoué au corps d'athlète. L'autre a été prise le jour de mes cinquante ans, il y a trois ans.

Sjöberg ne voit pas de raison de déranger davantage Ingegärd Rydin, et renonce à lui demander si Mikael prend des anabolisants. L'image de ce fils non désiré commence à s'éclaircir. Il range les deux photographies dans son carnet et se lève de son fauteuil.

— Nous vous les rendrons, lui dit-il avant de la quitter, la tête lourde de mauvais pressentiments.

VENDREDI APRÈS-MIDI

Le sol s'est encore ouvert sous ses pieds. Son existence a de nouveau volé en éclats. Mais cette fois-ci, quelqu'un s'en est chargé de façon délibérée. Il était toujours dans sa voiture quand l'inconnu a surgi de l'obscurité pour presser un bout de tissu sur son visage. Il ne se souvient pas de ce qui s'est passé par la suite, entre l'attaque sur le parking de son immeuble et son réveil dans la remise. Au moment où il a repris ses esprits, la surprise dominait tout autre sentiment. La douleur et le froid lui ont encore paru supportables. *Le voilà seul dans le noir, sans savoir où il se trouve ni pourquoi. Il se souvient de s'être mis à bâiller en rentrant chez lui en voiture depuis Solberga, de s'être arrêté sur une aire de repos et d'avoir bu une tasse de café tiède pour ne pas risquer de s'endormir au volant. A-t-il fait une sortie de route ? En tout cas, il ne se trouve ni en bordure de forêt, ni dans un hôpital. Un morceau de tissu lui enserre fortement la tête et lui recouvre la bouche, dans le but apparent de dissimuler ses râles. Il est pieds et poings liés. Même si la température de la pièce s'apparente à celle du dehors, il y a bien un toit au-dessus de lui et, de ses mains, il sent sous lui la dureté d'un plancher de bois plein d'échardes.*

Il reste ainsi un long moment, à essayer de comprendre ce qui s'est passé. Il a perdu plusieurs dents et ressent des douleurs dans tout le corps. Qui lui veut du mal ? A-t-il opposé une résistance ? S'il est question d'un enlèvement dans les règles, son auteur s'est trompé de cible. Il n'a pas d'argent et ne connaît personne qui serait prêt à payer une rançon pour lui. Il doit s'agir d'une méprise. Sa position devient inconfortable et il commence à se tortiller. Il roule sur l'autre côté et remarque que ses clés ont disparu de sa poche de pantalon, celles de sa voiture et celles de son appartement. Pour une raison inconnue, on lui a retiré ses chaussures, mais il a eu le droit de conserver sa veste.

C'est alors que les souvenirs de l'agression lui reviennent. Il n'a pas eu le temps de voir le visage de son assaillant avant de tourner de l'œil. En se fiant à sa façon de bouger et à ses vêtements, il opte pour un homme, mais ne saurait dire de quel âge, ni s'il s'agit d'un Suédois ou d'un étranger. Il ne reste pas longtemps plongé dans l'incertitude. Il perçoit le bruit d'une clé qu'on enfonce dans une serrure, quelqu'un entre dans la petite remise. Ensuite, les choses s'enchaînent de manière inattendue. Il entend la porte qui se referme et la lumière jaillit dans la pièce. Il ne voit d'abord que l'ampoule nue allumée au plafond, avant qu'une silhouette terrifiante apparaisse au-dessus de lui. Durant quelques secondes, l'homme l'observe en silence. Puis il tord la commissure de ses lèvres pour simuler un sourire qui n'a rien de joyeux. Sans dire un mot, il commence à le frapper. Au ventre, à la poitrine, au visage. Il ne peut rien faire pour se protéger. Pieds et poignets attachés, il n'est même pas capable de se recroqueviller suffisamment pour se protéger la tête. Il ne peut que crier, jusqu'à ce que sa voix se casse. Mais avec le bâillon qui lui scie la bouche, le bruit assourdi de ses cris ne porte pas loin. Imperturbable, l'homme continue de le cogner avec une rage et une force manifestes. Peu de temps après, il perd connaissance. Il n'est pas sûr pour autant que cela mette un terme au brutal accès de violence.

Il tressaille au bruit habituel de la clé qui ouvre le cadenas. Une nouvelle fois, il s'attend à recevoir une avalanche de coups de pied et de poing, mêlés d'injures et d'humiliations. Au moment où la silhouette massive apparaît dans l'embrasure de la porte, il n'essaie pas de modifier sa position. Rien ne peut changer le cours des événements. Il a l'intention de subir son châtiment avec dignité, sans chercher à se défendre. Mais en voyant arriver son ravisseur, il retrouve le réflexe de distendre la corde qui lui maintient les poignets liés dans le dos. Par tout petits mouvements, il essaie de la desserrer un tant soit peu. À cet instant, il doit bien en être à sa dix millième tentative.

— C'est l'heure de regarder une vidéo, glisse l'homme d'une voix à la fois affable et chargée de menaces. Ensuite, j'ai décidé de te filmer un petit peu. Tu commences à t'affaiblir, Einar. Il faut le faire avant qu'il ne soit trop tard.

Einar affronte son regard sans baisser les yeux. Il n'a plus peur de lui, plus rien à craindre. L'homme fait un grand pas dans sa direction et l'empoigne sous les bras. Puis il le transporte vers l'autre côté de la remise en le faisant glisser sur le sol, avant de le caler dos au mur. L'homme s'assoit alors à ses côtés et sort une minicaméra vidéo de sa poche de blouson. D'un geste exercé, il met l'appareil en marche et choisit le mode lecture.

— Ça fait du bien de changer un peu de place, non ? questionne l'homme d'une voix doucereuse. Je me suis dit que tu avais peut-être du mal à me croire. Et donc, je t'ai apporté quelques preuves en images. Regarde bien, on va voir si tu reconnais.

Einar sent qu'il a du mal à respirer. Il imagine le pire. L'homme lui a déjà exposé en détail ce qui s'est passé dans l'appartement de Trålgränd, mais jusqu'à maintenant, Einar s'est autorisé à ne pas y croire. Malgré le froid ambiant, la sueur envahit son visage. Il ferme les yeux et respire plusieurs fois à fond. Il ne veut pas s'évanouir. Il faut qu'il regarde en face la catastrophe dont il est la cause.

La vidéo démarre. De son œil valide, il voit Kate, de toute beauté, étendue sur le lit aux côtés de ses enfants. La petite Linn est allongée entre sa maman et son frère, apparemment en train de dormir, le pouce dans la bouche. Tom se trouve tout près d'elle, vêtu de son pyjama Spiderman, donnant lui aussi l'impression de dormir paisiblement. C'est là qu'Einar remarque le sang, une large tache qui s'étend autour d'eux. La caméra zoome lentement sur le haut des trois corps, jusqu'à finir par un gros plan sur le visage sans vie de Kate, la gorge tranchée. Einar ne cesse de déglutir, pris d'une envie de vomir, sur le point de s'évanouir, anéanti. Mais il se force à continuer de regarder. L'image s'attarde ensuite sur la petite Linn. De la plaie béante qui barre sa gorge, le sang continue de couler en fins ruisselets vers la base de son cou. Et puis vient Tom, dont la tête n'est presque plus reliée à son tronc gracile.

Einar n'en peut plus, tout son corps se révolte. Il se met à vomir, pris de violentes convulsions. Il est à la fois en sueur et grelottant. Puis tout devient noir.

Sans pouvoir comprendre s'il est resté évanoui durant quelques secondes ou quelques heures, les coups qui pleuvent sur lui lui font reprendre conscience.

— Pas question de dormir maintenant, espèce de salaud ! Tu auras tout le temps qu'il faut pour te reposer.

En rouvrant l'œil, il voit l'homme face à lui, assis à califourchon sur ses jambes. D'une main, il tient la caméra pointée vers lui, tout en le frappant de l'autre à hauteur de l'estomac et de la poitrine. À chaque coup reçu, son crâne cogne le mur. Le bourdonnement de la caméra atteste que son calvaire est filmé.

— Maintenant, tu vas me dire comment tu as tué mes petits frères.

Einar gémit faiblement.

— Je sais que tu as la voix cassée à force de hurler, mais tu n'as qu'à chuchoter. Regarde la caméra.

L'homme s'accroupit, la caméra collée au visage d'Einar. Ce dernier prend une profonde respiration avant de fixer son œil valide droit sur l'objectif. Puis, pour la première fois de sa vie, il raconte toute l'histoire. Comment, il y a bien longtemps, par une belle journée de mai, il plantait des fleurs sur son balcon en compagnie de son épouse adorée. Comment on a alors sonné à la porte de l'appartement et tout ce qui a suivi. Il parle avec son cœur, sans embellissements, sans indulgence pour sa femme ou lui-même, sans omettre le moindre détail sur ce jour funeste. Il fait abstraction de l'homme qui tient la caméra et le raille. Il se livre et se raconte, ce qu'il n'a jamais fait. Son filet de voix rauque restitue les odeurs, les sentiments, les sourires et les caresses. Malgré ses cordes vocales brisées, il rapporte chaque parole, chaque cri, et l'immense culpabilité. Une culpabilité qui frappe chacune des personnes concernées, comme par ricochet, avant de finir par toutes les ensevelir sous son poids.

Einar Eriksson parle ensuite de ce jour où un ange lui est apparu. Un ange sous la forme d'une Philippine perdue, accompagnée de deux enfants. Elle a accepté avec reconnaissance sa sollicitude et son aide et, de ce fait, a soulagé quelque peu sa conscience. Il ne cache pas la nouvelle responsabilité que cela impliquait pour lui, pas plus qu'il ne nie l'égoïsme qui l'a poussé à intervenir dans la vie de ces pauvres gens. Et il en assume les conséquences, dont la punition qu'il subit aujourd'hui.

*

Face à lui, l'homme enregistre l'intégralité de son récit grâce à sa caméra, qui ronronne tranquillement. Il finit par se relever et, sans dire un mot, lui balance un bon coup de pied au visage. Cette nouvelle agression procure à Einar Eriksson un sentiment de joie et de libération qu'il n'a pas éprouvé depuis l'époque lointaine précédant le funeste accident.

L'homme sort de là en claquant la porte dans un geste de fureur et laisse une nouvelle fois Einar Eriksson allongé dans son sang sur le sol de la remise. Il le regarde disparaître, sourire aux lèvres.

*

Sjöberg quitte le commissariat d'Arboga où il vient de rendre une nouvelle fois visite aux inspecteurs Edin et Möller, afin de scanner les deux photographies de Mikael Rydin et de les envoyer à Sandén par courrier électronique. Il s'installe dans sa voiture pour rentrer à Stockholm. Au bout de quelques minutes, il se met à neiger. Dans un soupir, il constate pour la énième fois cette année que le printemps se fait attendre. Tenu d'emprunter des petites routes, il se fraye péniblement un chemin jusqu'à l'autoroute. Et une fois là-bas, il doit se résoudre à rouler lentement, à cause des chutes de neige.

Il sort son téléphone et compose le numéro de Sandén.

— Tu as vu mon mail de ce matin ?

— Non, je passe tout mon temps à essayer de mettre la main sur Mikael Rydin, réplique Sandén d'un ton sec.

— Raison de plus pour lire tes mails. Je t'ai envoyé deux photos de lui. J'ai pensé que ça pourrait te faciliter les choses. Tu es dans ton bureau ?

— Je suis en chemin.

— L'une des photos date d'il y a trois ans. Je l'ai jointe par curiosité. L'autre est récente. Et quand on compare les deux, on a une vision assez claire de ce que ce type a fait durant les trois dernières années.

— Il a subi une opération et changé de sexe ?

— Il a bouffé des anabolisants, rétorque Sjöberg, pour une fois sans sourire aux plaisanteries de Sandén. Il est passé en un rien de temps d'un type insignifiant à une montagne de muscles recouverte de tatouages. On n'y parvient pas sans l'apport de substances chimiques illégales.

— Merde alors. Et qu'est-ce que tu as tiré d'Ingegärd Rydin ?

— Christer Larsson est le père de Mikael. Mais ni l'un ni l'autre ne le sait. Comme son ex-époux, Ingegärd a eu du mal à sentir resurgir en elle un nouvel amour parental. Pour l'essentiel, le garçon a donc dû se débrouiller par lui-même. Elle le considère comme disponible et dévoué. Si je me base sur la description qu'elle fait de lui, je dirais qu'on est face à un jeune homme qui cherche désespérément l'amour de sa mère et sa reconnaissance. Depuis trois ans, elle souffre d'un emphysème pulmonaire et sait que ses jours sont comptés. Au moment où elle est tombée malade, elle s'est décidée à lui parler de ses frères et de l'accident. Ça l'a beaucoup affecté, et il l'a obligée à lui montrer des photographies. Par la même occasion, il est aussi tombé sur une vieille photo d'Einar. Mais à l'heure qu'il est, les photographies en question ont disparu. Ingegärd dit elle-même que c'est sans doute lui qui les a prises.

— Ce qui te convainc encore un peu plus que Mikael Rydin est notre homme ? risque Sandén après réflexion.

— On sait bien que la prise de stéroïdes anabolisants induit des effets secondaires. Elle peut causer des sautes d'humeur et des accès de violence incontrôlés, précise Sjöberg. Et quand on veut gommer ses faiblesses et se sentir invulnérable, on peut y ajouter une dose de Rohypnol, qu'on obtient auprès du même revendeur. Jens, je suis sûr d'avoir raison. Et à l'heure qu'il est, Einar ne doit pas être au mieux. S'il est encore de ce monde.

Silence total à l'autre bout de la ligne. Pour la première fois, Sjöberg sent qu'il est sur le point de convaincre Sandén qu'Einar est innocent.

— Jens ?

Toujours pas de réponse.

— Jens, tu es encore là ?

Il se passe encore deux ou trois secondes avant que Sandén réagisse :

— Je me rends, Conny.

On est bien loin du ton sarcastique et suffisant qui ressort d'habitude de sa nature insouciante.

— C'est pas trop tôt.

— Et je sais comment il a retrouvé la trace d'Einar.

Sjöberg remarque que, d'un coup, Eriksson est devenu Einar dans la bouche de Sandén. Il vient sans doute de s'apercevoir de la gravité de sa disparition.

— Conny, je suis devant mon ordinateur. Mikael Rydin travaille pour l'entreprise de nettoyage en charge du ménage à la crèche des enfants de Larsson. Je l'ai vu sur place quand je suis allé les prévenir que les petits étaient morts.

— Oh, merde…

Sjöberg est tellement stupéfié par la nouvelle qu'il ralentit au beau milieu d'un dépassement et se rabat dans la file.

— C'est peut-être un pur hasard, suggère Sandén. On n'est pas forcément dans l'hypothèse où Rydin, tel un ange de la mort, a recherché Einar durant les trois dernières années. Il peut juste l'avoir repéré allant et venant à la crèche en compagnie des enfants Larsson. Et là, gonflé à bloc par des produits douteux, il est rentré dans une violente colère, pris d'une brutale envie de vengeance contre celui qui lui est apparu comme l'heureux père de deux enfants.

— Mais pour ce qui est de la suite, tout a été minutieusement planifié, enchaîne Sjöberg en admettant l'hypothèse de son collègue. Il a suivi Einar, localisé son domicile, répertorié ses habitudes, avant de frapper dès qu'une occasion s'est présentée. Il ne pouvait pas y avoir meilleure vengeance que de priver Einar des deux petits êtres auxquels il tenait le plus.

— Ce qui explique également l'aspect très froid des meurtres, poursuit Sandén. Il n'a absolument rien contre Catherine Larsson et ses enfants. Sa seule cible, c'est ce pauvre diable d'Einar. Comme tu le disais, Conny. Et qu'est-ce qu'on fait maintenant ?

— On le coince, lâche Sjöberg. On avise les autres et on le trouve. Maintenant.

*

À court d'idées, Jamal demeure assis devant son écran d'ordinateur, essayant de rassembler assez d'énergie pour visionner une nouvelle fois ce maudit film. La porte de son bureau est fermée, et il se balance sur son siège, hésitant à introduire dans la prise la clé USB qu'il tient entre ses doigts. Pour l'instant, c'est ce qu'il pense avoir de mieux à faire : regarder de nouveau les images et tenter d'en tirer des conclusions. Il n'a vraiment pas envie de voir Petra filmée de la sorte et il lutte pour essayer de se convaincre que ce n'est pas elle, que cette jeune femme droguée vue en pleine scène de viol n'est pas la véritable Petra. La vraie Petra Westman est d'une nature forte et tenace, quelqu'un qu'on ne peut dominer et qui ne se laisse pas abuser.

Comme le prouve l'épisode récent dans la salle de boxe, se dit-il en souriant. Elle n'a peut-être pas manifesté là le plus bel aspect de sa personnalité, mais elle s'est montrée elle-même. Pas juste, mais vraie. L'image de Petra dans le coin de la pièce lui revient. Il la regarde par en dessous alors qu'il gît sur le tapis de sol : ravissante et bien entraînée, avec Malmberg en position d'arbitre qui se penche au-dessus de lui, un cruel sourire de triomphe aux lèvres.

Autour d'eux, les autres personnes présentes sont comme pétrifiées : il y a ce lourdaud d'Holgersson, dont la main secourable demeure tendue dans sa direction, tandis que Brandt se tient dans l'embrasure de la porte et brandit son portable. Les bruits eux-mêmes paraissent suspendus. Il règne un silence dramatique, qu'une sonnerie de téléphone finit par rompre brutalement, suivie de la voix de Malmberg qui répond. Ensuite, un souffle d'air lui caresse le visage au moment où Petra le frôle en s'éloignant. Elle affiche un air parfaitement impassible. Il préfère cette image.

Jamal soupire et espère avoir emmagasiné assez de forces. Il insère la clé USB dans la prise de l'ordinateur, avant de naviguer parmi les dossiers pour atteindre celui qui contient les images de Petra. Il décide de monter le son, qu'il avait coupé jusque-là, et lance le visionnage du film.

La caméra utilisée doit être récente, les images sont de bonne qualité. Ce qui n'est pas le cas du contenu, bien qu'on ait droit à une grande richesse de détails, malgré la pénombre qui règne dans la chambre. Il ne reconnaît rien de la décoration, pas plus que du corps de l'homme. Peu importe, dans la mesure où ce n'est pas cela qu'il cherche. Mais rien de ce qu'il voit ou entend ne lui révèle quoi que ce soit sur l'homme qui se tient derrière la caméra. Pas une ombre, pas de vêtements jetés çà et là, personne qui éternue ou qui tousse. Les bruits ambiants sont nombreux, mais pas la moindre voix.

L'extrait dure 2 minutes 58 secondes. La caméra émet un double signal sonore qui annonce la fin de la prise, puis c'est le noir.

Au même moment, Sandén débarque sans prévenir dans la pièce et le surprend. D'un cheveu, Jamal parvient à faire apparaître une autre image sur l'écran avant que l'autre se penche vers son bureau.

*

À mesure qu'il se fait une nouvelle idée d'Einar Eriksson, Sandén développe une affinité de plus en plus forte à l'égard de son collègue. Il en ressent une poussée d'adrénaline, qui renforce sa détermination. Et il n'est pas le seul. À leur tour, Petra et Jamal finissent par se laisser convaincre que l'hypothèse de Sjöberg est la bonne.

En l'absence de l'inspecteur principal, Sandén prend les commandes avec un enthousiasme excessif. Durant la matinée, Sjöberg semblait avoir décidé de ne pas s'introduire sans mandat dans l'appartement de Mikael Rydin. Or la dernière fois qu'il a parlé à ses collègues, il leur a clairement dit que le plus important était de retrouver l'homme en question aussi vite que possible. Malgré les consignes, et en accord avec les deux inspecteurs adjoints, Sandén décide de pénétrer dans la chambre d'étudiant de Rydin.

Petra reste au commissariat pour continuer la chasse aux témoins susceptibles de savoir où se trouve le jeune homme en question.

Quant à Sandén et Jamal, ils se rendent à Gärdet, dans l'immeuble qui abrite les logements étudiants. Ils découvrent que Rydin n'y loue pas une chambre mais un petit appartement d'environ vingt-cinq mètres carrés, avec salle de bains et kitchenette. Les deux policiers se trouvent donc dans la partie de l'immeuble sans cuisine collective, ce qui leur permet d'agir sans trop de risques de se faire remarquer. Sandén profite de ce que le couloir est désert, et en quelques secondes, crochète la serrure de Rydin.

La salle de bains est sommaire : une cabine de douche, des toilettes, un lavabo et un placard qui contient les produits d'hygiène de base. Le tout est à peu près propre et il en va de même pour la kitchenette. Là aussi, pas de superflu : une chaise, une table et une plante verte posée sur le rebord de la fenêtre. Les seuls objets remarquables sont l'affiche au mur qui représente l'équipe nationale de football de 1994, ainsi que le grand carton à glaces qui trône sur la table. À la place de son contenu habituel, il est rempli de comprimés en flacons, boîtes, ou tablettes qui, d'après les étiquettes, seraient des vitamines et autres produits bons pour la santé.

Pour le reste, l'appartement est constitué d'une seule pièce, occupée par un lit, un bureau, une bibliothèque et un meuble pour la hi-fi. Dessus se trouvent un téléviseur écran plat, un lecteur DVD et une stéréo équipée de grosses enceintes haut de gamme. Jamal s'assoit au bureau et allume l'ordinateur portable de Rydin. Pendant ce temps, Sandén passe en revue les CD, DVD et livres sur les étagères, sans rien découvrir d'intéressant. À moins de considérer que la musique rap et les films ou jeux d'action mènent automatiquement à la violence. Ou qu'on attribue cet effet aux manuels de droit également présents. Au pied du lit, une guitare est posée contre le mur, près d'une affiche de Kiss qui semble avoir suivi Rydin depuis sa chambre d'enfant d'Arboga.

Jamal vérifie quelques documents conservés dans l'ordinateur. Il s'agit exclusivement de textes archivés en lien avec les études. Il examine aussi tout ce qui a trait au courrier électronique, ainsi que le contenu de sa corbeille, sans rien remarquer de particulier. À en juger par l'historique de sa navigation Internet, Rydin est avant tout intéressé par les quotidiens du soir, ainsi que par les rubriques sportives qui traitent le plus souvent d'arts martiaux et de sports de combat. Même constatation quant à son utilisation de Google. Il ne semble pas particulièrement intéressé par la photographie en général, mais il en a sauvegardé une centaine dans son ordinateur, que Jamal se donne la peine d'examiner une à une.

Quand Sandén découvre son téléphone en charge près du lit, il se fraye un chemin vers l'appareil, et manque de trébucher sur des haltères. La présence de son portable peut signifier que Rydin est dans le coin et qu'il est susceptible d'apparaître à tout moment, ce qui pourrait leur attirer des ennuis. Il est aussi possible, plus simplement, qu'il se soit aperçu que son portable était déchargé au moment de partir. Sandén décide de pencher pour cette deuxième hypothèse. Quand il s'empare de l'appareil, le policier constate qu'il est allumé. Il parcourt la liste des appels reçus, émis, ou en absence, et note avec soin les numéros concernés. Il fait la même chose avec les SMS. Puis il examine la liste des contacts de Rydin, pas spécialement nombreux, sans que rien se dégage du lot. Rydin n'utilise pas la fonction calendrier, pas plus qu'il ne conserve de notes dans son appareil. Mais il s'en sert parfois pour prendre des photos, une dizaine d'entre elles sont encore en mémoire.

Sandén jette un œil en direction de Jamal, assis devant l'ordinateur, et note que lui aussi étudie des clichés.

— Tu trouves quelque chose ? lui demande Sandén.

— Je ne crois pas. Il ne fait pas beaucoup de photos. Celles prises à Ibiza l'été dernier sont sans doute les plus intéressantes. On a aussi le Noël chez sa mère. Et une fête arrosée avec ses potes culturistes.

— « Le vilain petit canard », tu sais de quoi il s'agit ? interroge Sandén.

— C'est le titre d'un conte d'Andersen. Mais quoi, tu en es encore à la bibliothèque ?

— Ça pourrait être le nom d'une crèche ou quelque chose dans le genre, pense Sandén à voix haute.

— Ou bien d'un café. Ça me dit quelque chose.

— T'en as entendu parler ?

— J'ai la vague impression que ça m'est venu aux oreilles par hasard, il y a quelques jours.

— Par qui ?

— Je ne m'en souviens plus. Je crois que c'était quelqu'un du boulot. Mais pourquoi ? Qu'est-ce que tu fabriques ?

— J'ai trouvé dans son portable la photo d'un panneau avec ces mots inscrits dessus.

— Je peux voir ?

Sandén lui passe le téléphone.

— Il est accroché à une grille, commente Jamal. Ça pourrait bien être un café en plein air.

Il fait défiler les autres images.

— Des portes. Des fenêtres. Des photos qui feraient éventuellement partie de repérages en prévision d'un enlèvement. C'est la clé de quelque chose.

Soudain ils sentent l'un et l'autre la température monter. Ce qu'ils ont n'est qu'un fétu de paille. Mais il y a peut-être là une piste à suivre.

— Tu en as terminé avec l'ordinateur ? demande Sandén.

— Presque.

— On dégage. Veille bien à ce que tout soit dans le même état que lorsqu'on est arrivés. On se tire d'ici. Il faut qu'on appelle Petra.

Jamal referme l'ordinateur. De son côté, Sandén replace le téléphone au sol, fait le tour de l'appartement, vérifie que les lumières sont éteintes et écoute les bruits en provenance du couloir. Tout est silencieux. Ils entrouvrent la porte pour se glisser dehors et filent de là.

Dès qu'ils sont dans la rue, Jamal appelle Petra pour la prier de faire une recherche sur le Net concernant « Le vilain petit canard ». Une tâche qui se complique puisqu'elle leur annonce dans la foulée avoir quarante mille réponses. Pour restreindre la recherche, ils lui font part de leur intuition qu'il pourrait s'agir d'une crèche ou d'un café. Pour finir, ils lui envoient par SMS la liste des numéros de téléphone trouvés grâce à la fouille. L'absence d'Einar Eriksson se fait vraiment sentir à plus d'un titre.

— C'est quand elle n'est plus là qu'on réalise combien une personne est précieuse et nous manque, résume Sandén.

*

Au retour de l'excursion, les animateurs du centre de loisirs ont mis les petits plats dans les grands, avec sirop et pop-corn à profusion. Ce vendredi après-midi, les enfants présents auront également droit à un film. Les canapés ou autres fauteuils étant déjà pris, Johan et Max s'allongent côte à côte à plat ventre sur le sol, les coudes sur des coussins, attendant le début de la séance. Pour compenser le manque de sièges, ils ont eu droit à leur propre bol de pop-corn. Johan tend la main pour en prendre une poignée quand Ivan apparaît sur le seuil de la porte. Johan le croyait rentré chez lui, mais le voilà qui lui fait signe de venir.

Ivan l'entraîne dans l'entrée, en lui chuchotant avec enthousiasme qu'il vient d'emprunter un objet dans la salle de travaux manuels. Johan ne comprend pas tout de suite, et encore moins quand Ivan sort de son sac de sport un torchon noué en forme de balluchon. C'est seulement quand il voit la grosse pince emmaillotée à l'intérieur que les pièces du puzzle se mettent en place.

— C'est une pince coupante, lui confie Ivan sur le ton du secret.

Johan a son idée de ce qu'Ivan veut en faire, ce qui d'un certain côté n'est pas pour lui déplaire, mais d'un autre ne lui dit rien qui vaille. Vouloir sauver le cochon est une chose, mais de là à briser un cadenas… ? Il est sûr et certain que c'est un délit. Et pour couronner le tout, le cadenas en question appartient à ce joueur de guitare effrayant. En plus, il soupçonne Ivan d'être plus intéressé par l'effraction que par le fait de délivrer le cochon.

— En tout cas, moi, je suis allé à la police, annonce Johan comme une faible tentative de dissuader Ivan de mettre son plan à exécution.

— Ah bon, et le cochon est sauvé ?

Johan hausse les épaules.

— Avoue qu'ils s'en sont foutus, lance Ivan avec conviction.

— Dans un sens, c'est vrai… Mais… disons, oui et non.

Il n'a pas envie de parler de ce qui lui trotte dans la tête. Qu'il n'y a pas vraiment eu de dépôt de plainte parce qu'il n'a pas osé donner son identité. Qu'il a eu peur de ce que son père et sa mère auraient dit en apprenant ce qu'il avait comploté.

— Donc, on le fait nous-mêmes. Allez, Johan, c'est quoi le problème ? Faut d'abord que tu demandes l'autorisation à ta maman ?

C'est comme si Ivan lisait dans ses pensées.

— Oui, on dirait, répond Johan en s'efforçant de sourire.

Et le voilà qui se retrouve dans la même situation. Coincé entre les griffes d'Ivan que, en réalité, il n'aime pas. Il retourne dans la salle et informe les animateurs qu'il rentre chez lui. Ce qui lui est permis puisqu'il fait partie de ceux qui ont fourni une attestation parentale les autorisant à rentrer par eux-mêmes à la maison. Et merde !

*

Ils se retrouvent dehors. Une journée sombre et triste, avec la neige qui commence à tomber. Tout aurait peut-être été plus facile par une journée ensoleillée. Johan a un mauvais pressentiment, mais il n'ose renoncer. Il ne veut pas qu'Ivan le prenne pour un lâche. Malgré la pince coupante enveloppée d'un torchon qu'il a enfouie à l'intérieur de son blouson, ce dernier se déplace d'un pas léger et assuré, se sentant probablement comme un braqueur de banque ou quelque chose dans le genre.

— Qu'est-ce qu'on va faire du cochon ? demande Johan. On ne peut pas juste le libérer et le laisser mourir de froid ou se faire écraser par une voiture ?

Ivan paraît avoir déjà songé au problème et répond qu'ils appelleront les flics de manière anonyme, pour les avertir qu'un cochon est en train de courir comme un fou dans la rue et qu'il y a danger.

— Et pour le mec ? Imagine qu'il nous tue…

Ivan affiche un sourire tout droit sorti d'un film d'action américain et frappe son blouson de la main comme pour indiquer la présence d'une arme.

— Ça n'arrivera pas, affirme-t-il, toujours aussi sûr de lui.

Ils se retrouvent donc à patauger dans la neige boueuse en direction de Tantolunden. La boule au ventre, Johan sent l'angoisse grandir en lui. Il n'est pas très sûr de vouloir cogner sur la tête de quelqu'un

avec une pince coupante, même si cet individu torture
les bêtes.

*

Les chutes de neige rendent son voyage de retour
plus long que prévu, mais Sjöberg se sent très soulagé
après sa discussion avec Sandén. Il a enfin rallié
ses hommes à son avis et tous œuvrent désormais
dans la même direction. Surtout, ils ne sont plus à la
dérive, incapables de savoir qui est l'auteur du crime.
L'arrestation du meurtrier n'est plus qu'une question
de temps. Mais pour ce qui est du sort d'Einar, il sent
l'inquiétude le dévorer. Ils doivent partir du principe
qu'il est encore vivant, mais il faut vite le retrouver.
La frustration le gagne : il est coincé dans un embou-
teillage à Kungens Kurva. Il garde quand même la
certitude que le travail de Sandén, Jamal et Petra va
finir par payer. Il appelle donc le commissaire principal pour le prier que les forces opérationnelles se
tiennent prêtes à intervenir. Il n'y a plus qu'à croiser
les doigts pour qu'elles soient disponibles. Il s'étire
sur son siège, impatient de pouvoir sortir de la voiture
et de se débarrasser de ses raideurs dans les articulations.

Sans le vouloir, ses pensées passent d'Einar et du
crime à la mort tragique de sa sœur. Il doit absolument confronter sa mère à ses dernières découvertes
aussi vite que possible. Non, pas une confrontation. Il
va juste lui raconter qu'il a rencontré sa grand-mère
paternelle, qu'il connaît maintenant toute l'histoire,
et qu'il l'admire pour la force dont elle a fait preuve
durant toutes ces années. Mais cette fois, il l'obligera
à tout lui raconter, du début à la fin. *J'y ai droit*,
se dit Sjöberg. De la même manière qu'Ingegärd

Rydin a considéré qu'il était légitime pour son fils de connaître l'histoire de ses frères. On est toujours en droit de connaître la vérité sur son passé.

Comment sa fin de semaine va-t-elle se dérouler ? Si la traque de Mikael Rydin et la recherche d'Einar aboutissent vite, il prendra le temps de passer voir sa mère. Åsa ne sera pas très contente, mais elle comprendra. Elle aussi est sans doute curieuse de connaître la vérité sur la famille Sjöberg. Il aurait dû l'appeler. Elle meurt probablement d'envie de savoir comment s'est passée sa visite de ce matin à sa grand-mère. Il devrait lui téléphoner maintenant, mais l'instant n'est pas propice. Le vendredi, elle donne ses cours jusque tard dans l'après-midi, et ensuite, elle doit se dépêcher d'aller chercher les enfants au centre de loisirs et à la crèche.

Il se met à bâiller. Malgré une nuit passée à l'hôtel sans ses enfants pour le réveiller, il ressent une immense fatigue. Mais quand ce n'est pas une chose qui le perturbe, c'en est une autre. Après avoir parlé à Jenny, il a eu du mal à se rendormir. *Quelle naïve*, se dit-il en souriant. L'appeler en plein milieu de la nuit, après avoir passé des heures au lit sans trouver le sommeil. Jenny est comme ça, et c'est bien que tout le monde ne soit pas identique. La nouvelle pasionaria des droits des animaux ! Il faut bien que quelqu'un le soit. Pour les droits du cochon dans la société. Pour le droit du cochon à la pomme de terre. Sjöberg cogite à ce sujet quand son téléphone se met à vibrer dans sa poche.

C'est Sandén qui l'appelle du métro. Jamal et lui sont sur le chemin du retour vers le commissariat, et il lui rend compte de la fouille à l'appartement d'Öregrundsgatan.

— J'espère que vous n'avez pas laissé de traces derrière vous ? Et que personne ne vous a vus ?

— Ne t'inquiète pas pour ça. « Le vilain petit canard », tu sais ce que c'est ?

— Un conte de…

— Andersen, je sais. Mais Rydin conserve la photo d'un panneau portant ces mots dans son portable. Un panneau fixé sur une grille. On se dit que ça pourrait être un café ou une crèche. Tu as une meilleure idée ?

— Quel type de grille ?

— Classique, blanche, même si la peinture s'est un peu écaillée. La bonne petite grille à l'ancienne, tout simplement.

— Dans ce cas, elle peut tout autant se trouver devant une maison ancienne, suggère Sjöberg.

— Attends deux secondes. Jamal vient juste de repenser à quelque chose.

Sjöberg patiente. La circulation a un peu repris. Va-t-elle enfin se fluidifier ? La voix de Sandén se fait de nouveau entendre :

— Il dit que Lotten a mentionné « Le vilain petit canard », ou peut-être Jenny. Il est en train d'appeler la réception.

— Je reste en ligne. Ah, Jenny… Elle m'a appelé cette nuit.

— En pleine nuit ?

— À 3 h 30 du matin, soupire Sjöberg. Elle n'arrivait pas à dormir. Elle m'a parlé d'un cochon. Apparemment, tu n'as pas réussi à la rassurer.

— Ah bon. Elles n'arrêtaient pas de jacasser, elle et Lotten. Je n'arrivais pas à suivre. Mais Jamal me dit quelque chose… Attends un peu.

Sjöberg replonge dans sa conversation avec Jenny. Elle lui a parlé d'un cochon. Mais ce mot peut avoir plusieurs significations. C'est aussi une insulte pour qualifier une personne qui est sale. Et en plus, en argot suédois, il sert à désigner un policier, un flic. Et si toute cette histoire ne concernait pas un cochon mais un flic ? Est-ce que le jeune garçon qui a parlé à Jenny n'a pas plutôt été témoin de brutalités infligées à un policier ? Sjöberg se raidit sur son siège, au moment où la voix de Sandén se fait de nouveau entendre :

— Lotten dit que le nom se rapporte à une résidence d'été, ou quelque chose dans le genre. Selon le jeune garçon, « Le vilain petit canard » serait le nom de l'endroit où le cochon est retenu prisonnier. Mais elles n'ont pas eu le temps de faire préciser le lieu au jeune garçon. Il s'est carapaté au moment où elles lui ont demandé son identité.

— Il ne s'agit pas d'un cochon, affirme Sjöberg, désormais sûr de lui. Il est question d'un flic, Jens. C'est d'Einar qu'on parle.

— OK. Je te suis.

Sandén est prêt à se lancer. Mais sur quoi ? Il enchaîne en accélérant le débit :

— En ce qui concerne « Le vilain petit canard », Petra ne trouve rien sur Internet qui fasse figure d'adresse. Ça doit être le nom que porte la baraque. Peut-être une maison de campagne.

— Quel âge a le garçon ?

— Entre huit et dix ans, selon Lotten et Jenny.

— Donc, de toute évidence, il n'est pas en âge de se rendre seul à la campagne, constate Sjöberg. La baraque ne se trouve donc pas très loin. En ville, dans un endroit accessible en se promenant ou desservi par les transports publics. Je miserais sur une maison individuelle ou une bicoque située dans un jardin ouvrier.

— Et maintenant, on fait quoi ?

— Continuez d'appeler la liste des contacts de Rydin, décide Sjöberg, juste avant qu'une idée tirée par les cheveux lui traverse l'esprit. Mais d'abord, je propose que vous téléphoniez à Barbro.

— Barbro ?

— Pour ce qui est des jardins ouvriers de Stockholm, c'est vraiment une experte. Barbro Dahlström.

Il y a six mois de cela, leurs routes se sont croisées, sur une affaire impliquant la découverte d'un bébé épuisé et d'une femme morte dans le parc de Vita Bergen. Barbro Dahlström a soixante-douze ans, et dans cette affaire, cette madame Tout-le-monde s'est comportée en héroïne.

— Bien sûr ! Je me mets tout de suite sur le coup, conclut Sandén.

Quelques minutes auparavant, Sjöberg envisageait de s'arrêter en route pour manger un hot-dog. Or la situation n'est plus du tout la même. Le pouls battant plus fort, il décide d'enfoncer l'accélérateur en direction de Stockholm. Il branche la sirène et baisse la vitre pour poser le gyrophare sur le toit.

*

Accroupis derrière la haie, ils se glissent jusqu'au panneau « Le vilain petit canard ». La grille est cadenassée, bien qu'elle semble vieille et prête à vaciller sur ses gonds.

— Quel idiot, chuchote Ivan. Pourquoi il met un cadenas ? Même un nain peut sauter par-dessus. Ou la faire tomber d'un simple coup de pied, ajoute-t-il, en joignant le geste à la parole.

Mais Johan le saisit par le bras pour le retenir.

— Qu'est-ce que tu fais ? Tu veux qu'on se fasse repérer avant d'avoir commencé ?

— Parce que tu crois qu'il y a beaucoup de monde dans le coin ?

— Tu n'en sais rien toi-même. Il est peut-être à l'intérieur, réplique Johan en désignant la remise.

— Tu vois le cadenas sur la porte ? Vu qu'il est fermé, ça veut dire qu'il n'est pas là, grogne Ivan. Et tout est éteint dans la petite maison d'à côté. Allez, viens !

Il prend appui sur une traverse et saute par-dessus la grille avec facilité, pour atterrir dans la neige. Johan reste un moment silencieux à écouter ce qui se passe, avant de finir par escalader l'obstacle, rassuré de ne rien entendre. Ivan se faufile jusqu'à la porte de la remise, sort le balluchon qu'il gardait sous son blouson et le laisse tomber sur le sol de l'allée dans un bruit sourd. Johan se remet à écouter, et prête nerveusement attention à ce qui se passe autour. Mais il ne détecte aucun signe de vie, à l'exception du faible bruit de circulation dans le lointain.

Ivan sort la pince coupante du torchon pendant que Johan colle son oreille contre la porte. Pas de bruit à l'intérieur.

Ivan s'attaque à la serrure. Elle s'avère difficile à forcer, même si son outil a l'air approprié. Son maniement exige de la force. Johan est sur le point de l'aider quand soudain l'image du sol enneigé à cet endroit de la cour lui revient en tête. Il suspend son geste et jette un regard en arrière. Comment ont-ils pu être si bêtes ? Il suit des yeux les larges traces de pas dans la neige, qui vont distinctement de la remise jusqu'à la maisonnette, mais seulement dans ce sens. Quelqu'un est donc venu à la remise avant qu'il se mette à neiger, environ deux heures plus tôt, avant de retourner à la maisonnette une fois le sol tapissé de blanc. Et il ne fait aucun doute qu'il se trouve actuellement à l'intérieur de la bâtisse. Il jette un œil dans cette direction et constate que la porte d'entrée semble en mauvais état. Son cœur se met à battre à toute allure.

— Il faut arrêter, Ivan ! Il est dans la maison. Regarde les traces de pas.

Ivan s'immobilise et observe la bâtisse principale.

— Oh putain… Tu crois qu'il nous a repérés ?

— Peut-être pas encore, mais on doit partir maintenant. Vite !

Johan se redresse avec vivacité et se met à courir en direction de la grille. Au même moment, la porte de la maisonnette s'ouvre, et l'homme du cours de guitare surgit, dévale les marches, avant de se précipiter droit dans sa direction. Johan agrippe le haut des barreaux à deux mains pour se hisser. Mais une fois à califourchon, il n'a pas le temps d'en faire plus avant que l'homme lui empoigne un bras, l'arrache de la grille, et le traîne derrière lui en direction de la remise. Ivan est comme pétrifié, son outil à la main. De ses grands yeux écarquillés il voit le drame qui se joue devant lui. Il finit par poser la pince au sol et lève les mains à hauteur des oreilles, les doigts bien écartés.

— C'est bon, lâche-t-il d'une voix piteuse.

Johan est terrorisé à la vue du motif tatoué sur le biceps de l'homme, et qui semble jaillir de sous son tee-shirt. Le visage inexpressif, l'homme traîne les deux garçons à l'intérieur de la maisonnette.

— Qu'est-ce que vous préférez ? leur demande-t-il, après les avoir contraints à s'asseoir dans un coin poussiéreux de l'unique pièce de la bicoque. De qui

300

je dois me débarrasser en premier, vous ou l'autre, là-bas ?

— On ne dira rien à personne, lui répond Ivan avec un ton qui se veut convaincant. On n'en a rien à foutre de ce putain de cochon.

— Oui, c'est ça. Vous êtes juste venus piquer le tuyau d'arrosage ?

— On vous promet de ne rien dire, répète Johan, au bord des larmes. S'il vous plaît, laissez-nous foutre le camp d'ici et vous ne nous reverrez plus.

— J'ai du mal à le croire. Et il y a assez de place pour vous trois.

Il sourit d'une façon singulière, mais qui n'a rien de joyeux. Puis il se met à frapper.

*

En l'absence de Conny, Jens, Jamal, et surtout d'Einar, Petra se retrouve face à un travail de titan : appeler tous les contacts de Mikael Rydin sur un tempo endiablé. Une longue suite de présentations fastidieuses pour expliquer ce qu'elle veut. Et elle doit enrober les raisons de ses appels de mensonges plausibles. Une tâche qu'elle entrecoupe d'appels à Barbro Dahlström qui se révèle injoignable. Pour finir, aucune des personnes que Petra interroge n'a une idée de l'endroit où Rydin pourrait se trouver, pas plus que de ses projets.

Ironie du sort, son écran d'ordinateur porte encore les traces de ses dernières recherches infructueuses. Autant d'innombrables tentatives pour relier « Le vilain petit canard » à des restaurants, des cafés, des crèches ou des garderies, des parcs de jeux, des jardins ouvriers, des bibliothèques, des théâtres, et bien d'autres lieux. Elle écoute les cinq sonneries se succéder pour tenter de joindre Barbro Dahlström, tout en se demandant si elle ne devrait pas contacter les fabricants de panneaux de la région. Son moteur de recherche lui indique qu'ils sont deux cent vingt-huit, ce qui rend la chose impossible à court terme. D'ailleurs, selon Jamal, la grille est ancienne, et le panneau l'est sans doute aussi.

Et si toutes les maisons avoisinantes de celle baptisée « Le vilain petit canard » sont nommées d'après un conte, il est possible que le nom de la rue y fasse écho. Après un certain nombre de recherches, Petra décroche le gros lot. Elle compose le numéro de Sjöberg.

— Sagostigen[1], annonce-t-elle. C'est le nom d'une rue de Tantolunden où se trouvent des jardins ouvriers. Peut-être un peu tiré par les cheveux, mais c'est le mieux que je puisse proposer.

— Bien joué, Petra. On tente le coup. Mais j'ai l'impression qu'on est dans l'urgence. Je me charge de faire venir sur place un groupe des forces d'intervention et des ambulances. Il est possible que Mikael Rydin soit présent et armé. Et si Einar est aussi là-bas, il est sans doute mal en point.

— Compris. Tu es où ?

— À la hauteur de Segeltorp. Je me dépêche.

— Tu seras à Tantolunden quand ?

— Avec la neige, j'y serai au mieux dans dix, douze minutes. S'il n'y a pas d'imprévus. Attendez mon arrivée.

Sjöberg jette un œil à sa montre.

— Pas de sirène ou d'agitation. Si Rydin se trouve sur place, il ne faut pas qu'il soupçonne quoi que ce

---

1. Littéralement, ce nom signifie « Sentier des contes ». (*N.d.T.*)

soit et qu'il s'échappe. Tenez-moi informé de votre position.

— OK.

— J'espère juste qu'on est sur la bonne piste, commente Sjöberg. Et si c'est le cas, qu'on arrive avant qu'il ne soit trop tard.

*

Einar Eriksson a le sentiment d'avoir mené à bien le projet qui lui tenait à cœur avant de mourir. Il ressent une merveilleuse libération d'être parvenu à décrire le fil de son existence, d'avoir mis des mots sur l'ensemble des sentiments et des questions qui fourmillent dans sa tête. Sans le savoir, en l'humiliant de la sorte, l'effroyable fils d'Ingegärd lui a rendu un fier service.

Couché à même le plancher glacial, il tire machinalement sur la corde qui lui enserre les poignets dans le dos. Je tire, je tire, je tire, pause, je tire, je tire, je tire, pause. Elle résiste sans grincer. De temps à autre, il tente de glisser une main dans la boucle pendant que l'autre cherche à l'élargir, mais sa main est trop grosse, ou la boucle trop petite. Un filet de sang lui coule du nez dans la bouche, mais il ne s'en soucie pas. Il jubile d'enfin s'accorder le pardon qu'il recherche depuis plus de trente ans. Trente sombres années, où se sont mêlés le poids du chagrin, la compassion pour soi-même et l'amertume. Mais avoir verbalisé sa lourde faute lui a permis de s'en libérer. Quelques mots sortis de sa bouche, qui lui ont offert la consolation !

C'est quand il a brusquement décidé de jouer la carte de la franchise qu'il s'est ouvert la voie. En toute honnêteté, il s'est donné le droit d'énoncer la vérité sans l'embellir, sans recours aux circonstances atténuantes ou à l'autocritique incontrôlée. Il se moque bien que le boucher sanguinaire qui l'a traîné ici ait pris plaisir à être témoin du récit de sa vie. Einar ne l'a conçu que pour lui-même. Pas pour celui qui s'est proclamé juge et bourreau, ou qui que ce soit d'autre. Il a réglé ses comptes avec sa conscience.

C'est donc avec des yeux neufs qu'il regarde par la fente située sur le côté de la porte et, tandis que ses mains s'affairent dans son dos, constate que la neige cesse de tomber. Un rayon de soleil filtre par la fenêtre, fend l'air froid qui règne dans la remise et fait danser les grains de poussière dans la fine strie lumineuse.

Habité par un espoir dont il avait à peine conscience, et mû par une énergie issue du plus profond de la coquille douloureuse qui lui sert de corps, Einar Eriksson tire en tous sens sur ses liens sans ressentir la fatigue. Et parce qu'il gère enfin seul son destin, ou parce que quelqu'un là-haut a pitié de lui, il réussit à libérer une main.

Sourire aux lèvres, il reste quelques minutes dans la même position, tout en reprenant son souffle après un tel effort. Ensuite, de sa main libre il prend appui sur le plancher et s'assoit. D'un geste gauche, il défait le nœud et parvient à libérer l'autre main. Il se jette avidement sur le récipient d'eau et boit le tout d'un trait. Après quoi, il remue ses doigts engourdis pour qu'ils retrouvent une mobilité normale. Cela fait, il libère la corde qui lui liait les pieds et qui le maintenait prisonnier du mur derrière lui.

Où est donc son terrifiant kidnappeur ? En a-t-il fini avec lui pour aujourd'hui ? Juste un coup au visage après qu'il a volontairement raconté son histoire ? C'est peu probable, vu le monstre qu'est cet homme.

Il ne se contente jamais de frapper une seule fois. Il a besoin de bien plus pour assouvir la fureur qu'il porte en lui. Il doit se trouver dans les alentours à le guetter. À jubiler du faux espoir qu'il a suscité, laissant croire à sa victime qu'il a reçu sa dose quotidienne de coups. Mais pourquoi est-il ressorti aussi vite ? A-t-il été surpris par un point de son récit qu'il ne connaissait pas ?

Il lui vient soudain à l'esprit que le fils d'Ingegärd ne savait peut-être pas du tout qui est Christer Larsson. Sans la moindre hésitation, la vengeance s'est tout entière dirigée contre lui. Et Einar se dit que c'est peut-être seulement aujourd'hui, en l'entendant se confesser à la caméra, que le meurtrier de Tom et Linn – les deux enfants qu'il a assassinés de sang-froid – a appris qu'ils avaient le même père que ses propres frères disparus. Il vient tout juste de comprendre que Tom et Linn Larsson étaient le demi-frère et la demi-sœur d'Andreas et de Tobias, ceux qu'il souhaitait venger.

Einar Eriksson voit devant lui l'image des deux petits aux visages d'ange, allongés sur le lit auprès de leur mère si belle. Un tableau magnifique, si les circonstances funèbres n'en avaient fait une chose aussi laide qu'incompréhensible. Pour la première fois depuis sa prime jeunesse, il s'autorise à laisser venir ses pleurs. Un torrent de larmes creuse des sillons dans la couche de poussière qui recouvre son visage.

*

À tout moment, l'auteur des crimes peut réapparaître pour continuer sa vengeance, et pour se débarrasser des malheurs de son existence. Einar Eriksson se redresse péniblement sur le plancher dur et froid. Il n'y a plus de temps à perdre.

*

Deux minutes après Petra et les autres, Sjöberg arrive au lieu de rendez-vous, en plein quartier des jardins ouvriers. Suivant ses ordres, ses collègues l'attendent près des voitures. Un groupe appartenant à la force d'intervention est déjà parti repérer les lieux, et l'un de ses membres, Hägglund, les rejoint pour leur faire un point.

— La cible en question se situe bien là-haut, confirme-t-elle, au grand soulagement de Sjöberg et des autres. La grille est fermée par un cadenas qu'on est en train de faire sauter. Droit devant, on a une petite habitation, avec un escalier de huit marches pour atteindre la porte d'entrée. Son verrou a déjà été forcé. Sur la droite, tout de suite après la grille, il y a une remise, dont l'accès est aussi bloqué par un cadenas, mais qu'il est possible de faire sauter. Il y a au moins deux personnes à l'intérieur. Dans la maison, on n'est pas certain qu'il y ait quelqu'un, mais c'est peut-être aussi le cas. Il y a de nombreuses traces de pas dans la neige.

Sjöberg fait un signe de tête approbateur, puis répartit les policiers en deux groupes.

— On donne l'assaut aux deux bâtiments en même temps. Vous vous occupez de la maison d'habitation et nous de la remise. Pas de coups de feu inutiles. Notre priorité est de libérer Einar vivant et qu'il reçoive rapidement des soins. Il est sans doute dans un état d'extrême faiblesse. On coupe les portables et tous les appareils de ce genre. Allez, on y va.

La neige cesse soudain de tomber, et une trouée inattendue dans la couche de nuages laisse passer quelques rayons de soleil sur fond de ciel bleu. Sjöberg et Sandén mènent le groupe presque en courant, Hägglund intercalée entre eux. Elle leur indique qu'elle n'a décelé aucune marque de pneus sur la neige dans la petite rue où ils se rendent, mais qu'elle a constaté les traces de pas de deux personnes. À part cela, l'ensemble des jardins ouvriers est particulièrement désert en cette période de l'année.

Ils avancent en silence. Sjöberg se retourne à plusieurs reprises pour s'assurer qu'ils sont tous là. Il y a quelque chose d'absurde dans la situation : les policiers de la force d'intervention équipés de leurs casques à visière évoluent au beau milieu d'un paysage idyllique de maisonnettes, de clôtures couvertes de neige et de haies bien entretenues. Sjöberg en éprouve un sentiment d'irréalité.

— On est proches ? murmure-t-il à Hägglund, sans rien révéler de l'inquiétude qui le ronge.

— On n'est plus très loin. C'est un petit peu plus sur la droite. On arrive bientôt à la haie qui longe la remise.

Peu de temps après, ils rejoignent le groupe de policiers déjà sur place. Sjöberg calme le rythme. Il s'accroupit et se glisse le long de la haie qui borde la remise pour trouver une ouverture qui donne sur le terrain.

Tout semble à l'abandon. Le jardin n'est plus entretenu depuis des années. La grille, très abîmée, ne tient plus vraiment sur ses gonds. Sur le petit terrain devant les constructions, on distingue bien de nombreuses traces de pas dans la neige. Elles accréditent la présence d'au moins deux personnes. Un cadenas surdimensionné verrouille la porte de la remise à l'extérieur. Cela indique qu'au moins l'une d'entre elles se trouve dans la maison, dont la porte d'entrée a été cassée. Il ne sera pas très compliqué de s'introduire à l'intérieur. En revanche, avec la remise, il faudra défoncer la porte, sans s'occuper du cadenas.

Sjöberg se faufile pour aller retrouver l'équipe.

— Si on en croit les empreintes dans la neige, Rydin est dans la maison, explique-t-il. Apparemment, il n'est pas seul. La porte est cassée et devrait s'ouvrir facilement. La maison semble n'avoir qu'une seule pièce. Comme je suppose que les marches en bois vont beaucoup craquer, vous allez devoir agir vite une fois sur place. Si on se fie au gros cadenas qui boucle l'entrée de l'extérieur, on peut présumer qu'Einar est encore dans la remise. Je suis d'accord pour enfoncer la porte. Arme au poing pour tout le monde. Mais comme je l'ai déjà dit, on n'en fait usage qu'en cas de nécessité absolue. Si on n'a pas déjà été repérés, on ne devrait pas avoir besoin de tirer. Des questions ?

— On attend ici ou on suit ? l'interroge l'un des urgentistes du service médical.

— Il vaut mieux que vous restiez ici, répond Sjöberg. Et mettez-vous à l'abri en cas d'échanges de tirs. Si on a besoin de vous, on vous le fera savoir.

Il regarde autour de lui, mais personne ne semble avoir quoi que ce soit à ajouter.

— Bonne chance à tous. Allons-y maintenant.

Un membre de la force d'intervention s'occupe d'ouvrir la grille, avant qu'un premier groupe parte sur la droite et aille se placer aux abords de la remise, les policiers casqués et lourdement armés en première ligne, suivis de Sjöberg et Petra.

*

L'autre groupe court à pas feutrés jusqu'à la maisonnette délabrée. Jamal et Sandén se trouvent aussi derrière quelques membres de la force d'intervention et se tournent vers Sjöberg pour recevoir son signal. La main de ce dernier s'élève et vient fendre l'air tel un coup de hache. À cet instant, l'épais silence se brise. L'arme au poing et le cœur palpitant à tout rompre, ils se ruent en bloc pour gravir le petit escalier, avant de fondre sur l'unique pièce de la maison.

Mikael Rydin est assis calmement sur une chaise à barreaux, près d'une table collée à un mur. Il tient dans ses mains une caméra vidéo. Sandén ne remarque pas tout de suite ce qu'il est en train de filmer. Soudain, quelqu'un pousse un long cri déchirant. Jamal réagit le premier. Il fonce vers le coin de la pièce que Rydin observe de biais et se jette à genoux. Il se retrouve face au jeune garçon que Sandén a croisé plus tôt dans l'entrée du commissariat, et qui regarde les policiers avec des yeux hagards. Il ne laisse pas échapper le moindre son et du sang dégouline de son nez. À ses côtés, un deuxième gamin est recroquevillé sur le sol, en position fœtale. Sandén pense d'abord qu'il est inconscient, avant de comprendre que c'est lui qui pousse des cris.

Sans manifester de réaction, Rydin laisse glisser son regard sur les hommes en armes prêts à lui tirer dessus. Puis il rabat l'écran de sa caméra et l'éteint. Pendant que Sandén se précipite à l'extérieur pour appeler les urgentistes, Jamal se charge des deux gamins terrorisés. À son retour, Sandén fait de son mieux pour s'adresser en termes officiels au malfaiteur, lequel semble toujours indifférent à ce qui se passe.

— Mikael Rydin, vous êtes en état d'arrestation, soupçonné d'avoir commis un sacré paquet de crimes, dit-il plus fort que nécessaire. (Jamal parvient à faire taire les cris hystériques de l'un des gamins.) Vous connaîtrez les chefs d'accusation qui pèsent sur vous une fois au commissariat. Posez lentement la caméra et placez vos mains sur la table, paumes tournées vers le haut. Si vous résistez, nous n'hésiterons pas à tirer.

Toujours impassible, Mikael Rydin s'exécute, tandis que l'un des membres de la force d'intervention s'avance d'un pas ferme jusqu'à la table pour lui passer les menottes. L'un de ses collègues se place ensuite derrière la chaise, et les deux policiers le mettent debout puis le poussent vers la sortie. Sandén s'empare alors de la caméra et la glisse dans la poche de son blouson.

*

Pendant ce temps, deux hommes de la force d'intervention se jettent contre la fine porte en bois de la remise au signal de Sjöberg. Les planches volent en éclats et les policiers se retrouvent à l'intérieur. Le cadenas pend au montant de la porte encore tenu par ses gonds. Sjöberg a hâte d'entrer, mais plusieurs policiers à large carrure se tiennent dans l'embrasure et lui masquent la vue.

— Oh, merde, entend-il soupirer l'un des gars déjà à l'intérieur.

Il tente de se frayer un passage, mais le mur d'épaules lui bloque l'entrée.

Ceux de devant marquent même un mouvement de recul, obligeant Sjöberg à faire quelques pas en arrière. C'est alors qu'une horrible puanteur d'excréments et d'urine l'assaille ; il espère que le juron du policier vient de là.

— Laissez-moi passer, hurle Sjöberg, avec une fureur qu'il ne s'explique pas vraiment.

Plusieurs policiers se ruent à l'intérieur et se dirigent vers quelque chose que Sjöberg n'a pas encore identifié. Petra sur ses talons, il s'avance dans la remise, et ce qu'il voit confirme ses pires craintes. Quelqu'un allume l'ampoule qui pend au plafond, éclairant ainsi l'écuelle pour chien vide, les quelques bouts de corde et les miettes de pain sec qui jonchent le plancher. Le tout sur une superficie d'environ six mètres carrés, entièrement souillée d'urine et d'excréments humains. Fixée au mur du fond, une solide corde enjambe une poutre et retombe à la verticale d'un petit tabouret de bois renversé au sol. Au bout de la corde, par une boucle qui lui enserre le cou, un homme est pendu, sale, maigre, ensanglanté. Son corps roué de coups ne rappelle presque plus Einar Eriksson.

Au moment où Sjöberg se précipite vers lui, trois des policiers de la force d'intervention sont déjà en train de défaire la corde. Une fois le corps allongé avec précaution sur le plancher, Sjöberg s'accroupit et pose deux doigts sur la gorge d'Eriksson. La dépouille est encore chaude, mais le pouls ne bat plus.

— Ambulance ! crie-t-il de toute la force de son émotion.

Petra se rue hors de la remise pour aller à la rencontre de l'équipe médicale.

Par réflexe, Sjöberg commence à pratiquer la respiration artificielle. Les ambulanciers arrivent vite et prennent le relais afin de tenter de le réanimer. Sjöberg se relève et recule de quelques pas. Petra se faufile à ses côtés. Il entoure ses épaules et la serre contre lui, plus pour lui-même que pour elle. Ils restent comme cela quelques minutes, à regarder les infirmiers s'épuiser dans leur tâche désespérée.

— Il est mort depuis combien de temps ? ose demander Sjöberg d'une voix cassée au moment où ils renoncent.

— Pas longtemps. À mon avis, quelques minutes, répond l'un des ambulanciers.

— C'est ma faute, lâche Sjöberg. Je n'aurais pas dû vous dire de m'attendre. Vous auriez dû rentrer sans moi.

— Conny, sans toi, on n'aurait même pas...

Sjöberg n'a pas envie d'entendre Petra argumenter pour l'excuser. Il ressent le poids de la culpabilité. La peine d'avoir perdu un collègue dont il n'était pas proche, mais que, sur le moment, il aurait souhaité connaître davantage. Autour de lui, tout semble se dérouler au ralenti. S'il veut surmonter son sentiment d'échec, il doit se focaliser sur le criminel.

— Et l'autre salopard ! l'interrompt-il. Ils l'ont arrêté ?

Ses propres mots résonnent dans sa tête. Il est sur le point de s'évanouir.

— Ils sont en train de l'emmener aux voitures, répond un policier de la force d'intervention tout en retirant son casque à visière.

Aussitôt, il redevient un être humain. Sjöberg constate que les autres membres de la force en ont fait autant. Ils se tiennent tous au garde-à-vous et observent en silence les ambulanciers qui déposent la dépouille d'Einar Eriksson sur un brancard, étendent sur lui une couverture et le transportent hors de la remise.

Sjöberg sent que Petra cherche son regard, mais il se sait incapable d'y répondre. Alors il quitte les lieux à la suite des ambulanciers. Sur le seuil de la porte, il croise Sandén et Jamal qui viennent d'assister avec tristesse à la tentative de réanimation. Sjöberg ne trouve rien à leur dire. En silence, il retourne aux voitures.

*

Johan Bråsjö est assis dans l'une des ambulances où il reçoit des soins. Sandén monte s'asseoir face au gamin.

— Bravo, mon garçon, déclare-t-il, sans parvenir à manifester la moindre joie. Mais tu n'as pas idée de la chance que vous avez eue.

— De la chance ? questionne Johan en tournant son regard vers les deux policiers qui poussent sans ménagement l'homme menotté dans un véhicule.

— Ce type-là ne se contente pas de donner des coups. Un de nos hommes est mort. C'est un policier que vous l'avez entendu torturer, pas un cochon. Mais grâce à toi, il va être puni.

— Sauf que… commence Johan, les larmes aux yeux. J'aurais dû comprendre… J'aurais dû faire un vrai dépôt de plainte.

— C'est moi qui aurais dû t'écouter. Ce que tu as fait est vraiment formidable. Tu devrais recevoir une médaille.

Le visage de Johan s'illumine. Le garçon est fier du compliment que lui adresse le policier. Et Sandén espère que la culpabilité, qui semble se propager d'une personne à l'autre dans cette affaire, épargnera ce jeune garçon.

— Il est temps de rentrer à la maison. L'infirmier dit que ni toi ni ton copain n'avez besoin de soins. Je vais demander à quelqu'un de vous raccompagner.

— Pourquoi pas toi ?

— Je dois retourner au commissariat et veiller à ce que ce type se retrouve derrière les barreaux.

*

Après avoir remercié de manière mécanique les policiers de la force d'intervention, Sjöberg rejoint les trois collègues plantés plus loin, qui paraissent l'attendre, mains enfoncées dans les poches. Comme il ne trouve pas les mots pour décrire ce qu'ils ressentent tous, il en vient tout de suite aux choses pratiques.

— Merci, Petra et Jamal. Bon boulot. C'est le week-end. Profitez-en pour rentrer chez vous et vous reposer.

L'un et l'autre donnent l'impression de vouloir dire un mot, mais Sjöberg se contente du hochement de tête que Petra lui adresse en guise de réponse.

— Je vais auditionner Mikael Rydin. Si tu veux en être, Jens, tu es le bienvenu. Sinon, tu es également libre de profiter de ton week-end.

— Je te suis, bien sûr, répond Sandén.

— Je vais téléphoner à Hadar pour lui expliquer la situation, à Kaj Zetterström au sujet de l'autopsie, et à Bella pour l'examen de la scène de crime. Pour vos rapports, je peux attendre lundi. Passez un bon week-end.

Voitures et hommes se dispersent. Le quartier des jardins ouvriers de Tantolunden redevient désert. Seules les traces dans la neige témoignent encore du drame qui vient de se dérouler dans ce petit coin de paradis. Mais bientôt, elles aussi auront disparu. Après une courte apparition, le soleil s'est déjà évanoui derrière les maisonnettes et l'obscurité est vite tombée.

VENDREDI SOIR

Après avoir regardé sur la télévision de la salle de réunion la vidéo répugnante tournée par Mikael Rydin, Sandén et Sjöberg demeurent assis un long moment, les yeux fixés sur l'écran brouillé. Aucun des deux ne sait comment entamer la conversation, bien qu'ils soient conscients que celle-ci est indispensable. Finalement, Sandén se lève et va éteindre l'appareil.

— Cette vidéo a valeur de preuve, affirme-t-il. On doit l'archiver.

— Qu'est-ce que tu crois qu'Einar se serait dit en apprenant qu'on l'avait vue ?

La question s'adresse plutôt à lui-même, mais il ne sait qu'en penser. Sandén ne répond pas tout de suite et prend le temps de se rasseoir.

— J'apprécie de découvrir Einar tel qu'il était vraiment, répond-il après réflexion. Je ne te parle pas de l'humiliation ou des circonstances en soi, mais de l'homme qu'on perçoit derrière tout ça. Bien au-delà de son côté acariâtre qu'il nous montrait au boulot. Ça a le mérite d'expliquer certaines choses sur lui, mais surtout, il devient d'un coup un véritable être humain, avec des souvenirs, des rêves, des sentiments. Et même si dans ce… procès, ou comment appeler ce truc, il se décrit souvent en termes négatifs, il me donne l'impression d'avoir été une personne… d'une rare gentillesse. Je regrette vraiment toutes les merdes dans nos rapports !

La voix se brise, et pour la première fois depuis qu'ils se connaissent, Sjöberg voit Sandén pleurer. De son côté, il a gardé son mouchoir à la main tout au long du visionnage de la vidéo.

— Si je ne vous avais pas imposé de m'attendre, vous auriez pu intervenir avant qu'il ne soit trop tard, suggère Sjöberg.

— On ne le saura jamais, réplique Sandén. De toute façon, ça n'aurait pas tout réglé. Il n'avait plus goût à l'existence. C'est mieux comme ça. Il lui restait quoi comme raison de vivre ?

— On ne peut pas raisonner comme ça, réplique Sjöberg. Sur le moment, il était vidé. Physiquement et psychiquement brisé. Mais qu'est-ce qu'on sait de ce qu'il aurait ressenti dans quelques mois ? Avec des soins appropriés et le soutien de son entourage. De nous, par exemple.

— Mais tu n'as pas vu la joie sur son visage pendant qu'il se livre, étendu sur le plancher ? Même brisé physiquement, il raconte son histoire avec force, une sorte de motivation que jamais avant je n'ai perçue chez Einar. Il a l'air… heureux. Et je sais par expérience ce que ce genre d'expression signifie. C'est celle d'une personne qui a pris sa décision. Il avait déjà choisi, Conny. On n'aurait rien pu faire pour changer les choses. Pour répondre à ta question : oui, je crois qu'Einar voulait qu'on voie cette vidéo, et il savait qu'on allait le faire. C'était sa façon à lui de rédiger une lettre avant de se suicider. En plus, le film contient tellement d'éléments à charge que le procès de Mikael Rydin va rouler tout seul.

316

— Et tu penses que ce mec a eu la belle vie ? Déjà dans le ventre de sa mère, il n'était pas désiré. Né pour remplacer des frères irremplaçables.

— Sauf que la plupart des gens ne tuent pas des innocents pour ça, souligne Sandén.

— Allons voir ce qu'il nous dit, lance Sjöberg avant de se lever.

À première vue, Mikael Rydin apparaît surtout fatigué. Le masque plein de sang-froid, qu'il arborait au moment de son arrestation, est tombé. En dépit de sa musculature impressionnante, il semble petit, assis de l'autre côté de la table pour subir son premier interrogatoire de garde à vue, menottes aux poignets. Les deux policiers l'étudient un moment en silence, avant que Sjöberg prenne la parole.

— Mikael Rydin.

Ce dernier finit par croiser son regard. Selon toute vraisemblance, les effets secondaires du Rohypnol ne se font plus sentir. Il n'a plus l'air de se considérer comme quelqu'un d'invincible.

— Fils d'Ingegärd Rydin et de Christer Larsson.

L'homme est soudain pris de panique. Sandén ne peut s'empêcher de l'ouvrir :

— Maman n'en avait pas parlé ? lui demande-t-il sur un ton doucereux.

Mikael Rydin ne répond pas, le regard fixé dans le vide entre les deux policiers. Sjöberg reprend les commandes :

— J'ai vu Ingegärd ce matin. Elle m'a confirmé ce que je savais déjà. Il suffit d'un simple calcul arithmétique pour comprendre qu'elle n'a pas sauté au lit avec un inconnu tout de suite après avoir perdu ses deux enfants. Durant les mois pénibles qui ont suivi l'accident, Christer et elle ont essayé de rester ensemble, mais, pour des raisons faciles à comprendre, ils n'y sont pas parvenus. C'est dans cette période que tu as été conçu, Mikael.

— Ce qui veut dire que tu as massacré ton demi-frère et ta demi-sœur, ainsi que leur mère, enchaîne Sandén. Avec l'intention de tuer, tu as maltraité l'homme qui subvenait à leurs besoins et les aidait à avoir une vie décente dans ce pays, au point de le pousser au suicide. Tu as également expédié ton père à l'hôpital, avec sans doute des dommages irréversibles au cerveau.

— Je voulais juste venger mes frères. Pour ma mère. Tout le reste… je n'en savais rien.

La rage qui animait le jeune homme a disparu. Il regarde Sandén avec effroi et fait craquer nerveusement ses doigts.

— Tu crois vraiment qu'Einar et sa femme ont intentionnellement laissé tes frères mourir ? interroge Sjöberg sans attendre de réponse. C'était un accident. Pas même de la négligence, juste de la pure et simple malchance. Et tu sais quelle personne s'en est le mieux tirée après la catastrophe d'Arboga ? C'est ta mère. À la suite de la tragédie, elle est la seule qui a réussi à mener une existence sans éprouver de culpabilité et sans souffrir de profonds dommages psychiques. Une situation que toi, Mikael, tu ne pourras plus jamais connaître. Parce que ce que tu as commis, c'est pour tuer et faire souffrir. Peu importe le degré d'exaspération et de colère qui nous habite, peu importe à quel point notre esprit réclame vengeance, on ne peut pas changer le passé. La culpabilité n'est pas une chose qu'on peut balayer d'un revers de main.

— J'en avais pas la moindre idée…

— Mikael, il ne faut pas être négligent dans ses recherches, reprend Sandén avec condescendance.

Mais je dois dire qu'avec un couteau de chasse, tu as un bon tour de main. Tu l'as mis où ?

— Dans la petite bicoque.

— À Tantolunden ?

Abattu, il acquiesce d'un signe de tête.

— Ta vidéo est vachement bien, enchaîne Sandén. C'est peut-être une voie à suivre quand tu sortiras de prison, dans vingt ans environ. Mais évidemment, si on te condamne à des soins psychiatriques en milieu fermé, alors là plus question pour toi de ressortir un jour.

Mikael Rydin contemple ses mains sans dire un mot.

Sjöberg s'aperçoit soudain qu'ils n'en sont plus à discuter avec cet homme. Ce qu'ils font sur le moment n'est rien d'autre que du harcèlement. Pour venger Einar Eriksson et la famille Larsson. Ils veulent juste s'assurer que Mikael Rydin ne ressorte pas de cette pièce sans se sentir coupable. Et tout d'un coup, Sjöberg comprend qu'Einar aurait souhaité le lui épargner.

La base de toute l'affaire est une culpabilité, qui remonte très loin en arrière. Comme ça l'est, à bien des égards, dans la vie actuelle de Sjöberg. Mais Einar, qui a vécu la majorité de son existence avec une culpabilité sans bornes, n'aurait pas souhaité, même à son pire ennemi, d'en passer par là. D'un mouvement sec, Sjöberg repousse sa chaise et se lève. Surpris, Sandén le regarde faire. Vu la détermination de son supérieur, il se dit qu'il vaut mieux faire de même.

— On en reste là, lance Sjöberg, déjà devant la porte.

Sandén se contente de le suivre, sans vraiment comprendre ce qui se passe. Au moment de quitter la pièce, ils entendent la voix de Mikael Rydin derrière eux :

— Pardon, chuchote-t-il.

Mais Sandén n'est pas d'humeur.

— Il ne restera bientôt personne pour te pardonner, réplique-t-il d'une voix glaciale. Tu leur as pris leur vie. Ta mère n'a plus beaucoup de temps devant elle et pour ton père… il est peu probable qu'il s'en remette. Et même si c'est le cas, il n'aura sans doute pas très envie d'avoir affaire à toi. Réfléchis à tout ça, mon pote.

Quand il cesse de parler, Sjöberg est déjà loin dans le couloir.

*

Eivor Sjöberg est surprise en accueillant son fils chez elle si tard un vendredi soir.

— Qu'est-ce que ça veut dire, Conny ? Il est plus de 21 heures.

Il la serre dans ses bras et lui donne un rapide baiser sur la joue.

— Il faut qu'on parle, maman. Je n'ai pas l'intention de repartir d'ici avant que tu m'aies raconté ce que je veux entendre.

— Oh là, ça a l'air sérieux, commente-t-elle avec un petit sourire innocent, même si Sjöberg est certain qu'elle sait à quoi il fait allusion. Tu veux un café ?

En réalité, il aurait préféré de l'alcool, mais comme il va devoir conduire, il accepte la proposition. Il pose sa veste sur le dossier d'une chaise et s'assoit à la table de cuisine. Pendant que, dos à lui, Eivor s'occupe du café, il lui raconte sa visite chez sa grand-mère paternelle. Au moment où il mentionne son nom, il voit sa mère se crisper devant le plan de travail.

— Elle s'est montrée très hostile, explique Sjöberg. Je suis juste resté un petit moment, c'était presque insupportable. J'ai quand même réussi à lui soutirer quelques informations. Mais je crois qu'on se sentirait mieux tous les deux si tu me donnais ta version, toi qui as vécu les événements.

La mère fait cliqueter la porcelaine, comme pour ramener le calme dans ses pensées et repousser le moment inéluctable.

— D'abord, maman, j'aimerais que tu saches que tu as été pour moi une mère formidable. Et que tu l'es toujours. J'admire ton courage et ta détermination. Tu m'as donné une excellente éducation, et tu as fait de moi un être bien structuré, apte à mener son existence. Je ne te reproche rien, ce n'est pas du tout la question. Et je comprends comment les choses se sont passées pour toi. Maintenant, je m'en rends compte. Tu es une personne admirable. Je réalise aussi pourquoi tu ne m'as rien raconté. C'était ta façon de surmonter le drame, et tu as fait ce que tu considérais être le mieux pour moi. Mais aujourd'hui, maman, j'ai besoin de savoir. Il faut que tu me racontes. L'histoire entière, toutes les horreurs qui se sont produites cette nuit-là et ce qui s'est passé par la suite.

La mère s'est immobilisée, mais continue de lui tourner le dos. Il se demande si elle pleure. Il ne se souvient pas de l'avoir jamais vue pleurer. La cafetière gargouille et la bonne odeur de café emplit la cuisine.

— Viens t'asseoir, maman, lui propose Sjöberg sur un ton chaleureux.

— C'est presque prêt.

— Tu veux une liqueur avec ton café ?

— Je ne sais pas si ça va bien ensemble…

C'est le mieux que sa mère puisse faire en termes d'acquiescement. Sjöberg se lève donc et va chercher dans le placard au-dessus du réfrigérateur une bouteille de liqueur d'orange qu'il lui avait apportée un jour. Puis il se rend au salon et prend deux verres à liqueur dans le meuble vitré.

De retour à table, il les remplit presque entièrement et attend en silence que le café ait fini de passer. La mère sert à chacun une tasse et s'assoit face à lui de l'autre côté de la table. Il place un verre devant elle et trempe ses lèvres dans le café avec prudence.

— Tu veux un sandwich ? demande-t-elle soudain.

Mais Sjöberg ne compte plus la laisser tergiverser.

— Vas-y, maman, raconte. Je sais combien tu trouves ça pénible, et c'est également difficile pour moi, mais c'est pour ça que je suis chez toi.

Il pose une main sur l'une des siennes, sans qu'elle tente de la retirer.

— Parle-moi d'Alice, lui suggère-t-il d'une voix douce en la regardant droit dans les yeux.

Cette fois, elle ne laisse pas son regard se dérober, et il voit les larmes envahir ses yeux. Il serre plus fort sa main.

— Je ne peux pas parler d'Alice, répond-elle lentement.

— Il le faut, maman. Je veux apprendre à connaître ma sœur.

La mère inspire profondément avant d'éclater en sanglots. Les larmes coulent le long de ses joues ridées et, pour la première fois, elle lâche prise, pour mettre fin au silence qui l'a tenue debout durant tant d'années. Sjöberg non plus ne peut retenir ses pleurs quand sa mère entame son récit.

Pendant les heures qui suivent, ils pleurent ensemble et se serrent l'un contre l'autre, au fil d'un périple difficile qui résume la vie d'adulte de sa mère et l'enfance de Sjöberg.

Elle raconte *la nuit d'août 1961 où Eivor Sjöberg est réveillée en plein sommeil par une forte odeur de fumée et par une chaleur qui envahissent la chambre située à l'étage. Son mari est couché à ses côtés. Elle se met à crier et à le secouer, sans qu'il se réveille. Elle tente de le soulever, mais son corps semble peser des tonnes.*

— Alice ! hurle-t-elle.

Sa fille de bientôt six ans reste aussi sans réaction, étendue sur le lit tout près de la fenêtre.

Elle se précipite sur Alice et la secoue. Sa chevelure rousse bouclée forme comme un éventail qui entoure son petit visage parsemé de taches de rousseur. La fillette se retourne et ouvre un œil.

— Alice ! crie-t-elle de nouveau. Il y a le feu ! Descends vite dans la cour ! Je m'occupe de ton petit frère !

Le bruit des vitres qui éclatent monte du rez-de-chaussée. Elle repart en courant vers le grand lit, rassemble toutes ses forces, et parvient à faire rouler au sol le corps lourd de son homme. Il ouvre alors les yeux, et tout en s'asseyant, grogne quelques propos incohérents.

— La maison brûle, Christian ! hurle-t-elle, tout en arrachant la couverture du petit garçon qui dort profondément sur un matelas à même le sol, avant de le prendre dans ses bras. Occupe-toi d'Alice et courez dans la cour.

Avant de quitter la pièce, elle se tourne vers sa fillette, qui a refermé ses yeux et roulé de nouveau sur le côté. Mais Christian est en train de se diriger vers elle à quatre pattes, tout en haletant et en jurant.

— Alice ! vocifère-t-elle à plusieurs reprises, incapable de décider ce qu'il faut faire.

Mais plutôt que de rester plantée sur place à hurler, elle choisit de descendre l'escalier avec son fils dans les bras.

Les dernières marches, comme l'ensemble du rez-de-chaussée, sont déjà la proie des flammes, qui viennent lécher le bois sec des poutres du plafond. Ce n'est plus qu'une question de minutes avant que le feu gagne l'étage. Elle sort de la maison en courant et va poser l'enfant, réveillé par le drame, à bonne distance du bâtiment en feu. Puis elle repart en courant vers la maison, mais un mur de flammes l'empêche d'entrer. Si elle se risquait à l'intérieur en chemise de nuit et cheveux défaits, il ne faudrait que quelques secondes pour qu'elle soit transformée en torche. Depuis la porte d'entrée, elle constate que l'escalier est maintenant en feu et qu'il est impossible de l'emprunter. Encore et encore, elle hurle le nom de son mari et celui de sa fille, tout en rejoignant l'endroit de la cour d'où elle peut voir la fenêtre de la chambre.

— Alice ! Christian ! crie-t-elle à pleins poumons, avant de chercher des yeux quelque objet à jeter sur les carreaux.

Elle ramasse un bout de bois, qu'elle lance contre la fenêtre de la chambre. Il atteint sa cible et les vitres volent en éclats.

— Alice ! s'égosille-t-elle. Saute par la fenêtre ! Je suis là pour te rattraper ! Alice ! Alice !

Le garçon se tient quelques pas en retrait et, en silence, voit sa mère mener un vain combat contre le temps et les flammes. Mais soudain, voilà que sa sœur apparaît à la fenêtre. Dans l'encadrement, Alice titube sur les morceaux de verre brisés avant de croiser leur regard. Empreints d'une certaine surprise, ses yeux passent de son frère à sa mère, et le cri que cette dernière laisse échapper de sa gorge pénètre les os jusqu'à la moelle. Elle le hurle à l'instant même où la chevelure de sa fille prend feu. Les flammes forment une gerbe qui entoure le visage stupéfait de la fillette. Ses traits se tordent de douleur avant qu'elle tombe et ne disparaisse de leur vue, de leur vie, de la mémoire de son petit frère.

La mère prend le garçon dans ses bras et se met à courir. Les voisins les plus proches habitent à plusieurs centaines de mètres. Elle fonce. Elle court comme jamais auparavant, son enfant serré contre la poitrine et les pieds nus, sur des chemins caillouteux noyés dans l'obscurité. Elle atteint son but, et la nouvelle se répand de maison en maison : la ferme des Sjöberg est en flammes. Tous ceux qui le peuvent se rendent sur place pour essayer d'éteindre l'incendie. Concernant la fillette, il n'y a plus d'espoir. Quant au mari, ils le retrouvent gisant au sol et parviennent à le sortir dans la cour avant qu'il ne soit trop tard.

Après son transport dans le grand hôpital de la capitale, il reprend peu à peu connaissance, mais avec les brûlures qu'il a subies, il aurait mieux valu qu'il soit mort. Durant l'hospitalisation de Christian, Eivor Sjöberg ne laisse pas son fils rendre visite à son père méconnaissable, pas plus qu'elle ne le laisse assister à son enterrement.

Pour Eivor, la disparition de sa fille est une perte trop grande pour qu'elle parvienne seulement à la nommer au cours des longs mois difficiles qui suivent le drame, avec un mari mourant et une belle-famille qui s'acharne sur elle. Ils ne peuvent pas accepter le fait qu'elle ait réussi à s'en sortir, à l'inverse de son mari, leur fils. Et à aucun moment ils ne parviennent

*à comprendre comment elle a pu se précipiter dans la
cour avant de s'assurer d'abord que toute la famille
était debout. Ils refusent de la laisser en paix avec sa
peine, avant qu'elle disparaisse de leur vue, quittant
l'endroit où elle a grandi, et emmenant avec elle ce
petit garçon dont la trop grande ressemblance avec
ce fils chéri leur est insupportable.*

*Voilà comment elle se retrouve à Stockholm, là où
Christian est soigné. Et avec la naïveté de son âge,
c'est le lieu que Conny garde en mémoire comme
celui où il a vécu son enfance. Ce qui les a conduits
ici reste à tout jamais voué au silence. D'ailleurs, que
peut-on vraiment en dire ?*

Après des flots de larmes, d'innombrables tasses
de café et autant de verres de liqueur, Sjöberg a le
sentiment qu'ensemble, sa mère et lui sont prêts pour
un nouvel avenir.

*

Tout semble irréel. Jamal est assis dans une rame de
métro. Il ne se reconnaît plus. Il a l'impression de se
contempler de l'extérieur. Il n'est plus dans son corps
et il n'appartient plus à la foule grisâtre qui l'entoure.
Il flotte au-dessus, à l'extérieur. Il ne ressent aucune
douleur. Rien n'a d'importance. Il se tient avachi
sur son siège, les jambes allongées devant lui, sans
considération pour les autres passagers. Il se fout de
tout et de tout le monde, s'offre une pause plus que
nécessaire avec la raison et les conventions.

Il descend à la station Telefonplan. Le vent frais du
soir le ramène à la réalité. L'image d'Einar dont on
vient de couper la corde avec laquelle il s'est pendu
lui revient en tête et le culpabilise. J'ai été faible,
songe-t-il. Il évoque ensuite la pression du groupe,

mais la rejette tout de suite comme une fausse excuse. Il est le seul responsable de ses actes et, par conséquent, de son comportement vis-à-vis d'Einar Eriksson. Même constat pour sa vision étriquée des choses dont il a fait preuve tout au long de l'enquête.

Au lieu de suivre les rues qui mènent à Tvingvägen, celle où habite Petra, Jamal coupe par le terrain de sport sombre et désert. Un choix idiot pour flâneur solitaire, mais il s'en moque. Peu importe ce qui lui arrive, il l'a sans doute mérité. Pourtant, il a quand même fait quelques bons choix. C'est lui qui a découvert l'implication d'Einar dans l'affaire. Et pour ce qui est des vidéos sur Jenny et Petra, il a… Oui, après tout, il n'est peut-être pas si mauvais.

Il accélère le pas et se retrouve bientôt sous l'éclairage de la rue Klensmedvägen. C'est le moment de se ressaisir. Après tant de temps, il ne peut débarquer et imposer une bonne image de lui à Petra s'il se sent complètement anéanti. Après cette foutue journée et tout ce qui s'est passé ce vendredi soir au Clarion, il y a bientôt un an et demi, il doit lui apparaître comme un soutien, montrer qu'elle peut compter sur lui, quelles que soient les circonstances.

Au moment de traverser la rue pour atteindre le numéro 24, son attention est attirée par un véhicule garé à côté. Une Lexus rouge foncé haut de gamme, qu'on n'a pas l'habitude de voir stationnée un vendredi soir dans Västberga, un quartier populaire à deux pas de l'autoroute E 4. Il reconnaît la voiture, mais sans savoir dire tout de suite à qui elle appartient. La mauvaise personne au mauvais endroit. Les pensées s'agitent dans sa tête. Et soudain, les pièces du puzzle se mettent en place.

La scène de son affrontement avec Petra dans la salle de sport, qui lui trottait derrière la tête, resurgit en pleine lumière. À la verticale de son propre visage, Holgersson se tient debout, prêt à l'aider à se relever. Sur le seuil de la porte, Roland Brandt fige son geste, le portable à demi levé vers son oreille pour répondre à un appel. Là-bas dans le coin, Petra est adossée au mur, le corps incliné en arrière et luisant de sueur, les gants de boxe encore enfilés, un large sourire aux lèvres. Sourire de triomphe ? Oui, peut-être. Mais pourquoi ? Parce qu'elle lui a mis une volée ? S'agit-il d'autre chose ? Vers qui dirige-t-elle son regard ? Gunnar Malmberg est penché au-dessus d'elle. Il lui tient le visage à deux mains et la maintient dans le coin. Comme pour la maîtriser. On ne se bat plus. Là, ça suffit, Petra.

Non. Ce n'est pas ça. Ce n'est pas *elle* qui a les yeux plongés dans ceux de Malmberg. C'est *lui* qui marque son territoire. Même s'il est vrai que Petra arbore un sourire de triomphe, ce n'est pas pour avoir vaincu Jamal, mais parce qu'elle vient juste de… terrasser Malmberg. Et que lui chuchote-t-il à l'oreille ? « Retire tes gants et calme-toi », ou « Je passe chez toi vendredi soir » ?

Que lui a dit Petra en lui parlant de sa dernière conquête ? Que la chose n'avait pas d'avenir. Qu'elle ne *pouvait* en avoir. Ce qui est bien le cas. En plus d'être commissaire principal adjoint, Malmberg a une femme et des enfants. Il est clair qu'une histoire avec lui n'a pas d'avenir. Alors, c'est quoi ?

Mais Jamal n'en a pas fini avec l'épisode dans la salle de sport. Il se remémore sa vision des choses, appréhendant la scène de biais et par en dessous, gisant au sol, le corps roué de coups, pris de vertiges. Que s'est-il passé ensuite ? Quelles images, quels sons ? La sensation de temps suspendu s'est évanouie quand le portable de Malmberg s'est mis à sonner. C'est ça… la mélodie. Qu'est-ce qu'il avait comme sonnerie ? Il ne l'a laissée retentir que quelques secondes avant de répondre. Un seul instrument… Une guitare. Jamal connaît bien la mélodie en question. Il doit pouvoir s'en souvenir. Il sait que c'est important, mais pourquoi ? Peu importe, il faut que ça lui revienne maintenant. Qu'est-ce qui fait qu'il reconnaît l'air ? Parce qu'il l'aime bien ? Sans doute. La guitare… Clapton ? Bien sûr, c'est *Layla* ! Version acoustique.

Et puis Malmberg a répondu au téléphone. Jamal n'a aucun mal à se souvenir de ce qu'il a dit : « Parle avec Lu… cette nouvelle nana. Jenny. C'est ça. Pas de problème. » Ça aussi c'est important ? Peut-être. À qui parlait-il ? Que signifie « Parle avec Lu… » ? Lu-Lu-Lu… Lucy ? *Lucy in the Sky*… Impossible. Malmberg au courant pour Jenny ? Comment ? Parce qu'il aurait navigué sur amator6.nu ? Pourquoi sur ce site, alors qu'il en existe des milliers ?

Retour à Petra. À la vidéo de son viol. Il sait que sur le sujet, quelque chose continue de le turlupiner, une réflexion qu'il n'est pas parvenu à mener à son terme. Il sent qu'il en est proche… La caméra balaye les corps et le lit, quand d'un coup, pling-plong, tout s'arrête. Non ! Au moment où on coupe la caméra, on distingue un bruit sur l'enregistrement vidéo. Un son qu'on entend avant que l'extrait se termine. Pling-plong, deux notes de guitare. La guitare d'Eric Clapton. *Layla*. Version acoustique.

Jamal jette un regard furtif vers l'appartement de Petra. Une lumière douillette lui parvient de l'intérieur. Que sont-ils en train de faire ? Peu importe, ils ne formeront jamais un couple. Ils ne *peuvent* pas être un couple. Pour deux raisons. La première, c'est que Malmberg ne renoncera jamais à sa carrière et à sa famille pour elle. Quant à la seconde, elle tient au fait qu'être avec Petra ne l'intéresse pas. Il est le violeur, le *deuxième homme*. Il la punit. Sans qu'elle le sache. Le viol est une affaire de pouvoir, pas de sexe. Petra lui a mis des bâtons dans les roues, et cela, il ne l'a pas toléré. Après avoir échoué à la faire renvoyer, il a changé de tactique. Il l'a conquise. De son plein gré, elle s'est donnée à un homme dont elle ignore qu'il l'a violée. Et il en tire un sentiment de pouvoir, de triomphe.

Jamal ne sait pas quoi faire. Il est sûr d'une seule chose : il ne dira rien à Petra. Elle s'en trouverait anéantie. Jamal a toujours été enclin à dire la vérité, mais dans ce cas précis, il est convaincu du contraire. Vu qu'il n'y aura jamais rien de durable entre Petra et ce salaud, elle a bien le droit de vivre heureuse dans l'ignorance d'avoir entretenu une relation éphémère avec l'un de ses violeurs.

En réalité, que peut-il faire ? Pas grand-chose. Ce *deuxième homme* n'a jamais laissé traîner quoi que ce soit dans un quelconque journal intime qui pourrait servir de preuves contre lui. Il n'y a donc rien de tangible pour l'inculper. Jamal ne possède que des indices. Mais il va surveiller Malmberg, au cas où quelque chose apparaîtrait. Pour l'instant, il doit avant tout réunir les preuves dont il a besoin pour retrouver sa tranquillité d'esprit.

Il retourne en direction du métro pour repartir au commissariat. Il a la vision d'une bouteille d'eau minérale vide posée sur son bureau. Et dans sa tête, il entend le nom que Petra a mentionné quand elle lui a détaillé toute l'histoire du viol : Håkan Carlberg, du laboratoire de police scientifique de Linköping.

*

Avant le week-end, Sjöberg doit encore faire une chose. Au fil de la conversation avec sa mère, l'explication de son obsession des six derniers mois s'est lentement insinuée en lui. Prenant conscience que la personne, qu'il voyait à travers les vifs yeux verts de Margit Olofsson ou son ondoyante chevelure rousse, n'était autre qu'Alice, sa propre sœur, il a ressenti à la fois du dégoût et du soulagement.

C'est auprès d'Alice qu'il a cherché du réconfort quand sa vie lui a semblé particulièrement difficile. Et c'est dans les bras d'Alice qu'il a pris du repos quand son manque est devenu trop grand, sans qu'il puisse mettre des mots pour le qualifier. Son rêve récurrent de cette femme à la fenêtre est seulement une transposition de l'effroyable et ultime souvenir qu'il a de sa sœur, dont l'image a vieilli en même temps que lui. En réalité, c'est le corps d'une fillette de bientôt six ans qui flotte dans l'embrasure de la fenêtre, pendant que le feu la dévore. Mais dans son rêve, l'inconscient de Sjöberg a transformé l'incompréhensible en une chose plus intelligible. La petite fille a pris les traits d'une femme, qui elle-même a revêtu l'aspect d'un être qu'il connaissait et qu'il appréciait. À son insu, du fait de sa patience, de sa chaleur, de son esprit charitable, Margit Olofsson a comblé un vide de presque cinquante années, laissé en lui par sa sœur aînée. Et dans la réalité, leur liaison a pris une sale tournure. L'amour sans bornes du petit garçon pour sa grande sœur s'est changé en désir libidineux d'un homme mûr pour le corps d'une femme. Il est temps de mettre fin à ce qui n'aurait jamais dû commencer.

*

— Je vais te dire la vérité, Margit. La vérité sur qui je suis. Elle n'est pas flatteuse pour toi, encore moins pour moi, mais tout de même, je considère que c'est la meilleure voie à suivre.

Elle le regarde de ses grands yeux verts, et il s'aperçoit qu'elle est effrayée par son ton sérieux. Un petit sourire inquiet passe sur ses lèvres. Sjöberg en devine le sens.

— Je n'ai pas envie d'entendre, dit-elle, je n'ai pas envie de savoir. Mais il faut que j'avance. Alors parle.

— Après ce que je vais te dire, tu ne voudras plus jamais me voir. Et c'est bien comme ça. Pour toi comme pour moi. Peut-être qu'un jour tu me pardonneras, mais si ça arrive, il faudra que ce soit dans ton propre intérêt.

Elle pose sa main sur la sienne et il l'enserre entre ses doigts. À cet instant, elle n'est plus pour lui un fantasme mais un être humain. Une belle personne, pleine de tendresse, pour laquelle il ressent le plus profond respect. Il ne se blottira plus jamais dans ses bras pour pleurer. Il ne la laissera plus jamais se plier à ses caprices.

Ils sont assis dans la voiture de Sjöberg, garée sur le bateau devant chez elle. Le mari de Margit n'est pas à la maison. Elle a proposé à Conny de rentrer, mais cela aurait été une erreur. C'est chez elle, pas un lieu pour leurs rencontres.

— Je fais un rêve, commence Sjöberg. Le même rêve, encore et encore.

Il lui parle alors de la femme à la fenêtre, de l'herbe mouillée de rosée, de la chevelure rousse qui ondoie. Sueur et désespoir.

Margit ne dit pas mot. Elle l'observe avec attention, mais ne veut pas l'interrompre par des questions, qui n'auraient de toute façon pas de réponse. Il serre fort sa main et continue à parler.

— Je ne savais pas ce que ce rêve signifiait. Mais l'automne dernier, quand je t'ai rencontrée à l'hôpital, il m'est clairement apparu que la femme dans l'encadrement de la fenêtre, c'était toi. Je n'ai pas pu résister à la tentation. C'était un tort, mais j'ai eu vraiment envie de connaître la femme du rêve.

Margit ne fait toujours aucune tentative pour retirer sa main. Conny continue de la caresser, non pas pour l'assurer de quoi que ce soit et la bercer d'illusions, mais comme un dernier signe de la tendresse qu'il ressent encore pour elle.

— Aujourd'hui, j'ai rendu visite à ma mère.

Il lui raconte l'incendie, la nuit où l'existence d'Eivor Sjöberg s'est effondrée et où la sienne a pris un tournant totalement différent.

Sans qu'il en ait gardé trace dans sa mémoire.

— J'étais en bas dans la cour et, par l'embrasure de la fenêtre, j'ai vu ma sœur brûler à l'intérieur. J'ai vu comment sa belle chevelure rousse a pris feu.

Margit se libère et place ses deux mains devant sa bouche.

— Je t'ai confondue avec ma sœur, Margit. Je suis tellement désolé. Quelque chose en toi me procurait ce dont je me languissais depuis de nombreuses années. Sans que je sache ce que c'était. Mais ce n'était pas d'amour physique que j'avais besoin. Notre histoire est un effroyable malentendu. Ma vie tourne autour de la quête confuse d'une sœur disparue. Je suis un vieux cochon qui voit une petite fille, en plus de ça ma sœur, en utilisant le prisme d'une femme fantastique. De toi. Mais je veux que tu saches que je ne me serais jamais livré à ça si j'avais été conscient de l'histoire. Moi aussi, j'ai des valeurs.

Elle baisse ses mains. Il est surpris de constater qu'elle sourit. Un sourire amical, compréhensif, avant qu'elle lui caresse doucement la joue du dos de la main.

— Je suis triste, déclare-t-elle d'une voix sincère et chaleureuse. Non pas que ce soit fini entre nous, mais pour ce que ta famille a enduré. J'espère que tu n'auras plus à rêver de tout ça. Maintenant, j'y vais.

Elle ouvre la portière et rejoint la nuit froide. Son souffle fait de la fumée au moment où elle se penche vers l'intérieur du véhicule éclairé par le plafonnier. Elle le regarde de ses yeux verts et brillants.

— Il n'y a rien à pardonner, Conny, ajoute-t-elle, tandis qu'une ride se forme entre ses sourcils, que Sjöberg reconnaît comme la marque de sa franchise. Ta mauvaise conscience, il va falloir que tu la travailles. J'ai fait la paix avec la mienne il y a bien des années.

10/18, une marque d'Univers Poche,
est un éditeur qui s'engage pour
la préservation de son environnement
et qui utilise du papier fabriqué à partir
de bois provenant de forêts gérées
de manière responsable.

Impression réalisée par

BRODARD & TAUPIN

La Flèche (Sarthe), 3002646
Dépôt légal : avril 2014
X06015/01

Imprimé en France